Green

Prosto
z mostu

Jane
Green

Prosto
z mostu

LITERATURA
W SPÓDNICY

Tytuł oryginału: STRAIGHT TALKING

Tłumaczenie: Beata Gontarczyk

Projekt serii: Maciej Konopka/Brandy
Projekt okładki: Monika Sutryk/Brandy
Fotografia na okładce: Brandy

Redakcja techniczna i łamanie tekstu: Medgraf
Korekta: Maciej Tutak

ISBN 83-7298-746-7
ISBN 83-89371-15-4

Wydawnictwo Axel Springer Polska sp. z o.o.
02-222 Warszawa
Al. Jerozolimskie 181

Informacje o kolekcji „Literatura w spódnicy":
prenumerata@axelspringer.com.pl
tel.: (22) 608 40 02 lub 0801 120 003
oraz na stronie internetowej wydawnictwa:
www.axelspringer.com.pl

oraz

Zysk i S-ka Wydawnictwo s.j.
61-774 Poznań
ul. Wielka 10
www.zysk.com.pl

Project Management: BroadMind

Printed in Poland
Warszawa 2005

Dla moich cudownych rodziców... którzy dowiedli, że istnieją szczęśliwe zakończenia.

„Czym jest miłość? W moim mniemaniu jest to: namiętność, podziw i szacunek. Jeśli człowiekowi są dane dwa z tych elementów, to wystarczy. Jeśli wszystkie trzy, to nie musi umierać, by trafić do nieba".

William Wharton

Rozdział pierwszy

Nigdy się nie spodziewałam, że w wieku trzydziestu lat nadal będę panną. Miałam przecież być jak moja matka: mężatka, gromadka dzieci, ładny dom z tapetami firmy Colefax & Fowler plus mąż ze sportowym samochodem i jedną lub dwiema kochankami.

Szczerze mówiąc, te kochanki jednak by mi przeszkadzały, choć nie tak bardzo jak bycie panną. Marzy mi się, by spowita w obłok bieli stanąć przed ołtarzem. A mówiąc wprost, leżę odłogiem i pokrywa mnie kurz.

Chyba nie ma nic dziwnego w tym, że trzydziestoletnia kobieta w wolnym czasie poświęca się głównie marzeniom o najważniejszym dniu swojego życia? Nie wiem, może to tylko ja tak mam — może inne przekierowują swoją energię życiową na karierę? Możliwe, że jestem jedynie żałośnie smutnym przypadkiem pośród płci pięknej. Boże, mam nadzieję, że jednak nie.

Problem nie polega na tym, że nigdy nie byłam w związku, choć przyznaję, że w żadnym nie mogłam nawet liczyć na oświadczyny. Zaczynałam w tych facetach widzieć potencjalnych mężów i przesadzałam. Za każdym razem. Ale, hej! Skoro już ryzykować, to równie dobrze można to zrobić w przekonaniu, że tym razem trafiło się na „Mężczyznę Swojego Życia", w przeciwieństwie do „Mężczyzny Na Trzy Tygodnie, Który I Tak Zwykle Sam Zniknie".

Czasami myślę, że to moja wina. Że to ja robię coś nie tak: wysyłam przekazy podprogowe, dzięki którym wyczuwają moją desperację, odczytują treść neonu na moim czole: „PROSZĘ TRZYMAĆ SIĘ OD TEJ KOBIETY Z DALEKA — PRAGNIE STAŁEGO ZWIĄZKU". Jednak i tak najczęściej jestem zdania, że to ich wina. Skurwiele. Wszyscy jak jeden mąż.

Mimo to nigdy nie tracę nadziei, że gdzieś czeka na mnie mój idealny mężczyzna, moja bratnia dusza i za każdym razem, gdy ktoś łamie mi serce, wierzę, że następnym razem będzie inaczej. Podobają mi się wielcy, silni i przystojni faceci. Właśnie tacy, przed którymi zawsze ostrzegała mnie mama.

— Wybieraj brzydali — powtarzała. — Tacy będą ci wdzięczni.

Ale sama skończyła z moim przystojnym ojcem, więc nigdy nie miała przyjemności sprawdzić swojej teorii w praktyce.

Problem z niskimi facetami polega na tym, że kobieta czuje się przy nich jak potężna Amazonka. Zwłaszcza gdy ma się sto siedemdziesiąt pięć centymetrów wzrostu i rozmiar trzydzieści osiem czy coś koło tego. Efekt ciągłej diety w obecności innych i obżerania się w samotności.

Wielcy mężczyźni są lepsi. Gdy cię obejmą i oprą podbródek na twojej głowie, czujesz się jak mała dziewczynka, chroniona przed wielkim i złym światem. Zupełnie jakby odtąd nic złego nie mogło się już wydarzyć.

Tak to już ze mną jest i pozwól, że dodam, że nie jestem ani gruba, ani brzydka, ani ze skłonnościami do aspołecznych zachowań. Większość myśli, że mam około dwudziestu sześciu lat, co mnie w głębi duszy szalenie irytuje, bo sama chciałabym siebie widzieć jako osobę dojrzałą i z obyciem. Uważa się mnie również za wyjątkowo atrakcyjną.

Wiem o tym, bo mężczyźni — kiedy są jeszcze na etapie obłaskawiania mnie — tak mówią. Niestety, zawsze chciałam być wyjątkowo ładna. Próbowałam być ładna: powiększałam sobie oczy makijażem i zerkałam zalotnie spod grzywki, ale ładną nie można zostać. Albo kobieta nią jest, albo nie.

Do pewnego stopnia udało mi się odnieść sukces. Zarabiam na tyle dużo, by raz na prawie trzy miesiące zaszaleć na zakupach w Josefie*, i mam własne mieszkanie. Może nie jest to

---

* Joseph — popularny i raczej drogi sklep z odzieżą w Londynie. (Przypisy pochodzą od tłumaczki).

najbardziej elegancka dzielnica Londynu, ale zamykając oczy w drodze od samochodu do drzwi wejściowych, można, podkreślam słowo można, poczuć się jak w Belgravii*. To znaczy, nie biorąc pod uwagę unoszącego się w powietrzu zapachu kociego moczu.

Oczywiście, że mam koty. Jaka szanująca się, niezamężna kobieta sukcesu, która w głębi duszy rozpaczliwie pragnie oddać wszystko za wysokiego, bogatego nieznajomego z jej snów, nie trzyma w domu kotów? To moje kochane maleństwa. Stanley i Harvey.

Może te imiona rzeczywiście brzmią głupio, ale mnie podoba się zwyczaj nadawania ludzkich imion zwierzątkom domowym. Szczególnie tych zaskakujących. Najwspanialsze imię, jakie kiedykolwiek słyszałam, to kot Dave. Kot imieniem Dave. Super, prawda? Nie znoszę tych wszystkich Mruczków, Kici i Mrusi. Potem ludzie się zastanawiają, dlaczego ich koty są takie aroganckie. Ja też patrzyłabym na świat z pogardą, gdyby matka dała mi na imię Mrusia.

Na szczęście tego nie zrobiła. Nazwała mnie Anastasia. Dla moich wrogów Stazi, a dla licznych przyjaciół Tasha.

Na wypadek, gdybyś sama, droga czytelniczko, była szczęśliwą mężatką i przyjaźniła się z innymi pozostającymi w szczęśliwych związkach parami, z którymi spędzacie czas, robiąc swojskie, przeznaczone wyłącznie dla par rzeczy, pozwól, że ci powiem, że gdy dziewczyna jest sama, to przyjaciele są niezbędni.

Zawsze sądziłam, że to, co czasopisma dla kobiet wypisują na temat wyrzucania facetów z pamięci, otwierania butelki wina, a potem siedzenia z koleżankami i omawiania na wesoło seksu, to jakieś cholerne brednie. Ale gazety mają rację.

Nadal trudno mi w to uwierzyć, bo dopiero niedawno, no, powiedzmy jakieś trzy lata temu, znalazłam taką grupę przyjaciółek. Raz w tygodniu tak właśnie spędzamy czas. Na wypadek, gdyby przeszło ci przez myśl, że to smutne i że zachowujemy się tak tylko po to, by uniknąć samotności, informuję, że nic bardziej mylnego. Te spotkania są rewelacyjne.

Oprócz mnie, rzecz jasna, uczestniczą w nich: Andrea (zwana Andy), Mel i Emma.

---

* Belgravia — elegancka i droga dzielnica Londynu.

Mimo że nie znoszę określenia kumpele, to nimi właśnie jesteśmy. Z tym że wszystkie nie znosimy piłki nożnej. De facto, Andrea twierdzi, że lubi futbol, ale mówi tak wyłącznie z dwóch powodów: myśli, że robi tym wrażenie na facetach, i podoba jej się Stan Collymore.

Wrażenie, owszem, robi, ale Andrea im się nie podoba, ponieważ reprezentuje wszystko to, przed czym ja sama drżę. Jest bardziej męska niż większość znanych mi mężczyzn. Jeśli facet pije piwo, to Andrea natychmiast wyzywa go na pojedynek w piciu i zwykle wygrywa. Pociągające? Nie sądzę. Wszyscy mężczyźni uważają, że równa z niej babka, ale nie chcieliby się obok niej obudzić.

Uważasz, że jestem zgryźliwa? Gdyby i ciebie rzucał z hukiem właściwie każdy wolny facet w Londynie, to też byś była. Ale czytaj dalej, może dowiesz się czegoś ciekawego.

Gdybyś się zastanawiała, jak zarabiam na życie, to już odpowiadam. Jestem producentką programu telewizyjnego. Czyż to nie żałosne? Kobieta prowadząca tak fascynujący tryb życia, produkująca program w telewizji przedpołudniowej; kobieta, która każdego dnia spotyka się z gwiazdami; kobieta, która nie potrafi sobie znaleźć, cholera, faceta.

Ale zapewniam, że pracując przy programie, jak dotąd świetnie się bawię. Pamiętam, kiedy naszym gościem był pewien aktor — mimo że naprawdę mnie korci, nie mogę powiedzieć, jak się nazywa, bo jest bardzo sławny i żonaty z równie sławną panią. Wieczorem, przed jego występem, musiałam odwiedzić go w hotelu, by przelecieć jeszcze raz pytania i odpowiedzi. Chciałam się upewnić, czy osoba odpowiedzialna za wyszukiwanie informacji dobrze przygotowała materiał. W pewnym momencie wylądowaliśmy w hotelowym barze i popijaliśmy gin z tonikiem, podczas gdy on gładził moją nogę pod stołem.

Nie zaprzeczam, że podobał mi się jak diabli i że poszłam z nim na górę, by mieć absolutną pewność, że „przelecieliśmy wszystko od początku do końca". Zrobiłam mu laskę, przy której bledną wszystkie inne. Przyznaję, sama nie miałam przy tym szczególnej przyjemności, ale z drugiej strony, zabawiałam tą historią towarzystwo przez prawie cztery lata. Tobie też bym ją opowiedziała, ale sama rozumiesz: nie jesteśmy przyjaciółkami, a jeszcze nie zdecydowałam, czy mogę ci zaufać.

Postanowiłam jednak opowiedzieć ci o moim życiu i o tym, że przy całej tej postawie twardzielki skupionej wyłącznie na karierze, w środku jestem łagodna jak baranek. Klasyczny przypadek miękkiego nadzienia kryjącego się pod twardą skorupą. W telewizji trzeba być twardą. Nie zaszłam tak daleko wyłącznie dzięki robieniu komuś od czasu do czasu laski. Posadź mnie w jednym pokoju z mężczyzną, którego mogłabym pokochać, który otoczyłby mnie opieką, a zaczynam się trząść jak cholerna galareta.

Na tym właśnie, rozumiesz, polega mój problem. Faceci, gdy mnie poznają, sądzą, że uosabiam niebezpieczeństwo, wyszukany styl i radosne podniecenie. A dwa tygodnie później, gdy próbuję wprowadzić moją szczoteczkę do zębów do szafki w łazience i zostawić moją jedwabną koszulkę nocną pod ich poduszką, uświadamiają sobie, że wcale się nie różnię od innych.

A kiedy już przygotuję im kilka wyśmienitych posiłków (świetnie gotuję) oraz dorzucę parę kwiatków i zostawię ślady kobiecej ręki w ich kawalerskich gniazdkach, to wiedzą, że byłabym dobrym materiałem na żonę. Co tam, byłaby ze mnie fenomenalna żona! A oni wówczas znikają jak poranne opary nad gnojowiskiem.

Z przyjemnością zapoznałabym cię z całym moim życiorysem, ale przypuszczam, że aż tak bardzo cię to nie obchodzi. Dwoje rodziców, klasa średnia, dobrze sytuowani, nawet rzekłabym, że zamożni, i niezbyt mną zainteresowani.

Byłam typowym niesfornym dzieckiem, choć podejrzewam, że mogłam być nieco bardziej niesforna, nieco bardziej szalona. Lecz gdzieś w środku mnie siedziała grzeczna dziewczynka, która chciała wziąć górę. Może dlatego teraz ludzie mają mnie za jędzę. Tyle lat próbowałam być grzeczna, pozwalałam wszystkim wchodzić sobie na głowę, że kiedy postanowiłam upomnieć się o swoje, na ludzi padł blady strach. A co tacy robią, kiedy się przestraszą? Właśnie. Nazywają cię zdzirą. Ale moi przyjaciele wiedzą, że to nieprawda, i sądzę, że tylko ich zdanie jest w tym przypadku ważne.

Chwileczkę, ktoś dzwoni do drzwi. Boże, jak ja nie znoszę ludzi wpadających z niezapowiedzianymi wizytami. Kiedyś podobał mi się pewien facet, Anthony. Przyszedł któregoś dnia, gdy miałam na sobie stary brudny szlafrok, a moje nogi były umówione do wosku na następny tydzień. Wyglądałam jak chodzące nieszczęście, a musiałam siedzieć i rozmawiać z nim, starając się ukryć moje goryle kończyny. Nie wyszło nam i nic dziwnego.

Ale w porządku, to tylko Andy. Pewnie chce posłuchać o moim ostatnim, trzymiesięcznym. W moim przypadku to prawdziwy rekord. Przy wszystkich swoich wadach Andy jest wspaniała. Zawsze potrafi poprawić człowiekowi humor. Za każdym razem, gdy dostaję kopa, najpierw zwracam się do Mel, by ulżyła cierpieniu, a potem do Andy, żeby podniosła mnie na duchu. Kiedy się rozstajemy, świat wydaje mi się lepszy. Dobrze, że teraz do nas dołączyła. Zanim jeszcze wpadłam w głęboką depresję.

Ty też możesz się dosiąść. Zrzuć buty i nie przejmuj się, w tym mieszkaniu wolno palić. Piwo czy chardonnay, na co masz ochotę?

Prezenterzy w moim programie to para największych dupków, jakich w życiu spotkałam. On kiedyś mi się podobał, jeszcze zanim zaczęłam tu pracować. Ale ledwo go poznałam, zrozumiałam, że on sam podoba się sobie bardziej niż ktokolwiek inny na świecie. Aż dostawałam mdłości.

Nie wiem, czy na szczęście, czy niestety, ale on lubi blondynki. Jako blondynka, choć jest to dzieło Daniela Galvina i kosztowało mnie fortunę, a na dodatek zabieg trzeba powtarzać co sześć tygodni, podobam mu się. Nie flirtuje ze mną otwarcie, David nigdy tego nie robi, ale puszcza do mnie oczko, kiedy myśli, że nikt tego nie widzi.

A ja z nim pogrywam w tę grę, dopóki nie ma w pobliżu jego ekranowej partnerki. Kobiety, która odgrywa rolę żony, matki, siostry, córki wobec jego prymitywnego ego w stylu macho, o którym gada jak nakręcony każdego ranka od dziesiątej dwadzieścia do dwunastej w południe.

Annalise Richie, kobieca gwiazda programu *Breakfast Break* raczej za mną nie przepada. Wie, że jestem dobra, i wie, że podobam się Davidowi, że nie wspomnę o naszym naczelnym, z którym bez względu na wszystko sypiałam z doskoku około dwóch lat.

Aha, tak przy okazji. Nie myl tych dwojga z innymi prezenterami. Nie chodzi o tę słodką aż do obrzydzenia parkę z BBC, która co rano obmacuje się ukradkiem jak para papużek nierozłączek w sezonie godowym. Nie mam też na myśli tej (gwarantuję, że maksymalnie pretensjonalnej) parki po przeciwnej stronie stołu. David i Annalise — znasz ich na pewno. On: o wycyzelowanych rysach twarzy i gibkiej sylwetce, jeśli gustujesz w typie lalki Ken. Ona: farbowana blondynka, która aż się prosi, żeby ją wyszorować szarym mydłem.

To oczywiście poza kamerami, bo przed nimi wciskają ją w jakiś elegancki ciuszek z garderoby. Chryste, jak mnie korci, żeby uświadomić wielbiącej ją widowni, że pod tą jedwabną koszulą marki Equipment znajduje się poszarzały stanik od Marksa & Spencera. Coś okropnego.

A dzisiaj rano jej narzekanie jest mi potrzebne jak dziura w moście. Siedzę w reżyserce nad studiem i staram się ściszyć dźwięk w słuchawkach tak, by móc znieść wydawane przez nią nosowe odgłosy.

— Tasha, nie wiem, czy te pytania mi odpowiadają. Nie rozumiem, co chcemy przez to powiedzieć.

— Annie — mówię, zgrzytając zębami tak bardzo, że jednym ruchem szczęki prawie je sobie ścieram, i zwracam się do niej zdrobnieniem, które woli od pełnego imienia, bo dzięki temu ma bliższy kontakt z zespołem. — Annie, za trzy minuty wracamy na wizję, ta kobieta jest ekspertem. Jeśli chodzi o związki, ma gadane. Po prostu naciśnij „play", a ona zacznie mówić.

Na wiszących nade mną monitorach widzę, jak Annie wyraźnie się rozluźnia. Głupia krowa. Za każdym razem, gdy w programie ma wystąpić jakiś pseudointelektualista, Annalise wpada w panikę. Zresztą całkiem słusznie, bo z jej ptasim móżdżkiem sama sobie nie radzi.

Dzisiejszym gościem jest Ruby Everest, duża i wrzaskliwa artystka komediowa, której specjalnością jest upokarzanie facetów. Babka w moim stylu. Przypadkiem ma też dyplom z psychologii z Cambridge i jak nikt potrafi sobie poradzić z wesołkami, którzy wykrzykują różne hasła w czasie jej występów. Spotkałam ją wcześniej w poczekalni dla gości i prezenterów, zwanej popularnie zielonym pokojem, i natychmiast mi się spodobała.

— Próżny skurwiel, nie? — mówi do mnie na dzień dobry, wskazując na Davida, przygładzającego piórka za szybą, za którą przypadkiem znalazł się jakiś cień.

— Jak cholera! — odpowiadam, rumieniąc się jednocześnie, bo przypomniałam sobie, że obiecałam nie przeklinać w obecności gości i nieznajomych (do których, jak sądzę, i ty się zaliczasz). Postaram się więc pilnować języka. Ale Ruby wyszczerza zęby w uśmiechu, a ja go odwzajemniam.

Kobieta zawsze rozpozna siostrę. Nie wszystkie kobiety są „siostrami". Tylko te, które poznały życiowe górki i dołki — najpierw wyniesiono je na górki, a następnie zepchnięto w dołki. Dawno temu, gdy miały po dwadzieścia parę lat, życie „sióstr" było życiem mężczyzn. Przyjaźniły się wyłącznie z facetami, upijały się, przelatywały jakiegoś gościa i rano wyrzucały go za drzwi. Wiek dwudziestu pięciu lat to czas nieustającej zabawy. Człowiek wiedział, że w końcu i tak się ustabilizuje, więc chciał spróbować wszystkiego, co tylko możliwe, póki jeszcze można.

Ale po trzydziestce zmieniłyśmy się. Zaczęłyśmy żyć życiem kobiet. Jest w nas jakieś znużenie; pogodziłyśmy się z faktem, że rycerze w błyszczących zbrojach zniknęli razem z Okrągłym Stołem. Pogodziłyśmy się też z tym, że żonaty mężczyzna to najlepsze, co może nas spotkać.

Ruby jest taka jak ja, zauważam to błyskawicznie. Jest kobietą, która ma dość, która sama sobie narzuciła przymus bycia szczęśliwą ze swoimi kotami, przyjaciółkami, okazyjnym jednorazowym numerkiem i mężczyznami traktującymi ją jak śmiecia i niemającymi ochoty na więcej.

Jednak problem z siostrami, czyli kobietami takimi jak Ruby i ja, polega na tym, że nadal mamy nadzieję. Nic nie możemy na to poradzić. Udajemy, że jesteśmy szczęśliwe, a kiedy widzimy pary całujące się na ulicy, parodiujemy odruch wymiotny. Ale same pragniemy miłości. Wierzymy w nią. Siedzimy w ciemnych kinach, oglądając *Bezsenność w Seattle* i *Ja cię kocham, a ty śpisz*, i zalewamy się łzami. Nawet jeśli wiemy, że wszyscy faceci to skurwiele, to i tak mamy nadzieję, że jeden z nich uratuje nas przed życiem w samotności.

Może się mylę, ale zakładam, że ty też jesteś jedną z nas, w przeciwnym razie nie rozmawiałybyśmy teraz. Choć z drugiej strony, dopiero się poznajemy. Słuchaj dalej, może się dowiesz czegoś ciekawego.

Z wysokości mojej reżyserki widzę, jak wprowadzają Ruby do studia i sadzają na sofie naprzeciwko Annalise i Davida. Annalise posyła jej swój mdły uśmiech, po czym oboje wymieniają z nią uścisk ręki i zabawiają zwyczajową gadką. Tym razem na temat pogody i tego, jak jest gorąco. Gdy słyszę, jak Ruby mówi: „Nie wytrzymuję w tym upale. Aż musiałam zdjąć majtki w zielonym pokoju", uśmiecham się od ucha do ucha.

Annalise jest zbulwersowana, a David wyraźnie się ożywia. Żałosny palant. Dostrzegam jego wzrok wędrujący w stronę krocza Ruby. Kiedy go podnosi, natrafia na jej spojrzenie. Ta patrzy na niego z uniesioną jedną brwią. David, o dziwo, wygląda na zakłopotanego.

Kierownik planu odlicza sekundy do wejścia na wizję, obiektywy kamer skupiają się na ich twarzach i jedziemy dalej. Następne dwadzieścia minut pieprzenia o niczym.

— Witamy ponownie w programie *Breakfast Break* — mówi Annalise, szczerząc zęby do kamery.

— Tematem naszej dzisiejszej sondy telefonicznej jest „Zdrada w miłości" — informuje David i stara się przybrać możliwie niewinny wyraz twarzy. — Czy twój chłopak miał kiedyś romans z twoją najlepszą przyjaciółką? Może twoja dziewczyna uciekła z twoim bratem? A może to ty zdradziłaś lub zdradziłeś? Jeśli macie historię, którą chcielibyście opowiedzieć, to my chętnie jej posłuchamy. Dzwońcie pod numer 01393 939393.

Wiem, co sobie teraz myślisz. Kto pisze te bzdety? Masz rację, to są bzdety, ale pokaż mi kogoś, kto twierdzi, że telewizja przedpołudniowa pobudza intelektualnie, a udowodnię ci, że łże jak pies.

Jasne, że to kompletne bzdury, ale tego oczekuje od nas widownia, a jeśli ona czegoś chce, to musi to dostać. Wracajmy więc do Davida i gównianego scenariusza mojego autorstwa.

— Naszym dzisiejszym gościem jest Ruby Everest, znakomita artystka komediowa, która ma sentyment do mężczyzn i ich słabostek. Ruby... — mówi, zwracając się do niej ze sztucznym uśmiechem na twarzy. — Przecież kobiety też potrafią oszukiwać.

— Oczywiście — odpowiada, pochylając się w jego stronę. — Ale kobiety najczęściej zdradzają, gdy ktoś im wyrządził wielką emocjonalną krzywdę.

— Ale w twoim programie — przejmuje pałeczkę Annalise — *Walnij go tam, gdzie zaboli* jest mowa wyłącznie o mężczyznach, którzy źle traktują kobiety. Czy tobie też się to przydarzyło?

— Słuchaj — mówi Ruby. — Mam trzydzieści pięć lat, chodziłam z większą liczbą facetów, niż ty kupiłaś ciuchów, i nadal jestem sama. Gdybym spotkała faceta, który byłby tak dobrym człowiekiem jak kobiety, z którymi się przyjaźnię, to weszłabym w to od razu. Ale nie spotkałam. Wszyscy faceci, z którymi kiedykolwiek się umawiałam, wszyscy bez wyjątku, byli popieprzeni.

Przestraszony David próbuje jej przerwać, bo Ruby przeklina, ale ona jest jak w transie.

— Albo nie mają ochoty na seks, albo mają tak wielką, że przy okazji przelatują wszystkie twoje przyjaciółki. Chcą, żebyś była dla nich jak mamusia, ale gdy spróbujesz się nimi zaopiekować, nagle wpadają w klaustrofobię i nie mogą się doczekać, kiedy będą mogli rzucić się do wyjścia.

Spotykacie się, mówią ci, jaka jesteś cudowna, a trzy tygodnie później oświadczają, że byłabyś jeszcze cudowniejsza, gdybyś zrzuciła parę kilo albo zaczęła nosić mini, czy gdybyś przefarbowała sobie włosy.

Tu Ruby wzdycha głośno i dodaje:

— Mam tego dość tak bardzo, że zastanawiam się, czy nie zostać lesbijką.

Fantastycznie! Miałam nadzieję, że to powie. A powiedziała głośno to, o czym moje przyjaciółki mówią żartem od lat, z tym że one nie są sławne i nie występują w telewizji na żywo. Jej wypowiedź oznacza wielkie nagłówki w jutrzejszych gazetach: „RUBY PRZERZUCA SIĘ NA PANIE", „RUBY SIĘ UJAWNIA", „LESBIJKI ŚMIEJĄ SIĘ RAZEM Z RUBY". Brukowce będą miały temat.

Mamy pierwszy telefon. Jakaś smutna kobieta z Doncaster, którą mąż zdradza od dnia ślubu. Ale ona go kocha i nie chce od niego odejść. Dlaczego tyle kobiet się na to godzi? Dlaczego nie widzą, że zasługują na więcej? Ale Ruby mówi, że albo dajesz im swoje przyzwolenie, albo odchodzisz. Bez względu na to, jak okrutnie to brzmi, przypuszczam, że ma rację.

Nagle milknę, słysząc, że następny telefon jest od Simona z Londynu. „To niemożliwe", próbuję sama sobie wytłumaczyć. On wie, że ja tu pracuję. Lecz oczywiście, zgodnie z prawem przekory, to jednak on. Naprawdę on.

Jego gładkie, ociekające sarkazmem samogłoski spływają do moich uszu przez słuchawki, gdy wita się z prezenterami. Nie mogę złapać oddechu. Czuję, że robi mi się niedobrze.

Nie rozmawiałam z Simonem od trzech lat. Od czasu, gdy ta świnia rzuciła mnie znienacka po dziewięciu miesiącach. A ja go kochałam. Chryste, jak bardzo! Jasne, że to nie była miłość. Nawet ja widzę teraz, że w grę wchodziło zauroczenie. Ale wtedy o mało mnie to nie zabiło.

Wiem, co sobie myślisz. Jak mogła go kochać po dziewięciu miesiącach bycia razem? Ale czasami, wcale nie tak rzadko, dziewięcioletni związek można zmieścić w dziewięciu miesiącach, dziewięciu tygodniach albo nawet dziewięciu dniach.

Te miesiące są tak namiętne, tak intensywne i pełne bólu, że nawet wiele lat później cierpisz, słysząc jego imię. Tak właśnie było ze mną i Simonem.

Jestem tak pochłonięta wspominaniem, że nawet nie wiem, co mówi. Kiedy w końcu udaje mi się wziąć w garść, słyszę, jak dodaje:

— Wcale nie planowałem tego romansu z Tanyą. Moja dziewczyna, kiedy ją poznałem, była pełna energii i ekscytująca, ale potem się zmieniła. Była typem kobiety sukcesu, ze świetną pracą, a pod koniec jedyne, co ją interesowało, to zakupy do domu i prasowanie moich koszul.

Przepraszam, że wybiegłam z reżyserki z ręką na ustach, ale tego już było dla mnie za wiele. Mój żołądek nie wytrzymał.

Rozdział drugi

Pamiętam ten wieczór dokładnie. Nie miałam ochoty nigdzie iść. Impreza u jakichś znajomych Andy: pary o imionach Matt i Kate. Nie byłam w najmniejszym stopniu zainteresowana. Pary zapraszają inne pary i dorzucają kilku samotnych znajomych dla równowagi. Potem wszystkie pary mają ubaw po pachy, a single nudzą się jak mopsy.

Jedyne, na co miałam ochotę, to nałożyć wielki, rozciągnięty sweter, zamówić do domu porcję chińszczyzny takiej wielkości, że starczyłoby dla czterech osób, i oglądać w telewizji beznadziejne amerykańskie seriale komediowe.

Tylko niech ci nie będzie mnie żal. Są takie wieczory, kiedy mam dość ludzi, pogaduszek, makijażu oraz martwienia się o to, czy moje włosy nie są przypadkiem zbytnio zmierzwione. Są wieczory, kiedy jedyne, czego chcę, to leżeć do góry brzuchem i jeść. Jakiś problem? To dobrze.

To był właśnie jeden z takich wieczorów, ale Andy nie pozwoliła mi zostać w domu. Próbowałam wszystkiego. Powiedziałam jej, że pracuję. Powiedziałam, że boli mnie głowa. Powiedziałam, że właśnie mam dostać okres i czuję się jak tłusta świnia, ale nic do niej nie docierało.

Czasami jest to jej zaleta. Wiesz, że jeśli z nią wyjdziesz, przyprowadzi co najmniej trzy nieznajome osoby, ale są chwile, kiedy po prostu nie jesteś w nastroju. Od czasu do czasu lepiej jest posiedzieć tylko we dwójkę, porozmawiać spokojnie o życiu, wszechświecie i seksie. Czasami nie chce ci się wysilać.

W końcu spojrzałam w lustro i zdecydowałam, że poradzę sobie bez poczwórnej porcji chińszczyzny. Wiedziałam, że jeśli zostanę w domu, nie będę w stanie oprzeć się tej pokusie dłużej niż dwadzieścia minut, więc pomyślałam: „A co mi tam! Pójdę i wyjdę po godzinie".

Ponieważ czasami przychodzi nam zrobić coś wbrew sobie, a nie był to wieczór, kiedy miałabym ukradkiem nadzieję, że spotkam kogoś tylko dlatego, że nie jestem w nastroju na wyjście, tego właśnie dnia przyszło mi poznać mężczyznę moich marzeń.

Czy nie tak to zwykle bywa? Wieczory, kiedy wkładasz w wyjście ogromny wysiłek: godzinami się pacykujesz, układasz włosy, nakładasz nowy drogi ciuch, to te, kiedy nikogo nie udaje ci się poznać. Nawet brzydali.

Wiem, że nie muszę ci mówić, że kobiety poznają mężczyzn właśnie wtedy, gdy najmniej się tego spodziewają. Ale, przysięgam, to naprawdę nie był jeden z tych wieczorów. Ani trochę.

Już na miejscu, na imprezie, z przyzwyczajenia dokładnie obejrzałam sobie każdego z obecnych facetów i zdecydowałam, że żaden z nich nie był wart rozmowy. Zwykle nie cierpię takich spotkań. Tęsknię za prywatkami z moich studenckich lat, gdy w pokoju panował półmrok, jedynym źródłem światła była lampa stojąca w rogu, a muzykę puszczało się naprawdę głośno i nikomu to nie przeszkadzało. Można się było upijać, upalać, tańczyć i zapomnieć się całkowicie.

Ale gdy dorastamy, imprezy są już inne. Teraz zapraszają nas do mieszkania lub domu z gustownie ścieranymi, drewnianymi podłogami i odpowiednimi kieliszkami do szampana. Żadnego plastiku, jak kiedyś. Człowiek sączy swojego szampana z likierem wiśniowym i udaje, że interesuje go, w jaki sposób jakiś żałosny pajac zarabia na życie.

Tęsknię też za studenckim jedzeniem: bagietki pokrojone na setki grubych, miękkich kawałków, do tego wielkie, nierozpakowane z folii kawałki sera; parę puszek pasztetu i korniszony marki Branston stanowiły na imprezie najbardziej wyszukane potrawy.

Bez względu na to, ile się ich zje, nie można się najeść, nażreć czy obeżreć kanapeczkami od Marksa & Spencera. Ale ponieważ wyglądają ślicznie, ludzie myślą, że podawanie ich dowodzi elegancji i wyszukanego smaku.

A ta impreza była właśnie w takim stylu: Marks & Spencer plus tanie wino musujące udające szampana i wymieszane z likierem wiśniowym. Nuda.

Andy zaczynała się zachowywać trochę histerycznie — zalana i zgryźliwa jak zwykle — bo wokół byli faceci. Nieważne, czy jej się podobają, czy nie. Stałam więc sobie w kącie, coraz bardziej wkurzona, i marzyłam o chińszczyźnie na wynos.

Pamiętam, jak popatrzyłam na zegarek i pomyślałam, że jeśli uda mi się stąd wyrwać za jakieś pół godzinki, to będę jeszcze mogła skoczyć do baru i zaspokoić głód. Uważasz, że to głód emocjonalny? Nie, no, naprawdę! Też mi nowina! Co prawda, biorę udział w terapii od stosunkowo niedawna, ale nawet ja wiem, że kiedy nachodzi mnie nagła ochota na jakieś jedzenie, to nie dlatego, by wypełnić mój żołądek. Staram się wypełnić tę wielką pustkę w moim sercu.

O, przepraszam! Nie wspomniałam wcześniej o terapii, ale szczerze mówiąc, jeszcze nie zdecydowałam, ile chcę o tym powiedzieć. Jeśli cię to interesuje, to poszłam na terapię, ponieważ nadal nikogo nie mam, ale to rzecz dość osobista, dotycząca mojego własnego czasu, mojego światka, i wywalam na nią kupę pieniędzy — czterdzieści funtów za godzinę. Może później ci opowiem? Zobaczymy.

Stałam tak sobie, planując wielkie żarcie, kiedy pojawił się Simon. Chociaż wtedy jeszcze oczywiście nie wiedziałam, że to on. Pomyślałam tylko: „Co za paskudny dupek w okularkach". Okularki były, co prawda, od Armaniego (takie małe okrągłe), a on tak naprawdę nie był paskudny — to ja byłam w paskudnym nastroju.

Jego twarz była zabawna. Wyglądał trochę jak mała, mądra sowa ze sterczącymi czarnymi włosami i w garniturze (czarnym i o modnym kroju, nałożonym na świeżutki, biały T-shirt), który dziwnie do tej twarzy nie pasował. Przypominał małego chłopca, który udaje dorosłego. Wiem, że w tej właśnie chwili powinnam była się domyślić, że za chwileczkę włączy mi się instynkt macierzyński, ale nie wiedziałam. Słowo daję, że nie wiedziałam. Nazwałam go w myślach „cholernym doktorkiem".

Czekałam, aż rzuci jakimś niewiarygodnie drętwym tekstem, czymś w rodzaju: „Czy masz ochotę na drinka?" albo „Skąd znasz Matta i Kate?", ale tego nie zrobił. Po prostu stał i patrzył na mnie (dodam, że z niezbyt wysoka). Ponieważ miałam na nogach prawie dziesięciocentymetrowe szpilki, byliśmy tego samego wzrostu. Może nawet on był nieco niższy, ale pamięć i czas zawsze dodają centymetrów. Prawda?

A on patrzył na mnie, patrzył i patrzył. A ja, Pani Twardzielka z Telewizji, zarumieniłam się. Wtedy on otworzył usta i zapytał:

— Czy masz ochotę na drinka?

A ja odparłam z lukrowanym uśmiechem na twarzy:

— Z przyjemnością wypiję jednego.

On jednak nawet nie drgnął, tylko nadal wpatrywał się we mnie bardzo poważnie i intensywnie, jakbym była właśnie tą kobietą, której szukał.

Kiedy zaczął mówić, przez myśl przeszło mi sześć słów: „Aha! No to znowu się zaczyna". Poczułam, jak żołądek podjeżdża mi do góry, a następnie wykonuje nagły i szybki obrót. Ten obrót oznacza, że się w nim zakocham.

— Jesteś najładniejszą dziewczyną w tym pokoju — powiedział w końcu.

Po dłuższej pauzie odparowałam:

— Ale ty nie jesteś najprzystojniejszym gościem.

Przepraszam, nadal mi głupio, kiedy ci o tym mówię, ale wówczas na nic więcej nie było mnie stać.

— Ha! Ale jestem najinteligentniejszy!

— Skoro użyłeś słowa „najinteligentniejszy", to bardzo wątpię.

— Ależ zapewniam cię, że jestem, Anastasio. Jestem na tyle inteligentny, by powstrzymać cię przed ucieczką.

Uśmiechnęłam się szeroko. Nic na to nie mogłam poradzić.

— Skąd wiedziałeś?

— O czym? O twojej planowanej ucieczce czy jak masz na imię? Uznałem, że wyglądasz jak Anastasia, choć możliwe, że ktoś mi tutaj nieco pomógł. Poza tym zawsze potrafię rozpoznać, gdy ktoś chce się za chwilę ulotnić, a ty zaraz byś to zrobiła. Chociaż dzisiaj w telewizji dają tylko chłam. Sprawdziłem.

Zaczęłam się śmiać zaskoczona, że ten gość — gość o zabawnej twarzy doktorka — na mnie leciał. Wtedy właśnie uznałam, że byłaby z nas wspaniała para, i w czasie naszej rozmowy, już tego pierwszego wieczoru, zastanawiałam się, jak wyglądałoby nasze wspólne życie.

Zamieszkalibyśmy w Islington, postanowiłam. W jednym z tych sypiących się domów jak z epoki króla Jerzego, który sami byśmy wyremontowali. Simon na pewno potrafi wszystko zrobić sam, pomyślałam. Razem będziemy cyklinować podłogi i malować ściany na biało.

Nasz ślub będzie w stylu bohemy, ponieważ Simon (chociaż musiał dobrze zarabiać jako naczelny czasopisma dla mężczyzn) nie wyglądał na kogoś, kto gustuje w wielkich, eleganckich imprezach na pokaz. Wybralibyśmy wiersz i piosenkę dla siebie nawzajem, coś z głębokim przekazem. Ja już dokonałam wyboru: Ray Charles i *Come Rain Or Come Shine.*

Podczas gdy on mówił do mnie, rozśmieszał, ja w kółko słyszałam w głowie słowa: *I'm gonna love you, like no one else loves you, come rain or come shine. Happy together, unhappy together, wouldn't it be fine. I guess when you met me now, it was just one of those things, ah but don't you ever bet me now, because I'm gonna be true, if you let me.*

Chryste, Simon był zabawny! Sarkastyczny, rewelacyjnie bystry i niemal tak cyniczny jak ja.

— Banda sztywniaków — powiedział, rozglądając się. — Tak naprawdę miałbym ochotę zaszyć się w jakimś przytulnym ciemnym pubie, z kilkoma butelkami dobrze schłodzonego piwa i śliczną Anastasią u mego boku.

Nienawidzę pubów, nienawidzę. Nory dla roboli, śmierdzące piwem i papierosami. Mimo że lubię piwo i papierosy, to takich miejsc nie znoszę. Ale co odpowiedziałam? Wiem, że nie muszę ci mówić.

To był dokładnie ten rodzaj pubu, ale przynajmniej miał jedną zaletę: prawdziwy kominek. Kominek, dzięki któremu urzeczywistniły się moje fantazje, by było jak w filmie. Nie w żałosnym filmie nadawanym w paśmie dziennym telewizji, ale w hollywoodzkim romansie, w *Bezsenności w Seattle.*

A kiedy ustawiono już na stołach wszystkie krzesła, a barman i inni pracownicy stali grupką za barem i wściekłym wzrokiem sugerowali nam, że pora iść do domu, wstaliśmy i wyszliśmy. Simon objął mnie ramieniem jakby od niechcenia, a mnie serce waliło tak głośno, że nie byłam w stanie nic powiedzieć.

Żadne z nas nie musiało mówić: „Może wpadniesz na kawę?" Nikt nie zadał tego pytania. Zawarliśmy niemy pakt, że dzisiejsza noc, nawet jeśli miałaby być jedyną, będzie nasza.

Wiem, że zabrzmi to jak tekst z romansidła, ale ta noc była niezwykła. Była, nie wiem, jak to powiedzieć... wyjątkowa. On był wyjątkowy. Sprawił, że poczułam się jak jedyna prawdziwa kobieta na świecie. Wyszliśmy z pubu, stanęliśmy twarzą w twarz, on przyłożył palec do ust, zdjął okulary i schylił się, by mnie pocałować.

Miękki, ciepły pocałunek o smaku truskawek i piwa. Nie przestawał muskać moich ust swoimi, a ja nieśmiało polizałam wnętrze jego ust. Potem nastąpiło wielkie namiętne całowanie. Nie można tego określić inaczej. W końcu zachowywałam się jak studentka, którą chciałam być na imprezie. Staliśmy na rogu, ludzie mijali nas i wydawali odgłosy, jakby zbierało im się na wymioty, a my trwaliśmy w tym pocałunku dobre kilkanaście minut.

Wsiedliśmy do jego pięknego, starego, granatowego citroena i pojechaliśmy do jego mieszkania w Belsize Park. Pamiętam, jak mijaliśmy po drodze The Screen on the Hill i Café Flo, a ja już planowałam wspólne śniadanie, składające się z kawy i francuskich rogalików, które zjemy przy stoliku na zewnątrz, czytając niedzielne gazety.

Kochaliśmy się u niego w domu. To nie był „numerek" ani „pieprzenie", ani „przelatywanie kogoś". Było spokojnie, czule i pięknie. Jak kochanie się, gdy ludzie już zbudowali związek i znają wszystkie zakamarki ciała tej drugiej osoby. Kiedy im naprawdę na sobie zależy.

Boże, jakim Simon był cudownym kochankiem! Za tymi okularkami w stylu doktorka uniwersytetu i niedopasowanym strojem krył się zabawny, hojny, doświadczony kochanek. Powinnam była już wtedy się domyślać, ale jak to ja, chciałam wierzyć, że nigdy wcześniej z nikim się tak nie kochał.

Mimo że był to nasz pierwszy raz, nie czuliśmy żadnego skrępowania. Nawet wtedy, gdy wczołgał się między moje nogi, podciągnął kolana do góry, a potem zaczął lizać i ssać moją łechtaczkę. Zalewała mnie jedna fala przyjemności za drugą, a on od czasu do czasu unosił głowę i patrzył mi prosto w oczy. Nawet to mnie nie krępowało.

Ta noc była rozkoszna, wszystko było rozkoszne. A kiedy doprowadził mnie do szczytu, kiedy w końcu wsunął we mnie swojego ślicznego, grubego penisa, zasypał moją twarz pocałunkami, szepcząc: „Moja Anastasia, moja piękna Anastasia".

Nie mogłam się powstrzymać i oczywiście zaczęłam płakać. To wszystko było tak piękne: leżałam z twarzą mokrą od łez, w tle grała Enigma, a Simon podparł się na łokciu i zlizywał łzy z moich powiek i policzków.

— Dobrze nam będzie ze sobą — powiedział. — Żałuję, że nie spotkaliśmy się dawno temu. Żałuję, że nie widziałem cię, kiedy byłaś małą dziewczynką. Założę się, że byłaś olśniewająca: wijące się ciemne loki i te wielkie brązowe oczy. Mniam, pycha — powiedział i pochylił się, by pocałować mój prawy sutek.

Żadne z nas nie spało tej nocy, ale gdy jest to wasza pierwsza noc, gdy człowiek nie jest przyzwyczajony do dzielenia z kimś łóżka, do leżenia w nim z kimś obcym, nie robi to większej różnicy, prawda? Leży się i odtwarza w głowie każde dotknięcie, każde liźnięcie, każdy pocałunek. Człowiek nie może zasnąć, ale ma wielki, maślany uśmiech na twarzy. A przynajmniej ja miałam.

Za każdym razem, gdy przewracałam się z boku na bok, Simon kładł swoją gorącą, lepką dłoń na moim brzuchu, delikatnie całował w ramię albo zarzucał swoją wielką, włochatą nogę na moją.

— Dzień dobry — usłyszałam w końcu o szóstej rano, kiedy żadne z nas nie mogło już dłużej udawać, że spaliśmy, śpimy lub że chcemy spać.

— Dzień dobry — odpowiedziałam rozespanym i, miałam nadzieję, seksownym głosem. Zadziałało. Poczułam jego rękę przesuwającą się powoli w górę po mojej nodze, jak ociera się o włosy łonowe i leniwie zatacza koło na moim brzuchu, po czym zaczyna sunąć coraz niżej i niżej, podczas gdy Simon wprawnie drażnił językiem moje sutki.

Patrzyłam, jak to robi, z mieszanymi uczuciami. Bynajmniej nie dlatego, że od moich sutków biegnie gorąca linia do łechtaczki, i czułam, jak moje podniecenie rośnie. Chodziło o to, że wyglądał jak mały chłopiec. Nie chcę brzmieć perwersyjnie — nie zrozum mnie źle — ale w tamtym momencie, mimo że jednocześnie byłam coraz bardziej napalona, to chciałam się nim zaopiekować. Chciałam, byśmy zaopiekowali się sobą nawzajem.

Kochaliśmy się więc raz jeszcze. Nie mogę powiedzieć, że było lepiej niż za pierwszym razem, bo chociaż tak właśnie wypada stwierdzić, to było mniej więcej tak samo. Może nawet troszeczkę gorzej, bo nie miałam ochoty na pocałunki. Byłam pewna, że moje usta cuchną jak padlina.

Później Simon wstał, przeciągnął się i miętosząc niedbale swój członek, oświadczył, że zabiera mnie na śniadanie.

Powinnam była uznać to za odrażające. Wiem, że nie próbował zrobić sobie dobrze czy coś w tym rodzaju. Nie zrozum mnie źle. Nie miałabym nic przeciwko temu. De facto, mocno mnie to podnieca. Ale było to coś tak niesamowicie intymnego, że byłam wręcz wzruszona: on już czuje się swobodnie w moim towarzystwie.

Teraz wiem, że nie było w tym nic wyjątkowego. Wiem, że wszyscy mężczyźni czują się swobodnie, jeśli chodzi o ich ciała, zawsze, wszędzie i z każdym. Nieważne, że mają brzuszki, sflaczałe tyłki czy małe fiutki. Kiedy patrzą w lustro, widzą cholernego Mela Gibsona.

Simon poszedł do łazienki, a ja przeciągnęłam się w jego wielkim łóżku dla dorosłych, wyciągając nogi jak nożyce i patrząc w sufit z wielkim uśmiechem na twarzy. „Nie w moim stylu", pomyślałam, rozglądając się po pokoju. „Ale wszystko można zmienić. Te niezbyt solidne, drewniane półki są nieco tandetne, ale łatwo można się ich pozbyć. No i trzeba tu porządnie posprzątać".

Nie ma nic lepszego od leżenia rano samej w łóżku nowego kochanka, gdy dopiero co się kochaliście, i ustalanie, jaka będzie wasza wspólna przyszłość. Czy w ogóle jest jakaś przyszłość.

Kiedy otwierają rano oczy, całują cię, przytulają i pieprzą, zanim znikną w łazience, by się ogolić, to z góry wiadomo, że był to jednorazowy numerek.

Kiedy jednak po przebudzeniu całują cię, przytulają i zapraszają na śniadanie, wtedy wiadomo, że tym razem masz szansę na wielką wygraną.

To ekscytujące, porywające uczucie, które sprawia, że po całym ciele przechodzą cię dreszcze. Oceniasz ich sypialnię, rzeczy, decydujesz, czy zostaniecie u niego, czy lepiej będzie wam u ciebie. Rozglądasz się po pokoju, patrzysz na promienie słońca przeciekające przez brudne okna i myślisz: „Mogłabym tu być szczęśliwa, wśród tego wszystkiego".

Kiedy Simon wrócił z łazienki, skoczył na mnie, przyciskał całym swoim ciężarem, dopóki nie zaczęłam błagać o litość, i ugryzł mnie w nos. Wiem, że brzmi to głupio, ale ja po prostu wyszczerzyłam zęby w uśmiechu i nie mogłam zmazać go z twarzy. Nie obchodziło mnie nawet to, że muszę wstać z łóżka kompletnie goła, by móc się ubrać. Nadal wciągałam brzuch, nie jestem aż tak głupia, ale miałam gdzieś swój cellulitis, swobodnie zwisające cycki, swój tyłek. Wiedziałam, że na mnie patrzy. Ale wiedziałam też, że to, co widzi, podoba mu się. Co za wspaniałe uczucie.

— Czy ktoś ci kiedyś powiedział, że wyglądasz pięknie, kiedy masz orgazm? — zapytał na cały głos, kiedy wgryzałam się w tost w Café Flo (ponieważ, masz rację, moja bystra czytelniczko, nie mieli już francuskich rogalików).

Jak należy odpowiedzieć na takie pytanie? Nie wypada powiedzieć „tak", co może, ale nie musi być prawdą (a jest, bo powiedziało mi to trzech facetów, lecz nie dlatego, że naprawdę wyglądam pięknie, ale ponieważ sądzili, że to właśnie powinni powiedzieć. Rzecz w tym, że nigdy w to nie wierzyłam. Aż do teraz). Mogą nagle wpaść w obsesję z zazdrości o wszystkich mężczyzn, z którymi wcześniej spałaś. „Nie" też odpada, bo brzmi to..., moim zdaniem, po prostu zbyt pruderyjnie.

Pokręciłam więc głową, a Simon ciągnął dalej równie donośnym głosem:

— Tak jest. Wyglądasz na dziką i pozbawioną niepotrzebnych zahamowań. Cudownie smakujesz. Cała mokra, ciepła, soczysta i pyszna. To jak powrót do domu.

W tym momencie para przy stoliku obok (na pierwszy rzut oka było widać, że są ze sobą od tak dawna, że skończyły im się tematy do rozmowy i musieli w tej dziedzinie polegać na ludziach takich jak my, by mieć trochę rozrywki) zaczęła chichotać.

Poczułam, jak twarz zaczyna mi płonąć, wściekła, że czuję upokorzenie z powodu czegoś tak cudownego. Odwróciłam się tak rozwścieczona, że prawie ziałam ogniem.

— Wy dwoje najwyraźniej nie macie nawet życia seksualnego, bo w przeciwnym razie nie słuchalibyście cudzych rozmów. Twój chłopak powinien cię zabrać do domu i pieprzyć aż do bólu. Może urozmaiciłoby to trochę waszą cholerną egzystencję.

Dziewczyna była zszokowana. Ta idiotka z otwartymi szeroko ustami wyglądała jak rybka akwariowa, a jej chłopak próbował coś powiedzieć. Podejrzewam, że oczy nabiegły mi w tej chwili krwią, i miałam szczęście, że nie oberwałam lub coś w tym rodzaju, ale facet był mięczakiem. Popatrzył tylko na nią i powiedział:

— Wychodzimy.

Usiadłam prosto na krześle i spojrzałam na Simona. Wiesz, co ten dupek robił? Śmiał się. Śmiał się tak bardzo, że po twarzy płynęły mu łzy i musiał zdjąć okulary.

— Jesteś niesamowita, Anastasio — zdołał w końcu wykrztusić. — Nigdy nie spotkałem takiej kobiety jak ty. Aleś dała tym biednym frajerom do wiwatu. Ta biedna krowa pewnie nawet nigdy nie miała orgazmu. Gdyby była choć trochę bardziej „analna", to musiałaby zamówić porcję środka na przeczyszczenie, a nie bezkofeinowe cappuccino.

Otarł oczy i wyciągnął rękę przez stół.

— Jezu, kobieto! — powiedział z wielkim uśmiechem na twarzy. — Mógłbym się w tobie zakochać.

Już to kiedyś słyszałam i pewnie usłyszę jeszcze z milion razy, ale coś w jego tonie głosu, w tym, że się uśmiechał, gdy to mówił, i w tym, że sam siebie nie traktował zbyt poważnie, sprawiło, że mu uwierzyłam. Uwierzyłam, że marzenia mogą się jednak spełnić.

Rozdział trzeci

Chociaż moje przyjaciółki i ja traktujemy się jak siostry, to fakt ten nie zwalnia nas od obowiązku włożenia odrobiny wysiłku w odpowiednią prezencję. Dzisiaj jest sobota, dzień, w którym wspólnie jadamy lunch, a ja nadal nie wiem, co na siebie włożyć.

Uważasz, że to bez znaczenia, co na siebie włożę? No cóż, może i jesteśmy dla siebie nawzajem przysłowiowymi pępkami świata, ale w naszym przypadku dobry strój ma również znaczenie. Przecież nie mogę ich zawieść, prawda?

Granatowe legginsy, jasnobrązowa marynarka z dużymi, naszywanymi kieszeniami i pasek, a na nogach jasnobrązowe mokasyny. Siedzę przy toaletce i szczotkuję włosy, wydymając przy tym usta i jednocześnie zasysając lekko policzki, by mieć idealnie zarysowane kości policzkowe.

Patrząc na swoje odbicie w lustrze, wiem, że jestem atrakcyjna. Chryste, jestem wręcz fantastyczna i nic z tego nie rozumiem. Naprawdę nie rozumiem, dlaczego nie mam swojego mężczyzny. Ale chyba na tym właśnie polega podstawowy problem bycia kobietą. Nieważne, jak jesteś ładna, zachwycająca lub zdumiewająco atrakcyjna. Nawet kiedy spoglądasz na swoje odbicie i wiesz, że wspaniale wyglądasz, to kiedy spotykasz przystojnego faceta, jesteś przekonana, że pod tą warstwą makijażu wypatrzy małą, speszoną grubaskę, czającą się tuż pod powierzchnią.

Lecz dzisiaj moje włosy wyglądają dobrze, mój makijaż też. Samoopalacz spełnił swoją rolę znakomicie i skóra nabrała ślicznego złotobrązowego odcienia, który wygląda jednak bardzo naturalnie. Po prostu ładna, zdrowa cera. Jestem gotowa stawić czoło światu. Pod warunkiem, że będą w nim wyłącznie kobiety.

Jak zwykle zjawiam się pierwsza. Czy to dlatego, że pracuję w telewizji? Dlaczego, do diabła, za każdym razem jestem na czas, zwykle nawet wcześniej, podczas gdy wszystkie inne przychodzą spóźnione dwadzieścia minut? Powinnam była już się nauczyć docierać na miejsce nieco później, ale nie potrafię. Wpadam w panikę na myśl, że mogłabym przyjść choć dwie minuty po umówionej godzinie. Parę razy o mały włos nie zaatakowałam pięściami kierowców, którzy wlekli się jak cholerni emeryci.

Oczywiście, że cierpię na „syndrom wściekłego kierowcy", a co myślałaś? „Pizdy", „głupie fiuty", „cholerne pojeby" — kiedy się spieszę, przekleństwa sypią się z moich pokrytych pianą ust. Czasami, kiedy nerwy już opadną, martwi mnie to. Lecz zawsze zamykam drzwi od środka. Od czasu, gdy ktoś próbował otworzyć je siłą, by mi przyłożyć. Cholerny pojeb.

Mel zjawia się pierwsza. Kurczę, uwielbiam Mel. Poznałam ją tuż przed spotkaniem Simona, przez znajomą, z którą nie mam już kontaktu, i muszę przyznać, że początkowo wcale mnie nie zachwyciła. Mel jest inna niż reszta. Jeździ samochodem, który nazywa czule „gównochodem" — brudnym, poobijanym renault 5, który śmierdzi jak popielniczka na kółkach.

Mel nie dba ani o ciuchy, ani o pieniądze czy swój wygląd i choć to szanuję, nie mogę przestać myśleć, że gdyby zadbała o siebie choć trochę, wyglądałaby o niebo lepiej.

Nie jest nieatrakcyjna, a przynajmniej nie była, gdy się poznałyśmy. Od tamtej pory sporo jednak przytyła, a jej ciemne, kręcone włosy zwykle aż proszą się o to, by je umyć i wyszczotkować, polewając przy tym litrami wygładzającego serum marki John Frieda. Kiedyś myślałam, że Mel nie jest wystarczająco dobra, i dałam się złapać na małostkowości. To cecha, której człowiek nabywa, gdy wcześnie odniesie sukces, a jest jeszcze zbyt młody, by naprawdę wiedzieć coś o życiu.

Popatrzyłam z pogardą na ubranie Mel rodem z Marksa & Spencera, jej chaotyczny styl życia i uznałam, że nie nadaje się na moją przyjaciółkę. Co za głupota! Kiedy spadłam na samo dno, gdy odszedł Simon, Mel siedziała ze mną godzinami, dniem i nocą. Dzwoniłam do niej o trzeciej nad ranem, bo nie mogłam spać, budziłam się z poduszką mokrą od łez, a ona przyjeżdżała do mnie. Zostawiała swojego chłopaka śpiącego w ich łóżku i wymykała się na paluszkach, by ze mną porozmawiać.

Mel to prawdziwa terapeutka, najbardziej właściwa osoba pod słońcem, by wyrzucić przed nią swoje smutki. Ale jest też z natury najbardziej pokręconą osobą, jaką znam. Jest fenomenalna w rozwiązywaniu problemów innych ludzi, ale jeśli chodzi o jej własne, nie ma pojęcia, jak postąpić.

Gdy tylko wchodzi, widzę, że coś jest nie w porządku, i nagle czuję się tak, jakby moje serce ważyło tonę. Próbuję być równie wyrozumiała i hojna jak ona wobec mnie, ale jakaś część mnie traci cierpliwość. Jakaś część mnie nie może zrozumieć, dlaczego będąc tak nieszczęśliwą, po prostu tego nie skończy.

— Daniel — mówię, wzdychając ciężko i nie potrafiąc ukryć irytacji w głosie. — Co zrobił tym razem?

— Nie chce ze mną jechać w przyszły weekend — mówi Mel, niedbale rzucając swój folklorystyczny worek na podłogę i opadając na krzesło naprzeciwko. — Uznał, że w sobotni wieczór woli pójść na imprezę w Londynie, i nie ma najmniejszej ochoty wlec się na wesele na wieś.

Daniel? Chcesz wiedzieć, kim jest Daniel? Mogę tylko powiedzieć, że to dla niego typowe. Wygadany prawnik o miłym wyglądzie, urocze towarzystwo i totalna świnia wobec Mel. Są ze sobą od pięciu lat, ale on się z nią nie ożeni, dopóki ona się nie zmieni. Chce, by schudła i nosiła lepsze ciuchy. Krótko mówiąc: chce, by była taka jak my.

A jak skurczybyk flirtuje! Zaczęłam unikać spotkań z nim, bo wystarczy, że Mel się odwróci, a on podchodzi ukradkiem i szepcze, że zawsze miał na mnie chrapkę i gdybym była kiedyś samotna, to mam zadzwonić.

Nie chodzi wyłącznie o mnie. Tego samego próbował z Emmą. Pewnie z Andy też chciałby to zrobić, ale myślę, że ona go przeraża. Ale co możemy na to poradzić? Co się mówi, gdy podrywa cię chłopak twojej przyjaciółki? A skoro żadna z nas nie skorzystała z oferty, to skąd mamy wiedzieć, czy Daniel nie jest facetem typu: „dużo gada, niewiele potrafi"?

Może to bez znaczenia, może chodzi o sam fakt, że to mówi, ale Mel to taka miła osoba, tak szczera, że postanawiamy nic jej o tym nie mówić. Pragniemy wyłącznie, by z nim skończyła i skupiła się na własnym życiu.

Ponieważ kobieta zawsze winą obarczy drugą kobietę, do głowy nigdy jej nie przyjdzie, że to jej facet mógłby zrobić pierwszy krok, że to zwykły skurwiel i powinna dać mu kopa. Kobieta zawsze wyjdzie z założenia, że to inna babka zaczęła, nawet jeśli przypadkiem jest to jej przyjaciółka i nawet jeśli ta kobieta nigdy, przenigdy nie zrobiłaby nic, by ją zranić.

Już widzę, co by się wydarzyło, gdybyśmy powiedziały Mel o wszystkim. Byłaby zdruzgotana, milczałaby, a potem powolutku dochodziła do siebie i podziękowała, że ją o tym poinformowałyśmy. I byłoby to nasze ostatnie spotkanie. Na nasze telefony odpowiadałaby w sposób opanowany, lecz chłodny, a Daniela i tak nie wywaliłaby za drzwi. Uwierzyłaby jego zapewnieniom, że to my go zachęcałyśmy, a on tylko żartował.

A potem znalazłaby sobie nowe przyjaciółki, nową zwierzynę łowną dla Daniela i kółko by się zamknęło.

— Dlaczego on to robi? — pyta Mel głośno, lecz wiadomo, że mówi do siebie. — Pięć lat, a ja nadal muszę robić wszystko sama. On nigdy nie chce uczestniczyć w moim życiu.

— Boże, co za dupek! Mel, tak jest bez przerwy i będzie nadal, bo on się nie zmieni. Nie sądzisz, że najwyższa pora, żebyś trochę od niego odpoczęła, ponownie oceniła sytuację? Jesteś młoda, atrakcyjna, cudowna. Daniel cię nie docenia, ale na pewno istnieje ktoś inny, kto to zrobi.

Odezwała się specjalistka, prawda? Ale wiesz co? Kiedy tak mówię, to sama w to wierzę: wierzę, że Mel znajdzie kogoś, kto ją pokocha, będzie ją adorował, doceniał. Tak jak wierzę, że przydarzy się to i mnie, i nam wszystkim. Każdy garnek ma swoją pokrywkę. Nieważne jak poobijaną, pogiętą czy brzydką.

— Masz rację, masz rację. Wiem, że masz. — W głosie Mel brzmi znużenie. — Ale...

Wiem dobrze, co za chwilę powie. Wiem, co się dzieje po każdej kłótni.

— Ale ja wiem, że on mnie kocha i jest nam czasem wspaniale. Przyznaję, że niezbyt często, ale nie opowiadam ci o tych chwilach, gdy jest dla mnie naprawdę kochany, kiedy przytula mnie w łóżku i wyznaje miłość. Wiem, że twoim zdaniem Daniel to świnia, ale czasem mam wrażenie, że to moja wina. Że to przeze mnie tak się zachowuje.

— Mel, to jakieś brednie! Co? Że niby przez ciebie znika na całe noce i nie mówi ci, dokąd się wybiera? To ty go prowokujesz do tego, by nazywał cię grubaską i kazał chudnąć? To ty na niego napierasz, by zmuszał cię do robienia wszystkiego w pojedynkę, żeby ktoś sobie przypadkiem nie pomyślał, że on ma dziewczynę?

— Ale on mówi, że się czepiam i że gdybym nie była taka wymagająca, on spędzałby ze mną więcej czasu. — Jak zawsze, Mel zaczyna mówić płaczliwym tonem. Nic nie frustruje mnie bardziej.

— Mel, na miłość boską, jesteś terapeutką! Dlaczego sądzisz, że nie zasługujesz na więcej? Czemu godzisz się na drugi sort? Nie uważasz, że powinnaś mieć kogoś, kto by cię ubóstwiał? To jest możliwe, popatrz chociażby na Freyę.

Freya była kiedyś jedną z „sióstr", lecz popełniła niewybaczalny grzech: wyszła za mąż. Tak naprawdę wszystkie byłyśmy tym zachwycone, ale jednocześnie odrobinę zazdrosne. Tęsknimy za nią, ale stanowi dla nas model do naśladowania. Dzięki niej wierzymy, że my też odnajdziemy swoje pokrywki. Albo garnki. Nieważne co.

Freya poznała Paula na wakacjach. Byli przyjaciółmi, potem zostali kochankami. Pamiętam, że spotkałam Paula w mieszkaniu Frei tuż po rozstaniu z Simonem i że bałam się tej wizyty. Obawiałam się patrzenia na szczęśliwą parę, wciąż jeszcze na tym etapie, gdy każdemu wypowiadanemu zdaniu towarzyszy dotyk ręki, ramienia czy nogi ukochanej osoby. Kiedy nie potrafią utrzymać rąk z daleka.

Lecz gdy poznałam Paula i zobaczyłam ich razem, uświadomiłam sobie, że on ją ubóstwia tak samo, jeśli nie bardziej, jak ona jego i ogarnęła mnie jakaś głupia radość. Opuściłam ich mieszkanie z uśmiechem na twarzy, przepełniona inspiracją i nadzieją. To jest możliwe. Uświadomiłam sobie, że Simon mnie tak nie traktował, że nam się to nie przytrafiło, chociaż mogło. Może przyszłoby później.

— Wiem. Powinnam go zostawić. Ale jestem przerażona. Mam trzydzieści trzy lata, chcę mieć dzieci, chcę wyjść za mąż. Nie chcę być sama.

— Mel, pomyśl. Czy nie lepiej być samą, żyć w pojedynkę i szczęśliwie, niż trwać w związku z facetem, który traktuje cię podle, kwestionuje wszystko, co robisz i kim jesteś, i który po prostu cię krzywdzi? Popatrz na mnie: jestem cudownie szczęśliwa, żyjąc solo.

Mel patrzy i obydwie śmiejemy się z ironii tego stwierdzenia. Wiem, że nie będzie żadnych zmian, że za tydzień lub miesiąc powtórzymy tę rozmowę — rozmawiamy tak już od trzech lat.

— Hej! — Emma całuje mnie głośno w policzek. — Nie mogę zostać na całe popołudnie. Richard po mnie wpadnie. Dzisiaj musimy wybrać nową łazienkę.

Emma i Richard. Trzy lata i nadal bez ślubu. Ale nie dlatego, że Emma nie próbowała. Moim zdaniem, Richard naprawdę ją kocha, chce z nią być, ale wciąż powtarza, że jeszcze nie jest gotowy się żenić. Jeśli o mnie chodzi, to uważam, że gdy facet mówi, że jeszcze nie jest gotowy się żenić, to znaczy, że to w tobie nie widzi swojej małżonki.

Przypuszczam, że nie rozumiesz istoty problemu. Przyznaję, że mi też zajęło to trochę czasu. Otóż Emma ma trzydzieści sześć lat i była zaręczona już trzykrotnie. Za każdym razem stawiała ultimatum: ożeń się ze mną albo odchodzę. A oni za każdym razem przystawali na jej warunki. Na jakieś trzy miesiące. Potem zawsze odchodzili. Powinno ją to było czegoś nauczyć, ale nie nauczyło. Tym razem też nadchodzi pora ultimatum. Czuję to w kościach.

— Nowa łazienka? — pyta Mel z niewinnym uśmiechem na twarzy. — Czy to znaczy...

Pytanie ostatecznie nie pada, a Emma wzdycha głośno.

— Nie wiem — mówi. — Ostatni wykręt jest taki, że czeka, aż interes trochę się rozkręci i przy odrobinie szczęścia pod koniec roku sytuacja trochę się ustabilizuje, a wtedy on będzie gotowy do ożenku.

W ich przypadku zawsze jest jakiś wykręt. Najpierw mówił, że musi znaleźć mieszkanie, ale gdy zamieszkali razem, musiał wymyślić coś innego. Odszedł z firmy brokerskiej, w której pracował, i otworzył własny interes, więc najnowsza wymówka to ustabilizowanie się sytuacji. Nieważne, że pewnie zarabia więcej niż my wszystkie razem wzięte. Jego sprawy muszą się „ustabilizować", cokolwiek by to miało, do cholery, znaczyć.

Richard i Emma wspaniale razem wyglądają. On jest duży i dobrze zbudowany (grał kiedyś w rugby), a ona malutka, drobniutka, o idealnych rysach twarzy i sylwetce, a do tego te wielkie, brązowe oczy jak u sarenki, które sprawiają, że mężczyźni miękną i chcą ją otoczyć opieką.

Pozornie mają wszystko: wygląd, pieniądze, przyjaciół. Ale jeśli przyjrzeć im się dokładnie, można dostrzec brak pewności siebie Emmy, jej desperację i uzależnienie od niego. A Richard? Klasyczny przypadek strachu przed poważnym związkiem.

Im jestem starsza, im więcej ludzi poznaję, tym mniej myślę, że wiem. Jak poznać, czy ktoś jest dobry, czy nie? Jak poznać, czy związek ma szanse, czy jest skazany na rozpad? Skąd to wiadomo? Wiemy o ludziach tylko tyle, ile oni chcą, abyśmy wiedzieli. Każdy może udawać, kiedy tylko ma na to ochotę.

Pamiętam pewną randkę w ciemno w zeszłym roku. Przy przygotowywaniu programu poznałam babkę, która udzielała w nim wywiadu i natychmiast przypadłyśmy sobie do gustu. Sześć tygodni później zadzwoniła do mnie i powiedziała:

— Czy mogę ci zadać osobiste pytanie? Masz kogoś?

Kiedy już przestałam się histerycznie śmiać, ponieważ nie tylko nie mam nikogo, ale wręcz z tego właśnie słynę, odparłam, że nie.

— Mam takiego znajomego. Ma na imię Gary. Ma czterdzieści jeden lat, jest wysoki i przystojny. Myślę, że pasujecie do siebie. Bardzo bym chciała, żebyście się poznali. Czy Gary może do ciebie zadzwonić?

Oczywiście, że mógł. Nigdy nie wiadomo, kiedy lub jak pojawi się w twoim życiu ten właściwy facet. Zadzwonił, przyszedł i znajoma miała rację: był wysoki i przystojny, a na dodatek zabawny, ale coś w jego zachowaniu, może nadmierna poufałość, sprawiło, że natychmiast zdecydowałam, że nie będzie z nas pary. Postanowiłam jednak w pełni wykorzystać okazję tego wieczoru.

Zabrał mnie do l'Altro w Notting Hill i gdzieś w połowie kolacji, gdy opróżniliśmy butelkę wina do połowy, zrozumiałam, że co prawda go nie polubiłam, ale miałam na niego straszliwą ochotę.

Odwiózł mnie do domu, odprowadził do drzwi i gdy wkładałam klucz do zamka, odwróciłam się, stanęliśmy twarzą w twarz i zadziałała między nami niesamowita chemia. Zachowywaliśmy się jak para cholernych nastolatków, stojąc na progu mojego mieszkania w namiętnym uścisku.

— Chcę się z tobą kochać — wyszeptał.

— Jeszcze nie — szepnęłam w odpowiedzi.

Nie dlatego, że nie chciałam, sama rozumiesz, ale miałam na nogach kilkutygodniowy zarost, a powyżej parę najstarszych z możliwych majtek, w których lycra zrobiła się już niebieska.

— Czy spotkam cię jeszcze? — zapytał, gdy udało nam się w końcu od siebie odkleić.

Umówiliśmy się na następny tydzień. Tym razem to ja poszłam do niego, z nogami gładkimi jak pupcia niemowlaka i w czarnej koronkowej bieliźnie ukrytej pod zamszowymi spodniami. Wiedziałam, że się z nim prześpię, i wiedziałam jednocześnie, że na tym poprzestaniemy. Przyniosłam prezerwatywy ze sobą, a on oświadczył, że ma alergię na gumę, że całe to gadanie o AIDS to przesada i że on nigdy ich nie używał.

Nie musisz mi mówić, że powinnam była stamtąd zwiewać, gdzie pieprz rośnie, ale sprawy zaszły już za daleko. Nie miałam nawet ochoty iść z nim do łóżka, ale sama się wrobiłam w tę sytuację, więc postanowiłam wypić piwo, którego naważyłam.

— Możemy się przecież zabawić inaczej, nie musi to być pełen seks — powiedział, a ja odparłam, że „bez prezerwatywy nie ma perspektywy". Bawiliśmy się więc, a raczej ja dostarczałam mu zabawy. Skurwiel miał prawie godzinę gry wstępnej, razem z masażem z użyciem oliwki dla dzieci (która zupełnie przypadkiem stała na stoliku przy łóżku). W zamian on przez jakąś minutę majstrował niezdarnie przy moim kroczu, po czym wlazł na mnie, przycisnął mi ręce do łóżka i zaczął poruszać się coraz gwałtowniej między moimi nogami.

Wiłam się i próbowałam wykręcić przerażona, że we mnie wejdzie, a kiedy spojrzałam mu w oczy, nie zobaczyłam kompletnie niczego, tylko pustkę. Nie wiem, jak udało mi się go powstrzymać, ale udało. Płakałam całą drogę do domu. Zaufałam mu, bo lubiłam kobietę, z którą się przyjaźnił. Myślałam, że jestem bezpieczna, a prawie zostałam zgwałcona. Skąd można wiedzieć? Człowiek wie tylko tyle, ile inni chcą, byśmy wiedzieli.

Andy przychodzi ostatnia: długie blond włosy spływają jej po plecach, na nosie wielkie okulary przeciwsłoneczne w stylu Jackie Kennedy, radosny uśmiech na twarzy.

Bez względu na to, jak bardzo Andy mnie wkurza, uwielbiam ją, gdy jesteśmy wyłącznie w damskim towarzystwie. Uwielbiam jej zachwyt życiem, jej poczucie humoru, chęć dostrzegania zabawnej strony każdej sytuacji. Uwielbiam to, że jest sama i szczerze jej to odpowiada. Na każdego mężczyznę patrzy jak na wyzwanie, każdy przelotny romans traktuje jako doświadczenie, okazję do nauki. Jakby wszystko, co się nam przydarza, stanowiło dla nas lekcję.

— O Boże! Spotkałam najbardziej niezwykłego faceta pod słońcem — mówi na dzień dobry, jak zwykle zresztą.

— Opowiadaj — wzdychamy głośno wszystkie naraz, chociaż jednocześnie się uśmiechamy.

— Kto to jest tym razem? — pyta Mel.

— To mój klient, z którym flirtujemy sobie przez telefon już od kilku ładnych tygodni. Zadzwonił wczoraj i powiedział, że powinniśmy pójść razem na drinka. Zaproponował, byśmy wyskoczyli gdzieś później.

Mel pracuje w dziale sprzedaży reklam i flirtuje przez telefon ze wszystkimi swoimi klientami. Nawet kobietami.

— Wchodzę do Kettners w Soho, a tam siedzi przy barze taki rewelacyjnie przystojny mężczyzna. „Niemożliwe!", pomyślałam, ale to był on! Był niesamowity i wyglądał jak model.

Po twarzy Mel i mojej przemyka cień uśmiechu, gdy nasz wzrok się spotyka. Wszyscy mężczyźni, których poznaje Andy, wyglądają jak modele. Dopóki ich nie poznamy i nie wyjdzie na to, że wyglądają jak mechanicy samochodowi.

— Wiem, co sobie myślicie: że wcale nie był taki atrakcyjny. Ale przysięgam, wyglądał bosko. Wysoki, może jakieś sto osiemdziesiąt centymetrów, czarne włosy, jasnozielone oczy. Podobny do Pierce'a Brosnana. Gadaliśmy jak najęci przez całą noc, a potem zapytał, czy moglibyśmy się jeszcze spotkać.

— Przeleciałaś go?

Przepraszam za tę obcesowość, ale musiałam wiedzieć.

— Nie! — odpowiada Andy przerażonym tonem. — Odwiózł mnie do domu i całowaliśmy się w samochodzie. Wspaniale całuje. Kusiło mnie, ale naprawdę chciałabym, żeby coś z tego było. Zaczekam. Tym razem jest inaczej, nie umiem tego wyjaśnić, ale mam dobre przeczucia. To może być to.

Jasne, Andy! Nawet ja nie jestem tak naiwna. Mężczyźni nie są tak głupi, za jakich ich mamy. Wiedzą, że niewiele trzeba, by zaciągnąć kobietę do łóżka. „Kocham cię" może straciło już nieco swoją dawną moc, ale powiedz jej, że jest piękna, wyjątkowa lub inna, że czekałeś na spotkanie z nią od lat, a będzie w twoich rękach jak plastelina.

— Spotykamy się jutro — mówi Andy i dodaje z uśmiechem Madonny — ...i właśnie zrobiłam sobie mały prezencik w postaci nowej bielizny.

— Pokaż, pokaż! — Rwetes przy stoliku.

Potem wydajemy z siebie pełne uznania odgłosy, widząc koronkowe cacko w kolorze brzoskwini i różu, które Andy wyjmuje z torby.

— La Perla? Chyba oszalałaś? Ile to kosztowało? — krzyczę, a Andy patrzy na mnie spode łba.

— Posłuchaj, Tasha! Każda kobieta powinna mieć przynajmniej jeden naprawdę porządny, seksowny, piękny i kobiecy komplet bielizny w szufladzie. A białe bawełniane majtki, nawet jeśli są nowe, się nie liczą.

— No powiedz ile?

— Sto dwadzieścia funtów za stanik i siedemdziesiąt funtów za majteczki.

Puszcza do nas perskie oko, gdy to mówi, a nam szczęki opadają tak nisko, że właściwie lądują na stole.

— Ty jesteś nienormalna! — mówi Mel, ale uśmiecha się przy tym. — W życiu bym tyle nie wydała na bieliznę.

Większość z nas by tego nie zrobiła, powiedzmy to sobie szczerze. Ty byś tyle wydała?

— Nie czujecie się bardziej seksowne, wiedząc, że macie na sobie cudowną bieliznę? — pyta Emma, która wygląda na tak skołowaną, że od razu wiadomo, że nosi wyłącznie La Perlę.

— Jasne, ale możesz być równie seksowna w czarnych, koronkowych stringach z domu towarowego — sugeruję, trochę z zazdrości, że Andy może sobie pozwolić na takie szalone wydatki.

— Poza tym długo tego przecież na sobie nie będziesz miała. Musisz po prostu zrobić na nim dobre pierwsze wrażenie.

— Właśnie! — Andy tryumfuje. — Dostanie najlepsze pierwsze wrażenie, jakie w życiu widział.

Kelner przynosi nam karty dań i zamawiamy właściwie to samo co każdej soboty. Żadnych listków sałaty i wody mineralnej. Pamiętaj, że jesteśmy kumpelami i nie tylko potrafimy przebić facetów w kwestii picia, ale i z jedzeniem dobrze sobie radzimy.

Gigantyczne talerze smażonego tuńczyka, hamburgery z baraniny z miętą, oberżyna przekładana wypływającą spomiędzy jej warstw mozzarellą, do tego góra cieniutkich, zabójczych frytek i odrobina sałatki dla ozdoby. Popijamy to wszystko krwawą mary na początek, a następnie przerzucamy się na schłodzone białe wino.

— O Boże! O Boże! Coś sobie właśnie przypomniałam. Muszę wam powiedzieć!

Dziewczyny siedzą cierpliwie i czekają, aż to zrobię.

— Mieliśmy wczoraj sondę telefoniczną na temat zdrady. Simon zadzwonił do programu! Ta świnia zadzwoniła i okazało się, że miałam rację. Ten skurwiel jednak z nią spał!

Rozdział czwarty

Pierwsze dni spędzone z Simonem należały do najszczęśliwszych w moim życiu. Udało mi się: miałam kogoś i po raz pierwszy poczułam, że naprawdę jestem. Nie zrozum mnie źle. Nie wierzę w te bzdety na temat spotkania dwóch połówek. Dla mnie jeden plus jeden daje dwa. Ale wszystko to sprawiało, że miałam wrażenie, nie wiem, jak to określić... spełnienia. Spędzałam z Simonem niemal cały czas. Dzwonił, gdy powiedział, że zadzwoni, zrobił miejsce dla mnie w swoim życiu, chciał ze mną być. Bez przerwy.

Siedziałam w biurze, omawiając materiał z osobą odpowiedzialną za sprawdzanie informacji i zgrywając Wielką Panią Producentkę, a tu dzwonił telefon i w słuchawce słychać było jego głos:

— Czy mogę rozmawiać z Fantasmagorycznym Harrym?

Lub, gdy był w szczególnie dobrym nastroju:

— Tyłeczku?

Tak jest, przestał na mnie mówić Anastasia i zamienił to na Tyłeczek, ponieważ jego zdaniem był to jeden z moich znaków firmowych. A ja przerywałam rozmowę, odwracałam się i zasłoniwszy dłonią słuchawkę, mówiłam:

— Tęsknię za tobą, pączusiu.

Siedzieliśmy i szeptaliśmy przez telefon, prześcigając się w wyznawaniu miłości.

— Kocham cię taaak bardzo — mówił.

— Ja ciebie bardziej.

— O ile bardziej? — odzywało się jego ego, chociaż na tym etapie byłam tak zakochana, że nie zwracałam na to uwagi.

— Tak bardzo jak mój dom.

— A ja ciebie tak jak moją ulicę.

— A ja ciebie tak jak cały Belsize Park.

I tak dalej, i tak dalej, włączając w to cały Londyn, Anglię, świat, wszechświat i wreszcie nieskończoność. Zabawne, że to zawsze ja pierwsza docierałam do tego punktu. A może wcale nie takie zabawne, jeśli zważyć na to, co się potem stało.

Staliśmy się parką-koszmarką. Wszyscy zapraszali nas na imprezy, bo dostarczaliśmy im masę rozrywki. Wiecznie pijani życiem i sobą.

Kiedy jeździliśmy po Londynie jego cudownym starym citroenem, wychodziliśmy z jego znajomymi (którzy, jeśli mam być szczera, reprezentowali zupełnie inną szufladę, ale kto by się tym martwił! Na pewno nie ja), miałam wrażenie, że gramy w jakimś filmie. Płynęłam przez życie na obłoczku miłości.

To wspólnie z Simonem, i od czasu do czasu z Adamem, stawialiśmy czoło światu. Och, przepraszam, nie mówiłam jeszcze o Adamie, prawda? Adam był najlepszym przyjacielem Simona, jego bratem, kumplem od serca (jeśli facetów też to dotyczy). Adam był rewelacyjny, uwielbiałam go niemal tak samo jak Simona, ale nie chciałam się z nim przespać. Słowo.

Obaj bardzo się różnili. Simon był szczupły, miał ciemne włosy i do wszystkiego podchodził bardzo emocjonalnie. Adam miał solidną, tak zwaną niedźwiedzią sylwetkę, blond czuprynę i bez przerwy się uśmiechał. Stanowili bardzo zgrany zespół: poczucie humoru Adama przeciwko błyskotliwemu i nierzadko okrutnemu dowcipowi Simona. Gdy Simon deptał ludziom po piętach, Adam rozmasowywał im potem stopy. A na dodatek był sam. Zdaniem Simona, nigdy nie miał dziewczyny.

— Wiesz co, Ad? — powiedział mój mężczyzna któregoś wieczoru, gdy zrzuciliśmy wszyscy buty, rozłożyliśmy się na kanapie i paliliśmy jointa, czekając, aż nam dowiozą pizzę. — Przydałaby ci się taka dziewczyna jak Tyłeczek. Dbałaby o ciebie, posprzątała tę twoją norę, gotowała pyszne obiadki. Co o tym sądzisz, Tyłeczku?

— Sądzę, że Adamowi jest dobrze tak, jak jest.

Adam posłał mi swój szeroki, ciepły uśmiech i wyciągnął rękę, by pogłaskać mnie po głowie.

— Gdybym był z kobietą taką jak Tasha — powiedział czule — to musiałaby wciąż sprzątać mieszkanie, bo nigdzie bym nie wychodził i byłby tam nawet większy bałagan niż teraz.

Zaśmiałam się i pocałowałam go w policzek. Nasza przyjaźń zawierała element flirtu, lecz takiego, o którym wiadomo, że nigdy nie będzie z niego nic więcej. Nie było więc powodu, by martwić się o platoniczne całusy w policzek, bo taki właśnie charakter miał ten flirt — platoniczny.

Adam dzwonił do mnie w te wieczory, gdy Simon pracował do późna, bo zbliżał się termin zamknięcia wydania, a on musiał siedzieć w biurze aż do rana.

— Dzwonię, żeby sprawdzić, czy nie zwiałaś z jakimś wysokim, umięśnionym gościem.

— Gdybym chciała to zrobić, to raczej nie musiałabym szukać daleko, prawda, Ad?

— Ooo, czyżby składała mi pani ofertę nie do odrzucenia?

— Chciałbyś, kolego.

— Tash, mogłabyś zrobić dużo więcej, niż tylko składać mi oferty. Chciałabyś może o tym porozmawiać?

— Nie, dziękuję, nie sądzę — śmiałam się. — Chyba że chcesz, żeby moje kochanie przyszło do ciebie i skopało ci tyłek.

— Co jego, jest moje, co moje, jest jego. Tash, dobrze o tym wiesz — mówił, wybuchając śmiechem.

Czasami miałam wrażenie, że Adam nie żartuje, że gdzieś za tym śmiechem kryje się odrobina prawdy. Przecież ostatecznie nie o takich rzeczach można usłyszeć. Ale on nigdy nie wykonał żadnego kroku, nigdy nie miał śmiałości. Jedno spojrzenie na mnie i od razu było widać, że to Simon jest moim facetem.

Aż któregoś dnia Simon zadzwonił o dziewiątej wieczorem i powiedział:

— Przykro mi, słoneczko. Chciałem zapiąć wszystko na ostatni guzik, ale jeden reportaż musi być do jutra napisany od nowa, a nie ma nikogo innego, kto mógłby to zrobić. Nie do mnie należy robienie takich rzeczy, ale jak tego cholerstwa nie poprawimy, to będziemy po uszy w łajnie. Będę tu siedział co najmniej kilka godzin, więc nie czekaj, aż wrócę. Mam nadzieję, że nie masz nic przeciwko? Przygotowałaś coś do jedzenia?

— Nie martw się, kochanie, nie szkodzi. Przygotowałam gulasz, ale następnego dnia smakuje nawet lepiej. Zostawię trochę w piekarniku, żebyś mógł coś zjeść, kiedy wrócisz. Nie przemęczaj się za bardzo, dobrze, kochanie? Kocham cię.

Czekałam, aż podejmie naszą grę w „Kto kocha bardziej", ale nastąpiła cisza, po czym Simon powiedział:

— Jasne, ja też. To na razie.

Zaskoczona odłożyłam słuchawkę. Co tam! W końcu jest zajęty. Podejrzewam, że ty od razu byś zgadła, że coś jest nie tak, prawda? Lecz gdy zdarza się coś nieoczekiwanego, coś, co nie pasuje do zwykłego scenariusza, to człowiek nie zadaje pytań, bo nie chce wierzyć, że cokolwiek mogłoby zatrząść jego spokojnym, bezpiecznym światem. Ale wie się zawsze. To kobiecy szósty zmysł. Kobiety potrafią wyczuć zdradę na kilometr, ale dopiero później przyznają, że tak było. Kiedy dzwonią, by powiedzieć, że jego cały czas nie ma w domu, to wiemy, że one wiedzą, ale nie chcą przyznać, że tak jest. Zasugeruj im to, a odrzucą taką myśl z wściekłością.

Lecz później, gdy przelano już łzy i uargumentowano oskarżenia, powiedzą, że wiedziały od początku. Wiedziały od chwili, gdy tylko zdrada przyszła im na myśl.

O dziesiątej trzydzieści kolejny telefon. Rzuciłam się, by go odebrać, byłam przekonana, że dzwoni Simon, by powiedzieć, że zaraz będzie. Ale to nie był on, tylko jego znajomy, który chciał wiedzieć, czy przyjdzie grać w piłkę. Mogłam zaczekać do rana, ale chciałam usłyszeć jego głos, więc zaproponowałam, że skontaktuję się z Simonem i potem do niego oddzwonię.

Telefonowałam kilka razy, ale nikt nie odbierał. Na pewno wyskoczył do toalety, pomyślałam, albo po piwo. Ale nawet w momencie, gdy tak pomyślałam, poczułam lekkie mdłości. O jedenastej zadzwoniłam jeszcze raz, a potem o północy, o pierwszej, o drugiej. Resztę historii na pewno sama znasz. Oczywiście, wpadłam w panikę i o trzeciej nad ranem byłam już przekonana, że musiał wpaść pod samochód. Może jest u Adama? Na pewno! Nie chciał mnie budzić, więc pojechał przenocować u niego.

A skoro mowa o irracjonalnym zachowaniu, pamiętajmy, że wiemy tylko tyle, ile oni chcą, byśmy wiedziały. Co więc zrobiłam, wariatka? Narzuciłam na moją pasiastą pidżamę płaszcz z kapturem Simona, wgramoliłam się do jego ślicznego, granatowego citroena, którym nie wolno mi było jeździć, i pojechałam do Adama do Maida Vale.

Siedziałam pod jego domem całe wieki, bo nie widziałam nigdzie zapalonego światła, i próbowałam dojść do siebie. Na pewno tam jest, mówiłam sobie, prawdopodobnie siedzą, gadają i upalają się trawką.

Kiedy w końcu ochłonęłam, o ile to w ogóle możliwe w przypadku wariatki, weszłam na górę i stanęłam pod drzwiami. To było czyste szaleństwo: trzecia trzydzieści rano, a ja szukam swojego chłopaka, budząc przy tym w środku nocy jego najlepszego przyjaciela. Nie chciałam pokonać tych schodów. Jakaś część mnie nie chciała wiedzieć, czy on tam jest czy nie. Może gdybym zawróciła i pojechała z powrotem do domu, wszystko byłoby w porządku? Może on leżałby, czekając na mnie w łóżku, na wpół śpiący, wykończony po pracy? Ale oczywiście musiałam brnąć dalej. Musiałam nacisnąć ten dzwonek, który dzwonił i dzwonił, i dzwonił, dopóki Adam, biedak, nie otworzył mi drzwi.

W momencie, gdy to zrobił, wiedziałam, że popełniłam błąd, i to wielki. Żałowałam, że w ogóle tu przyszłam.

— Chryste, Ad, przepraszam! Nie wiem, gdzie jest Simon. Powiedział, że pracuje do późna, ale w biurze go nie ma. Nie wiem, co się z nim stało. Tak się martwię! Może miał jakiś wypadek?

Naprawdę tak powiedziałam! Możesz w to uwierzyć? Jak w jakimś serialu komediowym, prawda?

— Pomyślałam, że może jest u ciebie. Kurczę, przepraszam! Wracaj do łóżka. Naprawdę mi przykro.

— Na miłość boską, Tasha — powiedział Adam, trąc jedną ręką oczy, a drugą wyciągając w moją stronę, by wprowadzić mnie do środka. — O czym ty, do diabła, mówisz?

Adam, dobra dusza, zrobił mi filiżankę herbaty. Musiał przeszukać wszystkie szafki, by znaleźć torebki, a gdy już ją przygotował, powąchał mleko, zanim go do niej nalał. Całe szczęście, bo było od jakiegoś roku przeterminowane. Zasmrodziło całe mieszkanie. Ale gdy nasypał cukru do herbaty, to okazała się gorąca, słodka i kojąca.

Nie mogłam usiedzieć na miejscu. Gdy tak siedziałam, parząc sobie usta herbatą i stukając wściekle nogą o podłogę, Adam zadzwonił do mojego mieszkania, naszego mieszkania, mówiąc przy tym:

— Na pewno jest już w domu. Jestem tego pewien.

Ale oczywiście skurwiela nie było. Adam przysunął swoje krzesło do mojego i wziął mnie za rękę.

— On cię kocha — powiedział. — Za nic by cię nie zranił. Wiem, co sobie myślisz, ale to zupełnie nie w jego stylu. On nie rozgląda się za innymi kobietami, kiedy jest z tobą. Zaufaj mi, on pracuje. Może musiał gdzieś pójść, by z kimś się spotkać, a może pojechał do jakiegoś dziennikarza do domu. Na pewno nie robi tego, co myślisz, że robi. Chcesz tu zostać? Możesz, jeśli chcesz, ale Simon na pewno wkrótce wróci do domu i będzie się zastanawiał, gdzie jesteś.

Dokończyłam herbatę, wzięłam kilka głębszych oddechów i starając się ignorować maleńkie ukłucia strachu na dnie żołądka, wstałam od stołu w dużo lepszym nastroju.

— Nie mów mu, proszę, że tu byłam. Tak mi głupio.

Obiecał, że tego nie zrobi, chyba że Simon jest już w domu, a wtedy na pewno chciałby wiedzieć, gdzie się podziewam.

— Dziękuję, Adamie — powiedziałam, wyciągając w górę ramiona i przytulając go mocno uściskiem, który mówił: „Siedzę po uszy w bagnie i nie wiem, czy sobie poradzę". Uściskiem, który prosił: „Proszę, nie pozwól, by coś mi się stało".

Adam go odwzajemnił i od razu wiedziałam, co chciał przez to powiedzieć. Te wielkie ciepłe koła, które zataczał na moich plecach swoją dłonią, znaczyły: „Wszystko będzie dobrze. Zaufaj mi. Wszystko będzie dobrze".

Ale oczywiście nic nie będzie dobrze i wiesz o tym równie dobrze jak ja. Kiedy ziarno zostało zasiane, to nie trzeba długo czekać, by wyrosło na wielki, mocny i intensywny romans. Wystarczy jedno małe ziarenko, a tyle ich lata w powietrzu dookoła, że trzeba być cholernym świętym, żeby któregoś nie złapać. Przynajmniej, gdy jest się mężczyzną. Skurwiele.

Wróciłam do domu. W chwili, kiedy zdejmowałam jego płaszcz i ściągałam adidasy, otworzyły się drzwi wejściowe i w progu pojawił się Simon.

— Przepraszam, Tyłeczku. Co za koszmar — powiedział i zaczął rozpinać koszulę.

Chciałam krzyczeć, wrzeszczeć, stracić panowanie nad sobą. Powinnam była wykrzyczeć: „GDZIEŚ TY, KURWA, BYŁ?! CO, KURWA, ROBIŁEŚ?!" Lecz tego nie zrobiłam. Powiedziałam tylko:

— Mogłeś do mnie zadzwonić, martwiłam się o ciebie. Myślałam, że coś ci się stało.

Zabrzmiało to jednak płaczliwie. Przede wszystkim miałam na myśli zupełnie coś innego. Nie wiem, czy tobie też się to zdarzyło, ale kiedy przy odrobinie szczęścia znajdę coś, czego szukałam, to jestem przerażona, że mogłabym to utracić.

Zamiast więc Tashy nożowniczki, Tashy kobiety silnej i wzbudzającej lęk, zachowuję się jak Tasha mała dziewczynka, która desperacko pragnie akceptacji. Boi się walczyć, boi krzyczeć, bo może przestaną ją lubić.

Kiedy więc Simon spojrzał na mnie i powiedział: „Nie męcz mnie, Anastasio" (zwracał się do mnie w ten sposób wyłącznie wtedy, gdy był zły albo miał poczucie winy), natychmiast wpełzłam z powrotem do swojej norki i zaczęłam przepraszać.

— Uwijałem się w nocy jak dziki, ale skończyliśmy, dzięki Bogu — powiedział, nie patrząc na mnie ani przez chwilę.

Nie mógł mi spojrzeć w oczy.

— Nigdy więcej niczego nie zlecę temu przygłupowi. Nie potrafiłby napisać czegoś porządnego, nawet gdyby od tego zależało jego życie.

Wiem, co powinnam była wtedy powiedzieć, powinnam była go zapytać prosto z mostu: „Czy byłeś w biurze?", ale nie chciałam stawiać go pod ścianą. Postanowiłam dać mu szansę ucieczki, udowodnienia, że się mylę.

— Dzwoniłam do ciebie i nikt nie podnosił słuchawki. Dlaczego?

— Chryste, kobieto! Jest czwarta rano, a ty mnie przesłuchujesz, jakbym miał coś na sumieniu, chociaż Bóg jeden wie, że tak nie jest. Słyszałem, jak telefon dzwonił, ale nie podnosiłem słuchawki, bo miałem termin na karku. Ty powinnaś wiedzieć najlepiej, jak to jest, gdy ktoś dzwoni, a ty nie masz czasu na pogaduszki. Wiedziałem, że to ty i że mnie po prostu rozkojarzysz.

Szczerze mówiąc, nie wiem, jak to jest, bo moim zdaniem, jeżeli ktoś chce coś zrobić, to zawsze znajdzie czas. Gdy ktoś przeprasza, że nie dzwonił, bo był zbyt zajęty, to gówno prawda. Kto nie ma czasu, by podnieść słuchawkę, krótko się przywitać i powiedzieć: „Przepraszam, nie mogę teraz rozmawiać, ale myślę o tobie" czy coś w tym rodzaju?

Zbyt zajęty, by pogadać? To jakaś kompletna bzdura, ale przyznałam mu rację i zapewniłam, że wszystko w porządku. Dodałam tylko:

— Następnym razem powinieneś wziąć również innych ludzi pod uwagę. Naprawdę się o ciebie martwiłam.

— Mam nadzieję, że następnego razu nie będzie — odparł, wgramolił się do łóżka, przewrócił na drugi bok, cmoknąwszy mnie przy okazji przelotnie w usta.

Leżałam, nie mogąc zasnąć, i zastanawiałam się, co do cholery chciał przez to powiedzieć.

Gotowałam dla Simona, sprzątałam dla Simona, dbałam o niego. Zanosiłam jego rzeczy do pralni i, jak łatwo się, moja bystra czytelniczko, domyślić, to był początek mojego końca.

Każda kobieta sprawdza zawartość kieszeni marynarki swojego chłopaka, gdy zanosi ją do czyszczenia. Przyznaj, ty sama tego nie robisz? Nawet jeśli dwa tygodnie wcześniej zniknął bez wyjaśnienia, po czym zachowywał się jak obrażona primadonna, mówiąc, że to przez stres?

Spełniałam jedynie swój partnerski obowiązek, na miłość boską! Mógł przecież zostawić w kieszeniach pieniądze. Simon był taki roztrzepany. „Aha! Jednak zostawił", pomyślałam, wyciągając trzy fotografie z wewnętrznej kieszonki.

Potem już nic nie myślałam, po prostu szybko usiadłam i nic nie przychodziło mi do głowy.

Przypuszczasz, że wiesz, co na nich było? Ha! Nie wiesz. Sądzisz, że na zdjęciach był Simon w łóżku z jakąś panienką, oboje w namiętnym uścisku? Lub jakiś inny pogrążający materiał dowodowy?

Nic aż tak oczywistego i pod pewnym względem nadal jestem przekonana, że to, co tam znalazłam, było nawet gorsze. Zmuszało do zadawania pytań. Pytań, na które nigdy nie można udzielić zadowalającej odpowiedzi; które nie dają w nocy spać, bo człowiek analizuje wszelkie możliwości, starając się jakoś je sobie wytłumaczyć.

Na zdjęciach była bardzo piękna blondynka. Nie, nie taka jak ja: uderzająco atrakcyjna, z twarzą pokrytą grubą warstwą makijażu i świeżym balejażem na odrostach. Ona była naturalnie piękna. Długie blond włosy, proste i, sądząc po wyglądzie, naturalne. Odrobina makijażu i usta zaledwie muśnięte cielistą pomadką. Wyglądała jak modelka i siedziała w Café Rouge, w Notting Hill (zanim o to zapytasz: poznałam po wystroju wnętrza). Zdjęcie zrobiono późno w nocy, a ona uśmiechała się do obiektywu.

Na drugim mówiła coś z ożywieniem, a osoba robiąca zdjęcia musiała po prostu złapać za aparat i uchwycić ją w środku opowieści. Na trzecim jedną ręką pocierała kark i spoglądała kokieteryjnie, z udawaną skromnością, za obiektyw i prawdopodobnie prosto w oczy fotografującego. Simona. A kogo innego, do cholery?

Faceci nie noszą przy sobie zdjęć kobiety, a już na pewno nie trzech. Chyba że ich intryguje, że nie mogą o niej zapomnieć. Nie wiedziałam, kim ona jest, ale natychmiast pojęłam, że zdołała się wkraść w jego łaski i sprawiła, że był wobec mnie taki humorzasty. Wiedziałam też, że ona tak po prostu nie zniknie. Na pewno nie bez bezpardonowej walki.

A ja nie miałam ochoty walczyć. Myślałam, że nie muszę. Sądziłam, że Simon mnie kocha i (ależ byłam głupia!) że miłość wystarczy. Lecz wiesz, co jest najgorsze, gdy patrzy się na takie zdjęcia i czuje to, co się czuje? Najgorsze, że gdybym była facetem, to myślałabym tak samo. Gdybym była facetem i musiała wybierać między nią a mną, wybrałabym ją. Bez wahania.

Gdy Simon pojawił się w korytarzu, wyszłam mu na spotkanie z fotografiami w wyciągniętej dłoni, prezentując dowody.

— O co chodzi, Tyłeczku? Co to za zdjęcia? — Objął mnie i ledwo na nie popatrzył. — Aaa, to Tanya.

— Co masz, kurwa, na myśli, mówiąc: „Aaa, to Tanya"? Kto to, kurwa, jest i skąd, do diabła, masz te fotki?

Niewinny mężczyzna zapytałby, słusznie zresztą, czego, do cholery, szukałam w kieszeniach jego marynarki. Winny facet jest zbyt pochłonięty wymyślaniem jakiejś wiarygodnej historii, by cię zrugać, że w ogóle tam zajrzałaś. W ten sposób zyskałam pewność, tylko że nie chciałam wiedzieć; nie chciałam w to wierzyć.

— Kochanie, to modelka, którą być może zatrudnimy do sesji. To nikt ważny. Dlaczego się martwisz?

— Martwię się, ponieważ nosisz przy sobie zdjęcia tej dziewczyny, byliście w Café Rouge, i to w nocy. Martwię się, bo od czasu, gdy musiałeś pracować do późna w biurze, dziwnie się zachowujesz, a ja chciałabym wiedzieć, o co chodzi.

— Już ci mówiłem. Och, Tyłeczku, ty chyba nie sądzisz, że...
— Odrzucił głowę do tyłu i wybuchnął śmiechem. Ten skurczybyk naprawdę się śmiał. — Kochanie, chodź tu do mnie. Przecież ty jesteś zazdrosna!

Objął mnie, a ja co prawda nie przytuliłam się do niego, ale przyznaję, że przylgnęłam ciałem do niego. Ale tylko troszkę, OK?

— Uwielbiam, kiedy jesteś zazdrosna, bo to dowodzi, jak bardzo mnie kochasz. Tyłeczku, nie masz powodu do zmartwień. Tak, jest ładna, ale uwierz mi, na zdjęciach wygląda dużo lepiej niż w rzeczywistości. Ma paskudną cerę, którą ukrywa pod hektolitrami podkładu.

Milczałam. Po prostu przylgnęłam do niego nieco mocniej, chcąc usłyszeć, co jeszcze ma do powiedzenia.

— A jaka z niej idiotka. To największa idiotka, jaką w życiu spotkałem. Wierz mi, kochanie, nie masz najmniejszego powodu do niepokoju.

— To co robiliście razem w Notting Hill? I kiedy to było?
— Mój głos brzmiał trochę łagodniej, już nie byłam taka pewna.

— Byliśmy z Nickiem Clarkiem, fotografem. Spotkaliśmy się we trójkę w Notting Hill. Wieki temu: jakieś sześć tygodni. Kompletnie o tych zdjęciach zapomniałem.

— Ale byliście tam w nocy? Której nocy? — Gdy to powiedziałam, mój umysł nareszcie zaskoczył i wiedziałam, że czegoś tu brakuje, ale nie byłam pewna czego. Sądzę, że gdybym wtedy usiadła i zastanowiła się porządnie, to ta niejasna myśl nabrałaby konkretnych kształtów. Ale nie chciałam tego robić. Wolałam udawać, że nic się nie dzieje. Miałam nadzieję, że to samo minie.

Rozdział piąty

Moja komórka dzwoni w chwili, gdy wsiadam do samochodu, by pojechać do Louise, mojej psychoterapeutki. To Mel. Zupełnie roztrzęsiona.

— Powiedziałam mu, że mam dość. Nie mogę tak dłużej. On nie chce być moim facetem, a dopóki nie zechce, będzie musiał mieszkać gdzie indziej.

— Co on na to?

Jestem ostrożna, bo to nie pierwszy raz. Kiedyś już przeklinałam go każdym znanym mi wyzwiskiem, a trzy tygodnie później Mel i on znów byli razem w sposób tak cudownie nieszczęśliwy, jak to tylko oni potrafią.

— Nic nie powiedział. Cisza, a potem oświadczył, że tak czy inaczej za tydzień idziemy do teatru, i zapytał, czy byłabym tak uprzejma i odebrała jego garnitur z pralni?

— Po raz kolejny próbuje udawać, że nic się nie stało?

— Nie wiem — wzdycha Mel. — Ale tym razem mówiłam poważnie. Mam dość. Nie chcę, by wracał. Wszystkiego już próbowałam: chciałam rozmawiać, ale za każdym razem, gdy pytam, co ma mi do powiedzenia, on stwierdza, że nic, bo ja i tak nigdy go nie słucham.

Prycham pogardliwie:

— Mel, ty zarabiasz na życie słuchaniem. Jeśli ty nie potrafisz słuchać, to kto?

— Wiem, wiem, ale on robi mi mętlik w głowie. Zaczynam kłótnię, czując się pewna swego, tego, kto ma rację, a kto nie,

49

a potem on zarzuca mnie oskarżeniami i tracę rezon. Może to on ma rację? Może byłoby inaczej, gdybym tak się nie czepiała. Może to wszystko przeze mnie.

Mówię to samo, co zawsze, ale muszę się rozłączyć. Dostrzegam wóz policyjny wyjeżdżający z podporządkowanej, a ostatnią rzeczą, której mi trzeba, to mandat za używanie komórki w czasie jazdy.

Nie zamierzałam opowiadać ci o terapii, ale skoro już tu jesteś, to możemy podjechać tam razem.

Kiedyś nienawidziłam terapii. Uważałam, że to dobre dla smutasów, ale nie dla mnie. Ja nie potrzebowałam pomocy. O nie, nie ja — nie Panna Dynamo. Choć z drugiej strony, moje dzieciństwo raczej nie należało do najszczęśliwszych i kiedykolwiek jestem nieszczęśliwa lub w depresji, albo najzwyczajniej w świecie się nudzę, to dosłownie wchodzę do lodówki i wyjadam całą jej zawartość.

Myślisz, że żartuję? Chciałabym. Jestem znana z tego, że kupuję bochenek chleba i w czasie, gdy dwie pierwsze kromki rumienią się w tosterze, sześć kolejnych znika w moich ustach szybciej, niż ktokolwiek zdążyłby poprosić o masło.

Zatem mamy mój problem z jedzeniem, moje dzieciństwo, mojego niewiernego ojca. A ja sądziłam, że wszystko jest w porządku. Wiem, co prawda, że ze związkami niezbyt dobrze sobie radzę, ale po Simonie, po tym, jak wszystko się tak strasznie posypało, po obżarstwie i szybkim seksie z nieznajomymi mężczyznami, postanowiłam zasięgnąć profesjonalnej porady.

Louise polubiłam od razu. To Mel mi ją poleciła, bo ona sama zna mnie zbyt dobrze, by mnie leczyć. W chwili, gdy weszłam do małego pokoiku, w którym Louise prowadzi centrum terapeutyczne, czy jak to nazywają, poczułam się jak u siebie.

Chociaż muszę przyznać, że początkowo nie byłam przekonana do tej całej szopki z terapią. Louise wyglądała jak wyrzutek z Woodstock lub jakaś postać z filmu. Długie brązowe włosy, barwione henną na czerwony odcień, spięte na karku w wielki miękki kok i do tego ciężka grzywka. Gdy spotkałyśmy się po raz pierwszy, miała na sobie długą spódnicę w etniczne wzory, w rodzaju tych z powszywanymi w fałdy małymi lustereczkami (chociaż żadnych, na szczęście, nie miała). Materiał wirował miękko wokół jej solidnych ud. Na stopach nosiła rodzaj chińskich klapek, które, o ile mnie pamięć nie myli, były modne na początku lat osiemdziesiątych.

Pamiętam, że pomyślałam: „O kurwa, i ta kobieta ma zrozumieć moje problemy rodem z klasy średniej?" Ale potem popatrzyłam jej w oczy — pełne ciepła i zrozumienia, i wiedziałam, że będzie dobrze. Gdy zaczęłam mówić, wyciągała ze mnie informacje tak sprytnie i tak ostrożnie, że natychmiast wiedziałam, że jeśli jest osoba, przy której chcę wylewać swoje żale, to jest nią właśnie Louise.

W pokoju zawsze unosi się zapach jakichś olejków aromatycznych, prawdopodobnie lawendy lub paczuli, albo innego hippisowskiego cholerstwa, które ma pomóc pacjentom osiągnąć stan relaksacji. Louise już podczas tej pierwszej sesji zmusiła mnie do znalezienia odpowiedzi na pytania, o których znajomość wcale się nie podejrzewałam: odpowiedzi, które spychałam w głąb podświadomości, ponieważ prawda mnie przerażała. Czy ciebie prawda nie przeraża?

Terapia nie przypomina rozmów z przyjaciółmi. Z nimi człowiek narzuca sobie cenzurę: mówi prawdę lub swoją jej wersję, ale ubarwia, przekłamuje. Jeśli opowie się tę samą historię wiele razy z rzędu, to w pewnym momencie osiąga ona status prawdziwej dla nas samych.

W terapii tak nie można. Poziom uczciwości w rozmowie jest zupełnie inny i sądzę, że Louise ujrzała tę stronę mnie, której nikt inny dotąd nie oglądał. Przekonała się, że nie jestem ani twarda, ani arogancka. Przebiła tę warstwę i dotarła do wrażliwego, delikatnego środka. Poza tym nie dbała o pozory i o to chodziło. Z miejsca jej zaufałam i mówię w stu procentach szczerze: myślę, że była pierwszą osobą, do której kiedykolwiek owo zaufanie poczułam.

Louise jak zwykle sama otwiera mi drzwi i bez słowa, ruchem ręki, zaprasza do pokoju. Ściany są zapełnione półkami z IKE-i, tymi drewnianymi, które uginają się pod ciężarem jej książek o psychologii. Freuda, Junga, każdego możliwego aspektu psychoanalizy.

Louise siada, a ja sadowię się w wielkim miękkim fotelu naprzeciwko niej. Zaczyna tak samo jak zawsze:

— Co słychać?

— Świetnie! Jest naprawdę świetnie. Prawie w ogóle nie myślałam o Guy. Nawet się tym tak bardzo nie przejęłam, co mnie trochę dziwi, bo zaczęłam przychodzić do ciebie z powodu właśnie takich facetów jak Guy: którzy najpierw się we mnie zakochiwali, a potem znikali. Ale może coś się zmienia, bo mimo że znów było tak samo, to ze mną jest całkiem nieźle.

— Zatem przestaliście się spotykać? Dlaczego?

No to apiać, droga czytelniczko. Powróć myślami do momentu naszego pierwszego spotkania. Pamiętasz, jak Andy przyszła do mnie posłuchać o tym „trzymiesięcznym"? To był właśnie Guy.

Guy poznałam w kolejce przed klubem. Już dawno nie byłam w żadnym klubie, bo nie miałam ani czasu, ani ochoty, ale była niedziela wieczór, a ja nie miałam nic lepszego do roboty.

Chryste, ależ to była gówniana impreza! Dookoła same szesnastolatki, a ja czułam się jak staruszka. Byłam tam ze swoją paczką i żadna z nas nie była zachwycona. Po mniej więcej godzinie postanowiłyśmy wyjść. Gdy znalazłyśmy się na zewnątrz i mijałyśmy powstałą przed drzwiami olbrzymią kolejkę tych, którzy mieli nadzieję, że wielcy, czarnoskórzy bramkarze wpuszczą ich do środka, ujrzałam Jeremy'ego, starego znajomego, którego nie spotkałam od wieków.

Był z chłopakami i oczywiście żadnemu z nich nie przeszkadzało, że w środku były same szesnastolatki. Mężczyznom jest wszystko jedno, ile lat ma ich zdobycz — ważne, by była ładna.

Rozmawiając z Jeremym, czułam na sobie spojrzenie jednego z jego przyjaciół. Chłopak najzwyczajniej się na mnie gapił. Zerkałam na niego do czasu do czasu i łapałam jego spojrzenie. Mimo że podobało mi się to, co widziałam, on był bardzo, ale to bardzo młody.

Miał dwadzieścia siedem lat. Wiem, że to nie jest znowu tak mało, ale chłopcy mnie nie interesują, a ten gość wyglądał jakoś niewiarygodnie młodo. Był też niewiarygodnie śliczny: wielkie, brązowe oczy i modnie ostrzyżone, króciutkie włosy. Z takim wyglądem powinien śpiewać w Take That. Lecz, jak się okazało, był prawnikiem.

Nie było w tym oczywiście nic złego, ale nigdy nie potrafiłam wyobrazić sobie siebie z kimś, kto pracuje jako prawnik lub księgowy. Wiem, że to wspaniałe zawody, ale takie nudne. Błagam! Nie mam nawet nic przeciwko temu, by zachowywali się jak świnie od samego początku, ale niech przynajmniej będzie ekscytująco.

Ale chłopak był naprawdę uroczy i najwyraźniej wpadłam mu w oko, więc kiedy Jeremy zaproponował, żebym poszła z nimi na inną imprezę, jak mogłam odmówić?

— Możesz pojechać ze mną — zaoferował Guy, gdy miałam właśnie wsiąść do golfa Jeremy'ego. Szybciutko przesiadłam się do jego range rovera.

Nie rozmawialiśmy po drodze zbyt wiele, ale oceniłam jego gust muzyczny (REM — nie najlepszy wybór, ale zawsze można pójść na mały kompromis); styl prowadzenia (szybki i pewny, tak jak lubię) oraz jego kark (czysty, świeżutki i stworzony po to, by go całować).

Na imprezie Guy oparł się o framugę drzwi. Był wysoki, silny i górował nade mną wzrostem. Mimo że był nieco nudny, zaczynał mi się podobać. Zaskoczona?

— Podobno mieszkasz w Bayswater? Na jakiej ulicy?

Odpowiedziałam mu raczej niechętnie, bo moja ulica nie prezentuje się najlepiej, ale jego ta informacja wyraźnie ucieszyła.

— Niesamowite. Przejeżdżam tamtędy codziennie w drodze z pracy do domu. Wpadnę do ciebie na obiad. Kiedy mam przyjść?

— Nie w ciągu tygodnia, bo oboje musimy się wcześnie położyć. Może w weekend?

— W porządku. Do zobaczenia w piątek.

Odwiózł mnie do domu i nawet nie spróbował pocałować, gdy staliśmy przed drzwiami. Powiedział tylko:

— Ja przyniosę jedzenie, ty zadbaj o wino.

Wysiadłam, uśmiechając się od ucha do ucha. Uśmiech nie schodził mi z twarzy przez cały następny dzień. Nikt w pracy nie wiedział, dlaczego nagle jestem taka radosna, ale ty na pewno już zgadłaś: myślałam, że znowu przypadkiem wpadłam na miłość.

Na obiad przyszedł z pustymi rękoma. Jedyne, co mu towarzyszyło, to aura pewności siebie, dobry wygląd i urok osobisty. A ja, chcąc wyglądać olśniewająco, lecz bez przesady, powitałam go ubrana w dżinsy, rozciągnięty bawełniany podkoszulek i grube skarpety. Minął mnie pewnym krokiem, kierując się prosto w stronę kuchni, gdzie otworzył kupioną przeze mnie butelkę wina. Chłopak przejmował kontrolę, a ja czułam, że zapiera mi dech w piersiach. Naprawdę zapomniałam, jak uroczy jest ten facet.

Zaniosłam wino i kieliszki do dużego pokoju. Potem siedzieliśmy i gadaliśmy o wszystkim, a ja, w swoich skarpetach i rozciągniętym podkoszulku, starałam się wyglądać tak słodko, jak to tylko było możliwe. Twardzielka Anastasia zniknęła. Na kanapie siedziała delikatna i słodka Tasha; ta Tasha, która mogłaby się zakochać; ta sama, którą uwielbiają mężczyźni.

— Zmieniłem zdanie — oświadczył Guy. — Zabieram cię gdzieś na obiad.

Tak właśnie zrobił: zaprosił mnie do nowej eleganckiej restauracji w Hampstead. Objadaliśmy się natartymi czosnkiem, oliwą z oliwek i pokrytymi soczystymi plastrami pomidorów i listkami świeżej bazylii tostami z bagietki. Śmialiśmy się, pochłaniając przyrządzany na miejscu makaron faszerowany szpinakiem i serem ricotta. A potem karmiliśmy się nawzajem lepkim budyniem karmelowym.

— Co robisz przez resztę weekendu? — zapytał.

A ja natychmiast zapomniałam, że początkowo należy grać trudną do zdobycia, rzucić im parę kłód pod nogi, być nieco nieprzystępną. Zamiast tego powiedziałam:

— Nic szczególnego. Dlaczego pytasz?

Następnego dnia zabrał mnie na wycieczkę łódką. Całe szczęście, bo pierwsza propozycja dotyczyła jazdy na rolkach, a ja mam, zupełnie przypadkiem, alergię na wszelkie formy wysiłku fizycznego, chyba że ma on miejsce w pieleszach. Pojechaliśmy do Regents Park. Po drodze, w samochodzie, Guy mnie pocałował. Potem całował mnie na każdym czerwonym świetle. Pocałował mnie, gdy wysiadaliśmy z wozu, po drodze do budki, by wynająć łódkę, w łódce, na trawie, nad wodą, a ja naprawdę pomyślałam, że to może się udać.

— Nie mogę uwierzyć, że cię spotkałem w tej kolejce — powiedział, głaszcząc moje włosy i całując w rękę. — To po prostu niewiarygodne. Tyle czasu kogoś szukałem, a potem spotkałem ciebie, ot tak, po prostu.

Droga czytelniczko, nie osądzaj mnie zbyt surowo, gdy ci powiem, że tej nocy spaliśmy ze sobą. Spędziliśmy razem cały dzień, pływając łódką, jedząc długo i niespiesznie lunch, a w końcu rozmawiając przy świecach u mnie w domu.

Seks wydaje się idealnym zwieńczeniem doskonałego dnia. A rano on nie zniknął, został ze mną aż do lunchu, kiedy musiał wracać do siebie i zrobić parę rzeczy do pracy, lecz chciał zobaczyć mnie wieczorem. A ja, jak to ja, powiedziałam „tak".

Zgrywanie trudnej do zdobycia jest proste, gdy ktoś nam się nie podoba. Kiedy chodzi tylko o sprawdzenie teorii w praktyce, to rzeczywiście tak jest, ponieważ ofiara naszego eksperymentu to jakiś wyjątkowy brzydal. Kiedy dzwoni i chce cię zobaczyć, ty chichoczesz w duchu, bo twoja matka miała jednak rację — traktuj ich podle, a oni naprawdę się starają.

Ale potem spotykasz kogoś, kto wprawia twoje serce w drżenie i myślisz sobie: „Spróbuję być nieprzystępna". Lecz w rzeczywistości oznacza to, że gdy pyta, czy spotkacie się wieczorem, ty odpowiadasz, że jesteś zajęta. Ale dodajesz z nadzieją w głosie, że moglibyście zaaranżować coś nieco później, po tej kolacji, na którą tak czekałaś, jeszcze zanim go poznałaś. Mówisz, że to nie potrwa do późna, żeby sobie nie myślał, że specjalnie dla niego zmieniasz plany.

Następnie idziesz na tę kolację i siedzisz, kompletnie ignorując toczącą się wokół ciebie konwersację. Co pięć minut zerkasz na zegarek, a koło dziesiątej przepraszasz, że musisz już iść, i pędzisz do swojego nowego kochanka. Tak właśnie udajemy trudne do zdobycia. A potem jesteśmy zdziwione, że oni czują się zagrożeni, przytłoczeni i że w końcu znikają.

Te trzy miesiące z Guy to była prawdziwa sielanka. Za każdym razem, gdy go widziałam, było wspanialej, a on naprawdę mnie lubił (a przynajmniej tak to wyglądało). Lecz oczywiście, popełniłam niewybaczalny błąd. Zaczęłam wierzyć, że wszystko, co mówił, mówił szczerze i po kilku miesiącach poczułam się swobodnie. Przyniosłam do niego swoją szczoteczkę do zębów, mleczko do twarzy i seksowną koszulkę nocną i niby przypadkiem je tam zostawiłam. Guy nie powiedział ani słowa, co uznałam za dobry znak. Nie mogłam się bardziej pomylić.

Tuż przed naszą trzymiesięczną rocznicą zaprosił mnie na wspólne wakacje — długi weekend — z nim i jeszcze jedną parą, do domu swoich rodziców na południu Francji.

Polecieliśmy tam razem: ja oszalała ze szczęścia, on całujący mnie przez całą drogę. Przyjaciele Guy, których nie znałam zbyt dobrze, a którzy byli bardzo uprzejmi (w ten uprzejmy sposób, który polega na mierzeniu nowej dziewczyny wzrokiem od stóp do głów), mieli dojechać następnego dnia.

Ale, na miłość boską, już młodsi chyba być nie mogli! Guy utrzymywał kontakty z dwudziestopięciolatkami i, mimo że to tylko pięć lat różnicy, czułam się jak staruszka. Byli przemili, ale już po tym pierwszym wieczorze, gdy przygotowaliśmy kolację i zjedliśmy ją na tarasie z widokiem na basen, wiedziałam, że to nie był najlepszy pomysł.

Nie, żebym miała jakiekolwiek wątpliwości co do Guy, pragnęłam tylko znaleźć się w domu.

Razem robiliśmy kolację i powinnaś wiedzieć, że kiedy ja gotowałam, on nie mógł się ode mnie odkleić: obracał mnie, gdy próbowałam coś siekać; jego ręce, jak ramiona ośmiornicy, były wszędzie. Ustami wciąż szukał moich.

W dniu przyjazdu wszystko było w porządku. Byliśmy, jak sądziłam, zakochani i chociaż żadne z nas nie wypowiedziało tego straszliwego słowa na „m", czułam, że ten moment się zbliża. Naprawdę czułam.

Ale następnego dnia, w sobotę, ni z tego, ni z owego Guy zaczął mnie ignorować. Nie całkowicie, byłoby to zbyt oczywiste, ale za każdym razem, gdy coś do niego mówiłam, na jego twarzy widoczny był cień wyraźnej irytacji.

Przestałam się więc odzywać, niepewna, jak w tej sytuacji postąpić, co robię nie tak i jak to naprawić. Poczekałam do wieczora, aż wróciliśmy na kolację, gdzie znakomicie odegrałam swoją rolę, udając, że wszystko jest w porządku.

Poszliśmy do łóżka. Guy nawet nie próbował mnie dotknąć, jak miał w zwyczaju robić co noc od czasu, gdy spaliśmy ze sobą po raz pierwszy. Położył się i sięgnął po książkę.

— Dobra — powiedziałam. — O co chodzi?

— O co chodzi? — odparł, nie odrywając wzroku od książki. — O nic nie chodzi.

— Zachowujesz się bardzo chłodno. Czy zrobiłam coś nie tak?

— Nie, nie — odpowiedział niedbałym tonem. — Po prostu jestem zmęczony, nie mam ochoty na seks.

Po czym wyciągnął rękę, potargał mi dłonią włosy i dał buziaka — bardzo platonicznego buziaka — w czubek głowy.

Już się domyśliłaś, prawda? Przypuszczam, że ja też powinnam była. Pierwszy sygnał, że mężczyzna przestaje się tobą interesować, to szukanie wymówki, by z tobą nie spać. Kiedy komuś naprawdę wpadniesz w oko i zaczyna coś do ciebie czuć, to nie może utrzymać rąk przy sobie. Gdy zaczyna mieć wątpliwości, nagle czuje się zmęczony, nie ma ochoty na seks, nie chce nawet spać w tym samym pokoju.

Wgramoliłam się do łóżka kompletnie załamana. Ale może ten pocałunek oznaczał, że wszystko będzie w porządku? Może nie był namiętny, ale na pewno czuły i być może Guy rzeczywiście jest zmęczony?

W niedzielę jednak znów mnie ignorował: mówił do mnie w chłodny i zarazem uprzejmy sposób, kiedy naprawdę musiał. Pojechaliśmy całą czwórką do St-Paul de Vence, a ja czułam się jak piąte koło u wozu, podczas gdy ich trójka wybuchała śmiechem, żartowała i zwierała szyki, sprawiając, że moje poczucie osamotnienia rosło.

W niedzielny wieczór, gdy byłam już w łóżku, Guy powiedział, że jeszcze się nie kładzie, bo chce trochę posiedzieć z tamtymi. Leżałam i czekałam, aż w końcu przyszedł na górę. Usiadł na moim łóżku i pocałował mnie (całus w policzek), a ja odwzajemniłam pocałunek (w usta, z językiem, na całość) i czekałam na więcej. Lecz on nawet nie drgnął.

Przyciągnęłam go do siebie, na siebie, a on usiadł z powrotem.

— Nie — powiedział. — To wszystko dzieje się trochę za szybko.

— Co chcesz powiedzieć przez „to wszystko"?

Myślałam, że chodzi mu o seks w domu jego rodziców na południu Francji, ale oczywiście skurwielowi chodziło o coś zupełnie innego. Miał na myśli to, co tak mnie przerażało. Miał na myśli „nas".

— Słuchaj, Tasha. Przykro mi, ale nie jestem w tobie zakochany. Nie jesteś tą jedyną, więc nie widzę sensu, by to dalej ciągnąć.

— I przywiozłeś mnie na południe Francji, do domu swoich rodziców, by mi o tym powiedzieć? Dwa dni przed cholernym powrotem?

— Nie planowałem tego. To po prostu nie w porządku. Nie czuję do ciebie tego, co powinienem czuć. Nie chcę z tobą spać, bo wiem, że się do tego zmuszam.

— Och? A parę dni temu, przez cały ten czas, kiedy ciągałeś mnie po kuchni i nie mogłeś utrzymać rąk przy sobie, też się musiałeś zmuszać, co?

— Nie, nie wiem — westchnął, patrząc na swoje dłonie. — Po prostu nie jesteś tą jedyną. Tak nie można.

Nie mogłam w to uwierzyć. Nie miałam jak się stamtąd wyrwać, a jedyne, czego pragnęłam, to wrócić do domu. Chciałam leżeć we własnym łóżku, tuląc do siebie Harveya i Stanleya.

— Przepraszam, zaraz wracam.

Pobiegłam do łazienki i zwymiotowałam. Zadziałała mieszanka zbyt dużej ilości alkoholu i zbyt dużej dawki bólu. Bólu nie dlatego, że naprawdę kochałam Guy. Chryste, przecież byliśmy ze sobą zaledwie trzy miesiące! Bolało, bo schemat znów się powtórzył. Schemat, który jak sądziłam, zdołałam przełamać. Schemat, który stanowił pierwotny powód mojej wizyty u Louise i który nadal obowiązywał.

Co mam ci powiedzieć o tej nocy? Że nie zmrużyłam oka? Że wcale nie spałam? Że spędziłam ją, błąkając się po ponurych, ciemnych korytarzach? Że o piątej rano wzięłam gorącą kąpiel na pocieszenie? A o szóstej rano wpadłam na Sarę, która szła do ubikacji, i że nie pozwoliłam jej wrócić do łóżka? Że przelałam na nią wszystkie swoje żale, czując się przy tym zagubiona i samotna? Że najsilniejszym uczuciem towarzyszącym mi tej nocy było uczucie, że nikt mnie nigdy nie pokocha?

Poniedziałek był prawdziwym koszmarem. Wylatywaliśmy do domu wieczorem, więc nalegałam, by pozostali spędzili dzień na zwiedzaniu, a ja chętnie posiedzę sama. Guy nawet raz na mnie nie spojrzał, ale Sara powiedziała, że ze mną zostanie. Nie, upierałam się, chcę być teraz sama.

Siedziałam w tym domu — tym dziwnym, obcym domu, i nie czułam kompletnie nic. Nie było łez, przynajmniej nie wtedy, jedynie uczucie niedowierzania. Spakowałam rzeczy i usiadłam na sofie, gapiąc się przed siebie, spoglądając na zegar i błagając, by czas biegł trochę szybciej, bym mogła jak najwcześniej wrócić do siebie.

Guy i ja, mimo że w samolocie siedzieliśmy obok siebie, nie rozmawialiśmy. Wzięliśmy jedną taksówkę z lotniska i nadal ani słowa.

— Przepraszam — powiedział, gdy wysiadałam z samochodu.

— To bez znaczenia — odparłam i szybko odwróciłam twarz, gdy próbował mnie pocałować na pożegnanie w policzek.

Tego popołudnia wszystko było jeszcze w porządku. Naprawdę. Dopiero później, wieczorem, gdy Andy zmusiła mnie, bym poszła z nią na imprezę, gdy siedziałam, patrząc na inne pary, wybuchłam śmiechem. Śmiechem wariatki, który niespodziewanie przeszedł w urywane, głośne łkanie. Musiałam spędzić pół godziny w toalecie, by się uspokoić.

Dlatego siedzę teraz u Louise, opowiadam jej o naszym grand finale i zastanawiam się, dlaczego znów było tak samo; dlaczego nie wyciągnęłam żadnych wniosków.

— Dlaczego twoim zdaniem znowu ci się to przydarzyło? — pyta Louise. — Co go tak przeraziło?

Dzięki Bogu, ta terapia jednak coś mi dała. Szybko odpowiadam, że nawet kiedy jeszcze z nim byłam, miałam świadomość tego, że popadam w stare schematy, że robię dokładnie to samo, co dawniej, i efekt będzie również ten sam.

— Nie powinnam była zostawiać u niego swojej szczoteczki do zębów — mówię, wykrzywiając twarz ze wstydu, że popełniłam tak oczywisty błąd. — To chyba wtedy zaczął się wycofywać.

— A co z seksem? Co sądzisz o pójściu z kimś do łóżka tuż po tym, jak go poznałaś? Dlaczego, twoim zdaniem, oddałaś mu swoje ciało, wcale go jeszcze nie znając, nie wiedząc jeszcze, kim jest i co ma ci do zaoferowania, hm?

— Wiem, że masz rację. Zrobiłam to, co zawsze. Przespałam się z nim, bo myślałam, że dzięki temu będzie mnie pragnął jeszcze bardziej i znowu działałam za szybko. Tak naprawdę go nie znałam. Ale sądzę, że tym razem wiedziałam, co robię. Poprzednio tak nie było. Chyba uczę się rozpoznawać własne błędy. Teraz to kwestia zmiany tego na dobre.

Louise potakuje. To długi i bolesny proces, ale myślę, że jestem już blisko.

Rozdział szósty

Kiedy znalazłam zdjęcia Tanyi (lub po „Tanyagate", jak to wówczas nazywałam), Simon zamienił się w cudownego, kochającego, poświęcającego mi masę uwagi Simona, którym był, kiedy go poznałam.

A wariatka we mnie, ta sama, która jeździła o czwartej nad ranem do jego najlepszego przyjaciela, trochę chyba przycichła. Wiedziałam, że nie zniknęła zupełnie, ale mnie nie niepokoiła. Przynajmniej przez jakiś czas.

Simon kochał mnie, ja kochałam Simona, a wszystkie Tanye tego świata mogły mi naskoczyć. Ta sprawa była nieaktualna i nic nie znaczyła, a ja wierzyłam, że moje szczęście może trwać do końca życia.

Aż nadszedł pewien ranek, gdy jaskrawe światło słońca prześwitywało przez okna w jego sypialni (które nadal były brudne, ale było dużo innych rzeczy do zrobienia prócz mycia okien), a my postanowiliśmy pojechać na wieś.

— Wstawaj, Tyłeczku! No dalej! Zabieram cię na lunch.

— Ale ja chcę zostać w łóżku, gdzie jest ciepło. Dokąd chcesz jechać?

— Zabieram cię do pubu na wsi. Rusz cztery litery, kobieto, i ubieraj się. Chcę pokazać wieśniakom, jakie babki mogliby spotkać w mieście.

Wstałam więc, wzięłam kąpiel i gdy siedziałam przy toaletce, robiąc się na bóstwo, nagle poczułam, że Simon obserwuje mnie w lustrze. Jego spojrzenie było tak intensywne, że prawie zaczęłam płakać. Prawie. Odwróciłam się i spytałam:

— Na co tak patrzysz?

— Na twoją prawą brew — odpowiedział, chociaż wiem, że kłamał. Patrzył na mnie całą i kochał mnie.

— Wiesz, że twoja prawa brew jest idealna, a lewa odrobinkę nierówna?

Spojrzałam przestraszona w lustro.

— O czym ty mówisz? O co chodzi?

— To znaczy, że nie jesteś doskonała. Absolutnie bym nie chciał, żebyś była. Ta mała niedoskonałość sprawia, że wydajesz się bezbronna.

— Uważasz, że jestem bezbronna?

W duchu sprawiło mi to jednak przyjemność. Dzięki temu poczułam się jak mała dziewczynka; jakby on był dla mnie silnym męskim wzorcem. Kimś, kto się mną opiekuje.

— Kiedy cię poznałem, wcale tak nie uważałem. Weszłaś na tę imprezę, a ja pomyślałem: „Co za twarda zdzira! Kompletnie nie w moim stylu". Ale potem przyjrzałem ci się dokładniej i stwierdziłem, że wcale nie jesteś taka twarda, że masz w sobie dużo ciepła. Tylko trzeba cię okiełznać.

— Okiełznać? Co za czelność! Sądzisz więc, że mnie okiełznałeś?

— Dokonałem drobnych zmian. Tyle, by była z ciebie idealna żona. Żonka Tyłeczek, tyłeczek żonki. — I tak długo pocierał nosem o mój kark, aż wybuchłam śmiechem.

Simon zawsze gadał o małżeństwie, ale mimo że bardzo chciałam mu wierzyć, czułam, że nie chodziło tu koniecznie o mnie. On był zakochany w stanie zakochania. Żona była mu potrzebna, by bez przerwy się nim zajmować. Nieważne, kto nią będzie. Ale wiedza o tym przyszła, oczywiście, dopiero później.

Wsiedliśmy do samochodu i po drodze, gdy czekaliśmy na zmianę świateł na autostradzie A40, Simon odwrócił się w moją stronę, wziął za rękę, rozłożył palce i pocałował środek dłoni.

— Wiesz co, Tyłeczku, nigdy w życiu nie byłem taki szczęśliwy. Nigdy nie sądziłem, że mógłbym być tak szczęśliwy. Jesteś wszystkim, na co czekałem. Bardzo cię kocham.

Popatrzył mi prosto w oczy.

— Czasami nie mogę uwierzyć, że kocham cię tak mocno.

Przez chwilę w ciszy przetrawiałam to, co powiedział, powagę jego słów, po czym spojrzałam na niego z przebiegłym uśmiechem na twarzy i powiedziałam:

— Kocham cię do nieskończoności.

Spędziliśmy cudowny dzień, może nawet zbyt cudowny. Coś musiało pójść nie tak. Czy to nie ironia, że kiedy myślimy, że lepiej już być nie może, gdy zaczynamy ufać, skądś spada bomba i wszystko wybucha nam prosto w twarz?

Ale skąd możemy o tym wiedzieć? Ja wtedy nie wiedziałam. Nie wiedziałam aż do następnego tygodnia, kiedy Simon wrócił do wizerunku humorzastej primadonny, a ja nawet wtedy niczego się nie domyśliłam.

Oglądałam właśnie telewizję: jakiś późnopopołudniowy program, w którym goście udzielali wywiadu prowadzącym, a ja myślałam o moim własnym show i kogo by tu zaprosić jako dodatkowego gościa, kiedy zadzwonił telefon.

— Cześć, złotko, to ja. — To była Mel.

— Hej, co słychać?

— W porządku, właściwie to bardzo w porządku. Daniel jest ostatnio wyjątkowo miły. Trochę mnie to martwi. Nie wiem, co mu się stało.

— Ja bym się na twoim miejscu nie martwiła. Simon też jest ostatnimi czasy fantastyczny, jeśli nie liczyć ostatnich paru dni, ale ma dużo roboty. Najczęściej traktuje mnie jak jakąś cholerną królową. Może coś wisi w powietrzu, a może wszystkie skurczybyki przeszły metamorfozę?

— Jakby Simon był skurczybykiem! Tak à propos, widziałam go dzisiaj.

— Naprawdę? — Ta wiadomość szczególnie mnie nie poruszyła, bo Simon kręci się po Soho niemal codziennie i nie ma w tym nic dziwnego.

— Uhmm, szedł gdzieś w Soho, ale musiałam lecieć, więc nie przeszłam na drugą stronę, by się przywitać. Był z wysoką blondynką.

Nagle zrobiło mi się niedobrze. Czułam, jak głos mi drży, gdy powiedziałam:

— Tanya.

— Co? Ta dziewczyna z fotografii? O Boże, przepraszam, Tasha. Nie miałam pojęcia... ale nie jestem pewna, czy to była ona. Nie trzymali się za ręce czy coś w tym rodzaju.

— Ta dziewczyna jest piękna. Od razu byś ją poznała, Mel. Wygląda jak pieprzona modelka. Czy dziewczyna, z którą szedł, wyglądała jak modelka?

Zapadła długa cisza, aż w końcu Mel powiedziała:

— Tak mi przykro, tak strasznie mi przykro.

— Może nie mam racji, może obie jej nie mamy. Słuchaj, on niedługo będzie w domu, zadzwonię do ciebie później.

Gdy odkładałam słuchawkę, Mel nadal nie przestała przepraszać.

Wstałam. Miałam nogi jak z waty. Drink! Oto, czego mi trzeba! Nalałam sobie wódkę z wodą sodową (Simon nigdy nie mieszał i nic dziwnego, prawda?) i wypiłam wszystko jednym łykiem.

Wtedy zadzwonił z biura Simon.

— Tyłeczku, kochanie, utknąłem w robocie. Czy możemy odwołać dzisiejsze wyjście na kolację? Nie wiem, o której będę w domu.

Zmusiłam się, by mój głos brzmiał normalnie, kiedy powiem:

— Nie ma sprawy. I tak jestem zmęczona. Co dzisiaj porabiałeś? Coś ciekawego?

— Nie, nudny dzień. Jestem zbyt zajęty, by wyjść na zewnątrz.

— Nawet po kanapkę?

Serce zaczęło mi znów walić tak, że byłam pewna, że skurwiel pozna coś po moim głosie, ale nie poznał, bo odparł:

— Nie, musiałem posłać jedną sekretarkę, a ta przyniosła mi tę z tuńczykiem, której nie znoszę. Może będę musiał wyskoczyć po coś na wieczór.

— Simon — mówiłam bardzo wolno i wtedy się domyślił. — Jeśli nigdzie dzisiaj nie byłeś, to jakim cudem Mel widziała cię spacerującego po Soho?

— Skoczyłem po papierosy. Co to ma być? Przesłuchanie? Już nawet nie mogę wyjść z własnego biura, do cholery?

— Kto był z tobą?

— Nikt. — Ale podniósł głos i nie było już ważne, co powie.

Jedyne, co słyszałam, to poczucie winy. Jestem winny. Niech to szlag!

— Doprawdy? To interesujące, bo podobno byłeś z Tanyą.

Nie dałam mu nawet szansy, by zaprzeczył, że to ona, i wiedząc, że zabawa skończona, nie próbował się tłumaczyć. W ogóle nie zareagował. Zapadła jedynie długa cisza.

— Wracam do domu. Musimy pogadać.

— Czyżby? — odparowałam złośliwie. — Myślałam, że masz masę roboty?

— Daj mi pół godziny — powiedział i odłożył słuchawkę.

Znasz to uczucie, gdy budzisz się rano i jest wspaniale: słońce świeci, życie jest naprawdę piękne i nic nie wskazuje na to, że pod koniec dnia wszystko może wziąć w łeb. A gdy tak się dzieje, masz wrażenie, jakbyś grała w filmie. Jak postąpiłaby w takiej sytuacji bohaterka w słynnym melodramacie? Nalałaby sobie poczwórną wódkę z tonikiem lub wodą sodową. Tak właśnie postąpiłam.

Muszę być z tobą szczera: nie jestem całkiem pewna, co się zdarzyło tego wieczoru, ponieważ zanim Simon dotarł do domu, miałam trudności ze skupieniem uwagi. Może i dobrze, bo im bardziej byłam pijana, tym bardziej rósł mój gniew i po raz pierwszy miałam gdzieś, że mnie taką zobaczy. Chciałam, żeby to poczuł na własnej skórze.

Wszedł i zawahał się chwilę na progu, gdy dostrzegł, jak stoję złowieszczo oparta o framugę kuchennych drzwi. Skurwysyn zwiesił głowę, po czym podszedł i mnie objął.

— Przepraszam — wyszeptał. — Kocham cię i przepraszam.

Boże, aż wstyd mi to przyznać, ale wiesz, co wtedy poczułam? W tym samym momencie czułam nie gniew, ale przebłysk nadziei: może to z Tanyą już jest skończone? Może moglibyśmy żyć dalej, jak gdyby nigdy nic?

— Dlaczego przepraszasz? Nie rozumiem. O co chodzi?

— Kocham cię, Tasha. Naprawdę cię kocham i w zeszłym tygodniu mówiłem szczerze: nigdy nie kochałem nikogo tak jak ciebie. Ale nie wiem, czy jestem w tobie zakochany. Jesteś moją najlepszą przyjaciółką, kobietą, którą szanuję jak nikogo na świecie. Ale nie wiem, co robić. Potrzebuję trochę przestrzeni.

Odsunęłam się od niego z wściekłością.

— O czym ty, kurwa, gadasz? O co ci chodzi? O tę dziwkę, prawda?

Simon westchnął i powiedział to, co zawsze mówią mężczyźni w takiej sytuacji:

— Tanya nie ma z tym nic wspólnego. Chodzi o ciebie i o mnie.

— Co ty gadasz, że to nie ma z nią nic wspólnego? Ty pieprzony durniu! Wszystko było dobrze, zanim ją spotkałeś. Masz z nią romans, prawda? Pieprzysz tę lalunię o ptasim móżdżku.

— Nie sypiam z nią, jeśli o to ci chodzi — powiedział. — Jesteśmy tylko przyjaciółmi, ale ona mnie rozumie. Przyznaję, że to z nią byłem dzisiaj, ale nie robiliśmy nic złego, nigdy niczego złego nie zrobiliśmy. Po prostu zjedliśmy razem lunch. Ale rozmawiałem z nią o tym i ona też uważa, że potrzebna mi przestrzeń.

W tym momencie straciłam trochę wątek.

— Powiedz tej pieprzonej suce, żeby pilnowała własnego nosa!

Krzyczałam, ale głos mi się łamał. Nie mogłam w to uwierzyć. Nie mogłam uwierzyć, że przydarza się to właśnie mnie. Powoli opadłam na krzesło, łkając jak mała dziewczynka. Drżałam tak mocno, że aż czułam fizyczny ból.

Jakby ktoś wyrwał mi duszę i rozdarł ją na pół. Żeby było gorzej, Simon ukłęknął obok mnie na podłodze i też zaczął płakać. Położył mi głowę na kolanach, objął w pasie i w ten sposób płakaliśmy razem bardzo długo.

— Chcę znać prawdę, Simon — odezwałam się w końcu. — Jesteś mi to winny, przynajmniej prawdę. Nic mnie nie obchodzi, wiem, że to koniec, ale muszę wiedzieć, jak to było z Tanyą.

— Niczego nie było, mówiłem ci — powiedział, ale tym razem nie był już taki przekonujący jak poprzednio, a ja wiedziałam, że wystarczy go lekko przycisnąć, a dowiem się wszystkiego.

— Już jest mi lepiej — powiedziałam, ocierając łzy i biorąc głęboki oddech. — Ale muszę wiedzieć. Wiem, że mieliście romans, musisz mi jedynie powiedzieć, kiedy się to zaczęło.

— Nie mieliśmy romansu. Ale... — Zamilkł i popatrzył na swoje dłonie.

— Ale co? W porządku, możesz mi powiedzieć — powiedziałam cicho zachęcającym tonem.

— Wiem, że ją pociągam i chociaż niczego między nami nie było, bo nie chciałem ranić twoich uczuć, to ona mnie pocałowała. Tylko raz, dawno temu, i to wszystko.

— Co chcesz powiedzieć przez to, że to ona cię pocałowała?

65

Nadal byłam niewiarygodnie opanowana. Odgrywałam swoją rolę, by zebrać jak najwięcej amunicji.

— Tej nocy, gdy pracowałem do późna, byłem z nią. Wypiliśmy kilka drinków i wylądowaliśmy u niej.

Skurwiel, powinien był na tym poprzestać. Gdyby podniósł wzrok znad podłogi, to dostrzegłby ból na mojej twarzy, zauważyłby, że rani mnie bardziej, niż ktokolwiek w życiu mnie zranił. Ale tego nie zrobił. Zaczął spowiedź i zamierzał dobrnąć do końca. Lub nie. Zobaczymy.

— Siedzieliśmy na kanapie i rozmawialiśmy, a ona mnie pocałowała.

Chwila ciszy.

— I co dalej? — prowokowałam.

— Poszliśmy do łóżka, ale niczego tam nie robiliśmy. Nie spałem z nią, czułem się okropnie. Myślałem ciągle o tobie, i to wtedy postanowiłem wracać do domu.

— Więc nie spałeś z nią. To co takiego robiliście? Obciągnęła ci czy ty ją lizałeś? Coście, kurwa, robili?

— Nic — powiedział znużonym głosem. — Tylko się przytulaliśmy.

— To ma mi poprawić nastrój?! Co miałeś na sobie? Byliście oboje ubrani?

— Nie, byliśmy nadzy.

— Ty pieprzony skurwielu! — wrzasnęłam i zamachnęłam się na niego, ale przerażona własnym gniewem, w ostatniej chwili, gdy moja ręka miała roztrzaskać mu twarz, powstrzymałam się i jedynie trzasnęłam go mocno w policzek.

— Leżałeś w łóżku nago z tą panienką, urządzając sobie przytulanki, i sądzisz, że to w porządku? Uważasz, że to nie podchodzi pod zdradę?

Przed oczami mignął mi obraz ich razem: mój ukochany Simon obejmujący blondynę.

To, co zrobiłam później, nie było zbyt eleganckie, ale, Chryste, czasami naprawdę nie można nic na to poradzić. Pobiegłam do ubikacji i zwymiotowałam. Wiedziałam, że słyszy, ale chciałam, by wiedział, jak bardzo mnie rani.

Kiedy wróciłam, Simon siedział przy stole w kuchni z twarzą ukrytą w dłoniach. A ja go nadal kochałam! Boże, jak bardzo go kochałam!

— Słuchaj, wybaczam ci — powiedziałam, przerażona nagle myślą, że nigdy więcej go nie zobaczę.

Zrobiłabym wszystko, by było tak jak dawniej.

— To bez znaczenia, rozumiem. Jeżeli obiecasz więcej się z nią nie spotkać, to możemy o tym zapomnieć. Nawet nie musimy na ten temat więcej rozmawiać.

— Nie mogę tego zrobić — odpowiedział, patrząc na mnie ze smutkiem. — Kocham cię, ale nie mogę przestać o niej myśleć.

— Ale ostatni miesiąc był tak cudowny, myślałam, że jest nam razem dobrze; myślałam, że tobie też jest dobrze ze mną!

— Ona wyjechała — powiedział powoli — na południe Francji. Właśnie wróciła i sam nie wiem, co czuję. Potrzebuję trochę czasu, by pobyć sam ze sobą. Potrzebuję tylko trochę przestrzeni, muszę być sam.

Zabawne, że faceci zawsze mówią: „Muszę być sam", gdy tak naprawdę mają na myśli, że będą mogli dalej pieprzyć to babsko, które i tak od dawna pieprzą za naszymi plecami. Z tym że teraz to już nie jest za naszymi plecami, bo właśnie się dowiedziałyśmy. Tak naprawdę, nie ma w tym nic zabawnego — to wręcz tragiczne. Czy naprawdę nie potrafią powiedzieć czegoś nowego?

Czy cierpiałaś kiedyś tak bardzo, że czułaś, że już dłużej nie możesz? Chyba nikomu nie życzyłabym takiego bólu, jakiego doznałam tej nocy. Nawet największemu wrogowi. A może jednak bym życzyła? To by im zdecydowanie dopiekło, co do tego nie mam najmniejszych wątpliwości.

Tej nocy Simon odszedł ode mnie. Zostawił mnie skuloną w wielkim fotelu, wciśniętą w jego najgłębsze zakamarki, mocno przyciskającą do siebie kolana i wpatrującą się w ścianę. Z moich oczu płynęły wielkie łzy i ściekały po policzkach. W końcu miałam wrażenie, że wszystko wokół zamienia się w jedną wielką, słoną kałużę.

Zostawił mnie i poszedł pogadać z Adamem.

— Nie mam pojęcia, co robić. Idę pogadać z Adamem. Wrócę późno.

Zadzwoniła Mel, ale ja nie mogłam wydobyć z siebie słowa. Za każdym razem, gdy chciałam coś powiedzieć, zaczynałam ciężko oddychać i nie mogłam mówić.

— Zostawił cię zupełnie samą?! — powiedziała zszokowana, ale nie chciałam, by przyszła. Chciałam, by to Simon wrócił, i choć wiedziałam, że nie wyszedł na długo, a tak przynajmniej powiedział, to zrozumiałam, że odszedł w chwili, gdy poznał Tanyę. Albo w chwili, gdy ją pocałował. Lub kiedy urządzili sobie przytulanki w łóżku.

Wstałam i spojrzałam w lustro w łazience, czując się jak we śnie, jakby w każdej chwili miał wejść Simon i zabrać mnie do łóżka. Jakby to nie mogło się dziać naprawdę.

Boże, jak ja wyglądałam! Czerwone, spuchnięte oczy, jak u córki Drakuli, i ślady łez na policzkach. Simon miał wrócić, ale mnie to nie obchodziło. Chciałam, by zobaczył, jak bardzo przez niego cierpię. Chciałam, by bolało go to tak jak mnie.

Rzeczywiście wrócił i powiedział, że najlepiej będzie, jeśli prześpi się w drugim pokoju. Pamiętasz tę pierwszą noc, kiedy mówiłam ci, że żadne z nas nie mogło zasnąć ze szczęścia? Leżąc w jego łóżku, w ogóle niesenna, myślałam o tej nocy, płacząc cichutko w poduszkę. Musiałam zasnąć koło szóstej, bo śpiewały już ptaki i do pokoju zaczynało wpadać światło dzienne.

Kiedy się obudziłam, dwadzieścia po siódmej, pomyślałam, że coś jest nie tak, ale co? I wtedy natychmiast sobie przypomniałam i wszystko znów stało się prawdziwe, gdy zrozumiałam, że nie ma obok mnie w łóżku Simona; że nie zarzucił na mnie swojej nogi, nie położył delikatnie, sennie suchej dłoni na moim brzuchu.

Nie płakałam po przebudzeniu. Myślę, że w pewnym sensie czułam się martwa, zupełnie jakby życie nie było warte wysiłku. Poszłam do kuchni zrobić kawę i kiedy tam stałam, wszedł Simon.

Objął mnie od tyłu i pocałował w kark. Zamarłam. Może zmienił zdanie, może to był tylko zły sen. Ale potem wyszeptał: „Przepraszam" i wiedziałam, że to koniec.

Niewielkie to pocieszenie, ale Simon wyglądał równie kiepsko jak ja. Wcześniej nie wiedziałam, dlaczego człowiek był przygnębiony, jeśli to on rzucał. Myślałam, że smutek należny jest tylko rzucanym. Ale, Chryste, Simon wyglądał jak trup.

— Słuchaj, możesz zabrać swoje rzeczy, kiedy tylko chcesz, to żaden problem. Ale myślę, że najlepiej będzie, jeżeli zrobisz to, zanim wrócę wieczorem.

Co miałam powiedzieć? Nie miałam nic do powiedzenia. Zabrałam kawę do sypialni i usiadłam na łóżku, otuliwszy się na pocieszenie kapą. Słuchałam jednocześnie, jak Simon szykuje się do wyjścia do pracy.

Tego ranka nie śpiewał. Zawsze nucił pod prysznicem i przy goleniu: fragmenty Offenbacha lub Bizeta, na przemian z Neilem Youngiem i od czasu do czasu Oasis, jeśli był w dobrym nastroju. Z tym że nigdy nie pamiętał słów i zmyślał je sobie po drodze.

Today will never be the same, is what I have to say to you
And how, you're gonna somehow find a way to do a great big poo.

Zawsze mnie tym rozśmieszał. Szczególnie gdy śpiewał Bizeta i wymyślał dłuższe kawałki tekstu po francusku — w języku, którym raczej się nie popisał na egzaminie w gimnazjum.

Lecz tego ranka panowała cisza. Niewiele brakowało, a sama zaczęłabym śpiewać: *If you leave me now, you'll take away the very heart of me...*

Zanuciłam te słowa w głowie, przy akompaniamencie cicho spadających na poduszkę łez. Simon nawet się nie pożegnał, usłyszałam tylko, jak zamyka za sobą cichutko drzwi. Może sądził, że śpię, ale pewnie po prostu nie chciał spojrzeć prawdzie w oczy? Niezły dowcip, prawda? Tylko że wtedy wcale nie wydał mi się taki zabawny.

Można z kimś mieszkać, śmiać się, kochać i nagle to wszystko znika. Chcesz wyciągnąć ręce, objąć, ale między wami wyrosła niewidzialna przeszkoda. Tak właśnie było ze mną i z Simonem. W kuchni zachowywaliśmy się jak obcy sobie ludzie, a zaledwie tydzień wcześniej szeptaliśmy sobie czułe wyznania.

Tak to jest ze związkami. To nieodłączna część życia. Wszystkie wspaniałe miłosne wiersze i piosenki czy filmy o miłości stworzyli ludzie, którzy stali kiedyś tam, gdzie ja tego ranka, kiedy Simon zamknął za sobą drzwi. Chociaż ta świadomość niczego nie ułatwia.

Rozdział siódmy

Po telefonie od Simona miałam zmarnowany cały tydzień. Chyba cię to nie dziwi? David i Annalise dostali napadu szału, gdy nie pojawił się jeden z zaproszonych przeze mnie gości, i to na dodatek ten, który miał wystąpić w zastępstwie kogoś innego. Musieliśmy o dwadzieścia minut przedłużyć pogadankę o aranżacji kwiatów. W efekcie nawet Annalise — ktoś, dla kogo suszone kwiaty, sosnowe kuchnie w wiejskim stylu oraz sofy w kratkę stanowią sens życia — wyglądała na znudzoną jak cholera.

Reszta programu minęła spokojnie. Ale, słodki Jezu! Jak naczelny na mnie naskoczył! Weszłam później do jego biura i powiedziałam: „Nie sądzę, by szybka laska mogła poprawić moją sytuację?", uśmiechając się przy tym potulnie. Lub raczej krzywiąc w grymasie, który miał być uśmiechem.

Naczelny nie uznał tego za zabawne.

— Nie chciałbym, by ktokolwiek, kto przechodzi pod tymi drzwiami, to usłyszał, Anastasio — syknął. — A, i pozwól, że dodam, iż nawet najwspanialsza laska na świecie nie zmieni faktu, że to twój dzisiejszy program był w większości do dupy.

— Przestań, to nie fair. Co niby miałam zrobić?

A, pieprzyć ich wszystkich! Na szczęście dzisiaj jest niedziela i wychodzę na lunch z Mel i Danielem, Emmą i Richardem, Adamem i przyjacielem Adama, jakimś gościem o imieniu Andrew.

Pewnie zastanawiasz się, co to za Adam. Tak, dobrze zgadłaś, to „ten" Adam, najlepszy przyjaciel Simona. Tuż po naszym rozstaniu Adam był moim jedynym z nim łącznikiem. Spotykaliśmy się, a ja wysysałam z niego informacje jak pijawka. Ale później był już po prostu Adamem: bezpiecznym, godnym zaufania, cudownym Adamem i jednym z moich najbliższych przyjaciół.

O Andrew nic nie wiedziałam. On i Adam znają się od lat i kiedy byłam z Simonem, spotykałam go od czasu do czasu. Zawsze okazywałam mu daleko posuniętą uprzejmość, ale nienawidziłam go od chwili, gdy go ujrzałam. To jeden z tych bardzo wysokich, bardzo przystojnych facetów, którzy darzą samych siebie miłością wielką i całkowicie bezwarunkową. Wiem, co sobie myślisz: że pewnie wpadł mi w oko. Masz rację, wpadł. Ale nigdy nie przeszło mi przez myśl, że taki mężczyzna jak Andrew mógłby zwrócić na mnie uwagę, i zamiast marnować czas na marzenia o nim, postanowiłam go znienawidzić.

Nie byłam wobec niego otwarcie niegrzeczna. Zachowywałam się jedynie w chłodny, a zarazem uprzejmy sposób i gdy zadawał mi pytanie, właściwie go zbywałam. Chciałam mu pokazać, że w przeciwieństwie do innych kobiet na przyjęciu, na mnie jego kokieteria i urok osobisty nie robią wrażenia.

Adam i Andrew przyjechali po mnie wozem Adama: kabrioletem marki Saab. „Niezły wóz", pomyślałam, gramoląc się na tylne siedzenie i dokładając wszelkich starań, by nie poplamić swoich nowych, białych spodni. „Czemu nie potrafię pokochać takiego faceta jak Adam?"

W tym momencie on wyskakuje z samochodu, bym mogła wsiąść, całuje mnie przelotnie w policzek i ściska, a jego kumpel, Andrew, odwraca się, wyszczerza zęby w uśmiechu i posyła mi spojrzenie mówiące: „Kocham samego siebie, więc ty pewnie też mnie kochasz".

— Jak się masz, Tash? — mówi.

Natychmiast tracę rezon, ale w głębi duszy pochlebia mi, że używa mojego przezwiska, które w jego ustach brzmi bardzo zmysłowo.

— Na pewno nie tak dobrze jak ty, Andrew, lecz staram się.

— No, nie wiem. Wygląda na to, że dobrze sobie radzisz — odpowiada i mierzy mnie wzrokiem od stóp do głów, a ja, głupia krowa, czuję, że odruchowo wciągam brzuch.

Jedziemy na lunch do restauracji na Primrose Hill. Po drodze nikt nie jest w nastroju do rozmowy, ponieważ słońce przygrzewa, w samochodzie jest opuszczony dach i z czterech głośników ryczy Alanis Morissette.

Patrzę, jak wiatr rozwiewa włosy Andrew. Chociaż wygląda dość głupio z każdym włosem w inną stronę, gdy odwraca się, by posłać mi uśmiech, to czuję, wbrew sobie, charakterystyczne mrowienie w dole brzucha. Nic na to nie poradzę. Ten facet jest taki... zajebiście pociągający.

Wysiadamy, a Andrew mówi: „Czekaj, kołnierz ci się podwinął" i poprawia go ręką, której pozwala następnie swobodnie spocząć na moim karku. Tak idziemy ulicą. Mój żołądek już nie tyle podskakuje, ile wykonuje porządne salto.

Adam spogląda za siebie i widzi, jak razem za nim podążamy, a Andrew masuje delikatnie mój kark. Szybko odwraca wzrok. „Dziwne", myślę, lecz mnie to odpowiada. Dawno nikt się mną tak nie zajmował.

Chwilę później wchodzimy do The Engineer i Mel ściska mnie mocno na powitanie.

— Tęskniłam za tobą — mówi. — Nie widziałam cię od stu lat.

Minął co prawda zaledwie tydzień, ale tak zachowują się kobiety, gdy im na sobie naprawdę zależy.

— Hej, Tash, wyglądasz jak zawsze wspaniale — wita się Daniel Oślizły Gad i wstaje, by cmoknąć mnie na dzień dobry. Jak zawsze celuje w usta, lecz ja, jak zwykle, odwracam głowę i czuję mokrego, miękkiego buziaka na policzku oraz szybkie muśnięcie ręką mojego pośladka, żeby wszystko było jasne.

Nie mogę tej ręki uniknąć, bo wtedy Mel mogłaby coś zauważyć, więc po prostu ją ignoruję i szybko się odsuwam.

— Chłopak twojej koleżanki chyba cię, eee... lubi? — stwierdza Andrew i siada obok mnie, z czego bardzo się cieszę, ponieważ teraz mogę z nim flirtować do woli. Z tym że zbytnio mi to nie wychodzi, bo za każdym razem, kiedy on coś do mnie mówi, ja zaczynam się jąkać jak idiotka.

Czemu zawsze tak jest? Dlaczego za każdym razem, gdy rozmawiam z mężczyzną, który jest w moim typie, wracam do poziomu nieśmiałej, pyzatej szesnastolatki?

— A co, gdybym to ja tak cię pogładził po pośladku? Czy byłbym dzięki temu w twoich oczach bardziej atrakcyjny?

„Nie mógłbyś, nawet gdybyś chciał", myślę, lecz oczywiście nie mówię tego głośno. Stwierdzam za to ze śmiechem, wyciągając rękę w jego stronę i mierzwiąc mu włosy:

— Wyglądasz bardzo atrakcyjnie.

Kurczę, ależ ten facet jest przystojny! Przepraszam. Wiem, że w kółko to mówię, ale nie pamiętam, kiedy ostatni raz ktoś tak mi się podobał. Mimo że słowo „Niebezpieczeństwo!" ma dosłownie wypisane na twarzy i tylko czeka, by złamać mi serce, to nie wiem, czy będę potrafiła mu się oprzeć, gdy przyjdzie co do czego (co, mam nadzieję, nastąpi).

Adam także usiadł obok mnie i czuję rosnącą irytację, gdy i on zaczyna gładzić mnie po karku. Ostatnia rzecz, jakiej mi trzeba, to by Andrew pomyślał, że coś nas łączy.

Ale muszę być miła, no i uwielbiam Adama. Nie uwielbiam go w tym momencie, ale powinnam trzymać fason.

— Co słychać w świecie wyposażenia sklepów? — pytam, bo tym właśnie Adam zajmuje się zawodowo. Pewnie piłaś kiedyś cappuccino w jednej z jego restauracji lub podziwiałaś zaprojektowaną przez niego klatkę schodową w sklepie twojej ulubionej marki ciuchów.

— Jest dziwnie — śmieje się. — Lecz nie tak dziwnie, jak w telewizji. To jaka jest plotka tygodnia?

Adam uwielbia wszystkie ploteczki dotyczące programu. Lubi słuchać o tym, kto z kim sypia, kto jest na topie, a kto wyleciał.

— Co takiego? — przerywa Andrew. — Od kiedy interesują cię ploteczki z telewizji?

— To zupełnie nowy świat — odpowiada Adam. — A Tasha wie o niesamowitych rzeczach. Jak się nazywał ten aktor, z którym się przespałaś? No wiesz, ten który chciał, żebyś na niego nasikała?

Moja twarz płonie ognistą czerwienią.

— Adamie, to było ponad rok temu i miałeś o tym nie mówić.

— Zrób mi tę przyjemność. Sama zabawiasz towarzystwo tą historią od dawna.

Ma rację, w kółko ją opowiadam, ale nie w obecności faceta, który mi się podoba.

— Zrobiłaś to? — Andrew patrzy na mnie z przerażeniem w oczach.

— Co zrobiłam?

— Nasikałaś na kogoś?

— Nie, do cholery! Jezu, Ad, jesteś niemożliwy. Ależ z ciebie papla!

— Co ja takiego zrobiłem?

Andrew wybucha śmiechem, a ja znów czuję się swobodnie. Nie jest oburzony. Uważa, że to zabawne. Ale powinnam wyraźnie zaznaczyć, że niczego takiego nie zrobiłam.

— Chciałabym wyraźnie podkreślić, w obecności świadków, że nigdy, powtarzam: nigdy na nikogo nie nasikałam. Z wyjątkiem toalety, ale to nie osoba, a martwy przedmiot, więc się nie liczy.

Emma natychmiast podłapuje temat.

— To już rozmawiamy o seksie? A niech mnie, szybko dzisiaj zaczęliśmy.

Ponieważ seks, jak już zapewne wspomniałam, stanowi ważną część naszych babskich lunchów. Choć przyznaję, że gdy w towarzystwie są faceci, to zwykle poprzestajemy na ogólnikach.

— Gdybym to był ja, wówczas trochę by to potrwało — rzuca Andrew, wykorzystując podwójne (całkowicie niezamierzone) znaczenie wypowiedzi Emmy. — Uważam, że kobieta, którą zmusza się do czekania, odczuwa większą przyjemność. Nie gustuję w tych szybkich numerkach. Kiedy ja kocham się z kobietą, to oczekuję, że odwoła wszelkie zajęcia zaplanowane na kolejne dwa dni.

— Och, aż dwa dni? — Spoglądam na niego z uniesioną jedną brwią. — Taką propozycję nie sposób odrzucić.

Andrew pochyla się w moją stronę i szepcze mi do ucha:

— Ale szybki numerek też może być przyjemny. Masz ochotę na szybki numerek?

Odsuwam się i patrzę mu prosto w oczy.

— Nie kuś mnie — mówię z uśmiechem, ale Andrew jest całkiem poważny, gdy powoli dodaje: „Ja nie żartuję".

A ja oczywiście oblewam się rumieńcem. Nie wiem, ani w którą stronę patrzeć, ani co powiedzieć. Kiedy za wszelką cenę próbuję zmienić temat (ponieważ tak, droga czytelniczko, jestem zawstydzona), on odgarnia mi z tyłu włosy i całuje delikatnie w kark.

Pieprz mnie, proszę, pieprz mnie! Chryste, ten facet jest tak seksowny, że jedyne, czego w tej chwili chcę, to wpełznąć pod stół i paść mu w ramiona. Przed oczami stają mi obrazy nas razem, tego, co robimy: on powoli odpina moją koszulę, całuje moje usta, moją twarz, moją szyję, moje piersi...

Niemal czuję, jak rozpina mi spodnie, wsuwa powoli rękę w moje bawełniane majteczki (z tym że to nie będą żadne bawełniane majteczki — dla tego faceta kupię sobie La Perlę), a jego grube palce stopniowo wsuwają się we mnie.

— Halo? Tasha, tu ziemia! — woła Mel ze śmiechem. Ona wie.

Umieram z ciekawości, czy Andrew zawsze taki jest, ale muszę być ostrożna z Adamem. Nie dlatego, że coś do mnie czuje lub coś w tym rodzaju, ale przyjaźń między kobietą a mężczyzną to zabawna rzecz.

Widziałaś kiedyś *Kiedy Harry poznał Sally*? Na pewno widziałaś, wszyscy widzieli. To mój absolutnie ulubiony film. Pamiętasz tę scenę na początku, w której Harry mówi, że przyjaźń między kobietą a mężczyzną jest niemożliwa, bo zawsze w końcu chodzi o seks? A co ty o tym sądzisz? Myślisz, że to prawda?

Kiedy Adam i ja zostaliśmy przyjaciółmi, uważałam, że nie, ale przypuszczam, że wszystkie moje przyjaźnie z mężczyznami zawsze rodziły się z pociągu do tej drugiej osoby: albo z mojej, albo z jego strony. A ponieważ nic do Adama nie czułam, podejrzewam (choć nigdy się nad tym głębiej nie zastanawiałam), że mogłam go troszeczkę pociągać. Na początku. Teraz już jednak nie. Za dobrze się znamy.

Zdecydowałam więc, że kwestia seksu w niczym nie przeszkadza, choć istnieje. Na początku. W końcu, bądźmy szczerzy: nie wysilamy się specjalnie, by zaprzyjaźnić się z kimś brzydkim jak noc, prawda? Chyba że sami tacy jesteśmy.

Ludziom podobają się osoby o podobnym stopniu atrakcyjności. Gdy w restauracji widzimy jakiegoś wyjątkowo przystojnego faceta w towarzystwie paru osób, to możemy być pewni, że te osoby będą równie olśniewające.

Chociaż (może z wyjątkiem Simona, który nie był klasycznie przystojny) większość facetów, z którymi się spotykałam, była przystojna, to nie sądzę, bym była ich warta. Nie uważam siebie za wystarczająco atrakcyjną dla nich i właśnie dlatego nie wierzę, że podobam się Andrew. Jeśli tak jest. Pewnie nie. Pewnie tylko ze mną flirtuje.

— Czy Andrew zawsze taki jest? — szepczę do Adama, kiedy on jest głęboko pogrążony w rozmowie z Mel, dyskutując z nią na temat korzyści płynących z prowadzonej przez nią terapii. Andrew, rzecz jasna, jako pewny siebie, wysoki, przystojny gość, nigdy w życiu jej nie potrzebował. Jest tak przekonany o własnej wartości, tak zadufany w sobie! Od razu widać, że był oczkiem w głowie swoich rodziców, ich ukochanym synkiem i najpopularniejszym chłopcem w szkole, a potem największym Don Juanem i pożeraczem kobiecych serc na uniwersytecie.

Adam przewraca oczami.

— Cały czas, Tash! Do szału mnie tym doprowadza. Nie potrafi rozmawiać z kobietą i z nią nie flirtować.

Jestem załamana, ale kontynuuję. Chcę usłyszeć, że jestem inna, że ze mną nie robi tego tylko dla zabawy.

— Ale jaki jest, kiedy ktoś mu się naprawdę podoba? Na czym polega różnica?

Staram się sprawiać wrażenie, jakbym pytała ot tak, od niechcenia, ale najwyraźniej mi nie wychodzi.

Na twarzy Adama pojawia się uśmiech.

— A co? Jesteś zainteresowana?

— A skąd, Boże uchowaj! Chyba żartujesz! On jest tak zakochany w sobie, że nigdy nie znajdzie czasu dla nikogo innego. Nieee... kompletnie nie w moim typie.

Adam wygląda, jakby mu ulżyło. Przypuszczam, że nie chciałby, żebym znów oberwała. Nie po tym, co było z Simonem.

— Ale to miły facet — mówię, nie chcąc dopuścić do zmiany tematu. — Jestem zdziwiona, bo nie sądziłam, że jest miły.

— Taak, to fajny gość. A czego się spodziewałaś po moim przyjacielu?

— A co tam u Simona?

Adam nadal go widuje. Nie tak często jak dawniej, ale to chyba nie ma ze mną nic wspólnego. Myślę, że po prostu nie mają już dla siebie tyle czasu i ich przyjaźń się zmieniła. Tak przynajmniej sądzę, bo Adam nigdy o nim ze mną nie rozmawia. Simon nie ma już nic wspólnego z moim życiem ani z przyjaźnią między mną a Adamem.

— U Simona w porządku. Wiem, że zachował się wobec ciebie jak świnia, ale jest moim przyjacielem od bardzo dawna. Na dodatek prawdziwym przyjacielem.

— Oczywiście, wiem. Przepraszam, nie o to mi chodziło. Nie chciałam sprowadzić tematu rozmowy na niego. Staram się jak mogę, by o nim zapomnieć, i najczęściej z powodzeniem. Ale ten telefon wytrącił mnie z równowagi.

Ból, który człowiek odczuwa, stopniowo zanika. Nie znika zupełnie, nie na długo przynajmniej, ale żyje się z nim coraz łatwiej. Pewnego ranka otwierasz oczy i on nie jest pierwszą rzeczą, jaka przychodzi ci na myśl. A kilka miesięcy później uświadamiasz sobie, że nie myślałaś o nim aż przez pół dnia.

Czasami mijają miesiące, a czasami lata, ale w końcu myślisz o nim zaledwie od czasu do czasu. Jesteś w stanie to zrobić, bo nie widujesz go, nie słyszysz niczego na jego temat i robisz wszystko, by o nim nie myśleć.

A potem wpadasz na niego na ulicy lub ktoś przypadkiem wspomni jego imię, albo skurwiel zadzwoni do twojego programu w telewizji i wspomnienia zalewają cię jak powódź. Ale z czasem i one są coraz mniej bolesne. Potrafię już rozmawiać o Simonie bez żadnych szczególnych odczuć. Jednak wolałabym wcale tego nie robić. Wiesz, o co mi chodzi.

W restauracji nagle zrobiło się chłodno. Drżę, a Andrew spogląda na mnie z zatroskaniem.

— Zmarzłaś, Tash?

— Do szpiku kości — odpowiadam, pocierając skórę rękoma, by choć trochę się rozgrzać. Andrew otacza mnie swoim muskularnym, silnym ramieniem i dłonią masuje mi łopatki i plecy. Wtulam się w niego pod wpływem ogarniającego mnie uczucia zadowolenia. Chcę tak siedzieć już zawsze.

— Masz w sobie mnóstwo seksapilu — szepcze mi znów do ucha. — Dam głowę, że jesteś świetna w łóżku.

Chryste, to jakiś kompletny idiotyzm! Siedzę w restauracji ze wszystkimi swoimi przyjaciółmi, podrywa mnie gość, któremu najpewniej zależy jedynie na krótkiej przygodzie, a ja nie zgrywam niedostępnej. Gram według jego zasad, choć nie najlepiej, ponieważ wiem, co się teraz stanie.

Chcesz wiedzieć, co będzie? W porządku, powiem ci, bo to nie pierwszy raz, gdy sprawy biegną takim torem. Nie jestem tylko pewna, czy chcę, by pobiegły. Nie jestem przekonana, czy to wytrzymam.

Pewnego wieczoru Andrew zadzwoni i powie coś w rodzaju: „Co porabiasz? Masz ochotę wpaść do mnie?" A ponieważ mieszka na Clapham, a ja muszę ogolić nogi i pomalować paznokcie u stóp, nie mam ani chwili do stracenia i odpowiem mniej więcej tak: „Czemu ty do mnie nie wpadniesz?"

Na co on: „O? Zaufasz mi w swoim własnym mieszkaniu?", a ja zaśmieję się gardłowo i seksownie, po czym odpowiem: „Do zobaczenia za godzinę".

A potem przeszukam całą łazienkę, by zlokalizować maszynkę do golenia, pogalopuję do sypialni z kawałkami papieru toaletowego przylepionymi w miejscach, w których się zacięłam, wypacykuję sobie twarz i wciągnę na siebie najbardziej seksowną bieliznę, jaką mam.

Jednocześnie będę jak opętana porządkować duży pokój, zapalać ogień na kominku, świece (lecz nie za wiele, żeby sytuacja nie była aż „tak" oczywista), choć oboje świetnie wiemy, po co przychodzi.

A kiedy wejdzie, ujrzy mnie wyglądającą olśniewająco i uwodzicielsko w moich spłowiałych lewisach 501, obszernej białej koszuli i z bosymi stopami. Usiądziemy na jednej kanapie, będziemy sączyć czerwone wino i gadać o pierdołach.

Następnie rozmowa przejdzie na seks, jak to się zawsze dzieje, gdy wiadomo, że obie strony wiedzą, do czego zmierzają. On odstawi wreszcie kieliszek i, patrząc mi głęboko w oczy, powie: „Lepiej, żebym więcej nie pił. Przecież wracam samochodem". Ja będę się przez moment wpatrywać w swój kieliszek, po czym spojrzę na niego i szepnę: „Nie musisz nigdzie wracać. Mógłbyś zostać".

Wtedy on odstawi swoje wino na stół, usiądzie wygodnie i weźmie moje dłonie w swoje ręce. Oboje popatrzymy, jak jego silne i wielkie głaszczą moje, i zmysły zaczną nam pracować na najwyższych obrotach. Potem on pogładzi mnie po policzku i podczas gdy mój żołądek wykona podwójne salto mortale i niemal dostanę mdłości, on mnie pocałuje.

Pocałunek będzie długi i namiętny. Następnie poprowadzę go do swojej sypialni, myśląc: „Tasha, tylko się nie angażuj. To tylko szybkie pieprzonko. Nic poza tym".

Zedrzemy z siebie ubrania, a on okaże się nieprawdopodobnym kochankiem. Będzie, jak zwykle, pewny siebie, będzie parł do przodu, dokładnie wiedząc, co robi.

Zostanie też na noc, bo aż takim skurwielem nie jest, a rankiem, gdy już zrobię mu kawę i odprowadzę do drzwi, będzie wobec mnie uprzejmy, lecz nawet mnie nie dotknie. Pocałunki i uściski zeszłej nocy należą wyłącznie do niej. Wychodząc, może mnie nawet pocałuje w usta, ale nie otworzy ich swoim językiem i nie zacznie lizać mojego wnętrza, szepcząc przy tym: „Chcę się z tobą kochać".

Powie coś w rodzaju: „Zadzwonię do ciebie" i może, ale nie musi, dodać: „Któregoś dnia". A ja ubiorę się i pójdę do pracy i będę zbyt zajęta, by o nim myśleć. Przypomnę sobie o nim, gdy wrócę później do domu: sprzątając wieczorem ślady poprzedniej nocy.

Przypomnę sobie, jak mnie całował, obejmował, mamrotał moje imię, gdy we mnie wchodził, i im dłużej będę o tym myślała, tym bardziej będę pragnęła znów się z nim spotkać.

A mój telefon zamieni się w cichego, czarnego potwora, przycupniętego złowieszczo w rogu dużego pokoju i oskarżającego mnie o to, że nie jestem wystarczająco dobra, ładna ani szczupła. To dlatego on nie dzwoni.

Jeśli będę miała sporo szczęścia, to może zadzwoni kilka tygodni później, gdy poczuje się znudzony. Albo napalony. Znów pójdziemy do łóżka, lecz tym razem nie będziemy się już kochać, a pieprzyć. A ja zapragnę go jeszcze bardziej. I bardziej, i bardziej. Będę z wdzięcznością przyjmowała nawet najmniejszą, niezamierzoną zachętę z jego strony i w końcu, gdy już na dobre przestanie dzwonić, bo spotkał kogoś innego, z kim chce spędzać swój czas, kogo chce zapraszać na obiad do restauracji i z kim po prostu chce być, ja popłaczę parę godzin, może nawet dni, a potem wrócę do normy.

Oto, dlaczego nie chcę mu odpowiedzieć. Ponieważ zasługuję na więcej niż tylko zwykłe pieprzonko. Ponieważ zasługuję, by być tą, którą chcą później zapraszać na śniadanie. Lecz nie potrafię się, cholera, oprzeć! Ty byś umiała?

Rozdział ósmy

Chryste Panie! Wiesz, ile czasu minęło od momentu, kiedy ostatni raz ktoś mnie posuwał?

Rozdział dziewiąty

Czasem można na pierwszy rzut oka ocenić, czy ktoś miał szczęśliwe dzieciństwo, tak jak Andrew, czy nie. Wiem, że ludzie zakładają, że zawsze odnosiłam sukcesy, miałam wielu przyjaciół. Jedna z tych w czepku urodzonych.

Pozwól jednak, że ci wyjaśnię, jak bardzo się mylą. Jak wielki błąd można popełnić w tej kwestii. Pod tą warstwą lakieru kryje się spora dawka cierpienia. Człowiek myśli, że z wiekiem będzie mniej bolało, że wszystko można upchnąć na dnie szafy marki Habitat. Lecz za każdym razem, gdy wchodzisz w nowy związek, te problemy wracają i znów twoje życie rozsypuje się w drobny mak.

„Jako dorośli ludzie przez większą część czasu próbujemy odtworzyć dom z naszego dzieciństwa, hmm? Dla niektórych oznacza to szczęście, bezpieczeństwo, ciepło. Dla innych, takich jak ty, to brak szczęścia, brak poczucia bezpieczeństwa i niewierność, hmm?" Leżałam na czymś, co nazywałam kozetką, chociaż w rzeczywistości był to zwykły fotel. Jeśli wysunąć do przodu podpórki pod łokcie, to tył gwałtownie odchyla się w przeciwnym kierunku, a pod nogami pojawia się rodzaj półki.

Ta rozmowa odbyła się w zeszłym roku. Mówiąc to, Louise patrzyła na mnie przenikliwym wzrokiem. Chciała wyjaśnić, dlaczego przyciągam mężczyzn, którzy boją się zaangażować, są niewierni lub nie pragną mnie wystarczająco mocno.

— W twoim dzieciństwie brakowało ciągłości — mówi.
— I zaufania.

— Masz rację — przytakuję. — Nie sądzę, bym tak naprawdę umiała komuś zaufać.

Mówię to powoli, rozważając każde wypowiadane przez siebie słowo.

— Nie sądzę, bym kiedykolwiek w życiu komukolwiek zaufała.

Louise pokiwała głową, zachęcając mnie subtelnie, bym kopała głębiej i sama znalazła odpowiedź.

Nigdy nie myślałam o sobie jako o nieszczęśliwym dziecku. Pamiętam, że w moim domu było dużo miłości, a kłótnie zdarzały się rzadko. Pamiętam, że gdy powiedziałam o tym Louise, wyglądała na zaskoczoną. Chyba oczekiwała alkoholizmu, scen, a przynajmniej paru potłuczonych talerzy.

Ale ja nie tak to wszystko pamiętam, słowo honoru. Mimo że po paru spotkaniach z Louise uświadomiłam sobie, że właśnie te mało ważne rzeczy miały największe znaczenie. Podobnie jest z przyjmowaniem komplementów, gdy człowiek jest już dorosły. Jeśli jesteś choć trochę podobna do mnie, to słysząc dziesięć komplementów i jedną obelgę, natychmiast zapomnisz pochwały, a obraza będzie tkwiła w tobie godzinami, dniami, a nawet latami.

— Wróćmy do tego, co się wydarzyło, gdy miałaś jedenaście lat, dobrze? — Louise delikatnie, ale stanowczo zmusza mnie do myślenia.

— Sądzę, że kiedy po raz pierwszy zdałam sobie sprawę z tego, że coś jest nie tak, było lato. Pamiętam, że było gorąco i parno i bawiłam się z koleżankami w parku przy naszej ulicy.

— W co się bawiłyście?

— Grałyśmy w palanta? Nie wiem, coś w tym rodzaju.

— Byłaś dobra w grach zespołowych?

— Uwielbiałam takie gry, chociaż nigdy nie byłam szczególnie wysportowana. Patrzyłam na chłopców i dziewczynki w mojej klasie i chciałam być taka jak oni. Zawsze byłam niezła z plastyki, czasami z angielskiego, ale do drużyny za każdym razem wybierano mnie ostatnią. Ale w palanta byłam całkiem, całkiem. Miałam dobrą, jak to się mówi, „koordynację na linii ręka — oko", więc mimo że niezbyt szybko biegałam, wychodziły mi uderzenia.

Wróciłam do domu i poszłam do kuchni, by coś zjeść. Zwykle wchodząc, modliłam się, by moja matka była na górze lub gdzieś poza domem, żebym mogła dopaść do lodówki i zrobić sobie olbrzymie kanapki — moje przedobiednie przekąski. Chociaż wtedy jeszcze ich tak nie nazywałam.

Jako dziecko zdawałam się wiecznie głodna i stąd mój raczej okrąglutki brzuszek i krótkie, pulchniutkie nogi. Wówczas nie rozumiałam jeszcze koncepcji głodu emocjonalnego, ale musiałam się uważać za prawdziwego żarłoka. Moi rodzice najwyraźniej też tak sądzili, bo nawet kiedy miałam dziesięć lat, moja matka organizowała mi diety.

„Świetna robota!", mówiła, kiedy udało mi się zgubić parę kilogramów. „Tak jest dużo lepiej". A ja byłam bardzo dumna, że mi się udało. Ze sprawiłam mojej matce przyjemność. Ale rzecz jasna, nie na długo. Szłam do szkoły z drugim śniadaniem w postaci chrupkiego chleba, twarożku, owoców i jogurtu na deser. W czasie przerwy obiadowej siadałam na dziedzińcu otoczona koleżankami, którym matki zapakowały kanapki z jasnego pieczywa z topionym serem i cienkim plasterkami szynki. Do picia miały coca-colę, a na deser ciasteczka lub krakersy. Siedziałam między nimi i czekałam, aż skończą, bo one nigdy nie dojadały. A ja czekałam, gotowa zrobić to za nie i z otwartymi ustami wyglądałam chwili, gdy będę mogła pochłonąć resztki.

— Czy wiesz, jakie uczucia próbowałaś zagłuszyć jedzeniem? — pyta Louise.

— Podejrzewam, że nigdy nie czułam się wystarczająco dobra. Moi rodzice mieli wszystko, a tak przynajmniej wydawało się każdemu, kto zajrzał przez okna naszego wygodnego, typowego dla klasy średniej domu, podróbce stylu epoki Tudorów.

Mój ojciec, Robert, był wziętym prawnikiem. Wysoki, przystojny, najważniejszy człowiek w moim życiu. Byłam w stu procentach córeczką tatusia, a on mnie uwielbiał. Jeśli tylko upadłam, zraniłam się lub chciałam, by ktoś mnie przytulił, od razu biegłam do tatusia, który łapał mnie w ramiona, podnosił do góry i dosłownie zalewał miłością.

Moja matka, Elaine, zajmowała się domem. Niziutka, drobniutka, zawsze nienagannie ubrana w stroje od dobrych projektantów. Była pierwszą kobietą na naszej ulicy, która wypróbowywała nowe trendy w modzie i jako jedyna dobrze w tych ubraniach wyglądała. Kochałam moją matkę, a przynajmniej starałam się ją kochać, ale między nami zawsze była jakaś bariera. Nawet w wieku jedenastu lat zdawałam sobie sprawę, że mierzy mnie krytycznym wzrokiem.

„Czemu nie możesz być taka jak Helen?", pytała. „Popatrz na jej śliczne, szczupłe kostki. Dlaczego ty nie możesz mieć takich kostek?" A potem łapała mnie za nie ze śmiechem, a ja znosiłam zniewagę, którą czułość miała uczynić mniej bolesną, i nosiłam ją w sobie przez resztę życia.

„Byłabyś taka ładna, gdybyś trochę schudła", mówiła, częstując moje koleżanki ciastkami, a przede mną chowając słoik. Nigdy tak naprawdę nie słyszałam, by mówiła: „Nie jesteś wystarczająco dobra. Nie jesteś taką córką, jakiej chciałam", ale widziałam to w jej oczach, w tych cichych spojrzeniach, które znaczyły: żałuję, że mam taką córkę. Żałuję, że nie jest nią Helen.

Helen była moją najlepszą przyjaciółką. Szczupła, ładna, wygadana. Miała błyszczące blond włosy, które spływały jej po plecach jak welon. Jej matka co rano wplatała w nie różnokolorowe wstążeczki. Helen była bardzo lubiana, a ja czułam wdzięczność, że mam taką przyjaciółkę.

Tak naprawdę, to nigdy nie byłam jej przyjaciółką, rozumiesz? Dzieliła swój czas między wiele osób, a mi mówiła, że mam szczęście, że się ze mną przyjaźni, bo nie jestem ładna, ale i tak mnie lubi. Lubiła moje zwariowane zachowanie, gdy dorośli nie patrzyli.

Myślę, że nawet w wieku jedenastu lat byłam dojrzała i świadoma swojej odmienności. Chadzałam własnymi ścieżkami. Nie byłam szczęśliwa, ale nie było ku temu żadnego konkretnego powodu, aż do pewnego letniego dnia, gdy zorientowałam się, że coś jest nie tak.

Nieważne... O czym to ja mówiłam? Aha, grałyśmy w palanta, a ja przyszłam do kuchni. Mój ojciec siedział przy stole, a matka stała przy jego drugim końcu i przeszywała go wzrokiem. Chyba mnie nie słyszeli i prawdopodobnie nadal nie wiedzą, że tam byłam. Wycofałam się na paluszkach, myśląc jednocześnie, że mój ojciec wygląda, jakby coś przeskrobał, chociaż wtedy chyba jeszcze nie wiedziałam, o co chodziło. Widziałam tylko, że wyglądał tak jak ja, gdy matka zarzucała mi, że podjadam ciasto, a ja, mimo że winna, upierałam się, że tego nie robię.

Zrobiłam więc krok do tyłu i stanęłam za drzwiami tak, by mnie nie zauważyli. Stałam i słuchałam ich rozmowy, a serce waliło mi jak dzwon, bo wiedziałam, że to konwersacja dla dorosłych, ja nie powinnam była tego słuchać.

„Jak mogłeś?!", krzyczała matka. Pytanie było, rzecz jasna, retoryczne, ale wówczas nie rozumiałam sensu tych słów. „A co ze mną, co z Tashą? O nas nie pomyślałeś?"

Mój ojciec nie odpowiadał, więc zerknęłam przez drzwi: siedział z łokciami na stole i twarz miał ukrytą w dłoniach. Nagle poczułam przerażenie: dlaczego o mnie nie pomyślał, co on takiego robił?

„Naprawdę chcesz rozwalić nasze małżeństwo dla jakiegoś beznadziejnego romansu z tanią ździrą? To nie może być prawda. Ty samolubny skurwysynu! Nawet nie chcę z tobą rozmawiać! Chcę, żebyś się wyprowadził. Nie życzę sobie widzieć cię tutaj wieczorem".

Pobiegłam na górę, mocno przyciskając uszy rękoma. Nie chciałam dłużej tego słuchać. Już wystarczająco dużo usłyszałam. Rzuciłam się na łóżko i zaczęłam płakać, łkając przy tym głośno jak małe dziecko. Moi rodzice wezmą rozwód. Koleżanki i koledzy w szkole mieli rodziców po rozwodach. Dla nich oznaczało to dodatkowe prezenty na gwiazdkę i urodziny. Weekendowe spotkania z ojcami wyróżniało robienie wyjątkowych rzeczy, jak wyprawy do zoo lub wesołego miasteczka albo pikniki w parku.

Ale ja tego nie chciałam. Kochałam ojca i chciałam, by rodzice zostali razem. Ich rozwód byłby najgorszą rzeczą, jaka mogła mi się kiedykolwiek przydarzyć. Po co inaczej moja matka mówiłaby ojcu, że ma się wyprowadzić?

Tego wieczoru jeszcze tego nie zrobił. Zeszłam na dół trochę później, przerażona myślą o tym, co mogę tam zastać, a co okazało się lodowatą ciszą, atmosferą tak gęstą, że można było ją przeciąć nożem jak gładkie, krągłe kostki u nóg mojej Barbie.

Mój ojciec nie mógł mi spojrzeć w twarz, a matka próbowała udawać, że wszystko jest w najlepszym porządku. Lecz ja wiedziałam, że nie było, że prawdopodobnie od tej pory nic już nie będzie tak, jak przedtem.

W nocy znów zaczęłam płakać, jednak tym razem moja matka przypadkiem przechodziła pod drzwiami. Weszła i usiadła na łóżku, obejmując mnie i głaszcząc po głowie. Wydaje mi się, że jej też zaczęły kapać z oczu łzy, ale po chwili zapytała: „Słyszałaś, jak się kłóciliśmy z tatusiem?"

Próbując opanować czkawkę, pokiwałam smutnie głową i spojrzałam na mokre ślady na jej policzkach. „To nic", powiedziała. „Wszystko będzie dobrze".

„Ale kazałaś mu się wyprowadzić". Wyglądała na zaskoczoną. Nie sądziła, że to usłyszałam.

„Kochanie, on nigdzie nie pójdzie. To nic ważnego, zwykła mała sprzeczka. Dorośli czasem się kłócą, ale potem wszystko jest znowu w porządku, teraz też tak będzie. Ty też czasami gniewasz się na Helen, prawda?"

Przytaknęłam. „Sprzeczacie się, nie rozmawiacie przez kilka dni, a potem wszystko wraca do normy, zapominacie o tym, co się stało, i znów jesteście koleżankami. Ze mną i tatusiem jest tak samo. To po prostu mała sprzeczka, a ja w tej chwili nie czuję się z tatusiem zbyt szczęśliwa".

„Ale weźmiecie rozwód!" Czkawka znów zamieniła się w łkanie na myśl o perspektywie życia w rodzinie bez ojca. „Nie, kochanie, nie weźmiemy. Obiecuję, że nie weźmiemy rozwodu".

Ale Helen powiedziałam, że wezmą. Opowiedziałam jej wszystko, nie dlatego, że byłam z tego dumna, lecz najzwyczajniej nie miałam nikogo innego, z kim mogłabym o tym porozmawiać.

„Romans oznacza, że twój tata nie kocha już twojej mamy, bo kocha teraz kogoś innego", stwierdziła Helen pewnym tonem. „A potem się rozwiodą i będziesz widywała go tylko w weekendy, a on na te spotkania będzie przyprowadzał swoją nową dziewczynę".

— Skąd Helen tyle wiedziała o romansach i rozwodach? — spytała Louise.

— Ponieważ jej rodzice byli rozwiedzeni i ojciec, rzecz jasna, zamieszkał z przyczyną romansu.

Kiedy człowiek ma jedenaście lat, niewiele okropnych rzeczy może mu się przydarzyć. Gdy twoje szczęście, bezpieczeństwo i stabilność zależą od obecności dwojga rodziców, którzy zapewniają wszystko, czego ci potrzeba, to ich rozstanie jest najstraszniejszą rzeczą, jaką można sobie wyobrazić.

Dla kogoś dorosłego rozwód rodziców nadal może być czymś trudnym, ale człowiek jakoś sobie radzi, bo otacza go grupa przyjaciół, którzy mają doświadczenie, mądrość i twój najlepiej pojęty interes na sercu. Jedenastolatki nie mają nikogo prócz najlepszej przyjaciółki, która najzwyczajniej w świecie przelewa na ciebie własny ból i poczucie niepewności. A potem ludzie się dziwią, że jestem pokręcona...

Mówię dalej, niemal krzywiąc się z bólu, który, mimo moich trzydziestu lat, ta historia nadal wywołuje.

— Nie wzięli rozwodu, ale z mojego punktu widzenia sytuacja przez kilka tygodni była krytyczna. Ten stan obowiązywał w okresie lodowatej ciszy, gdy moi rodzice nawet się nie dotykali, a ja miałam poczucie winy, że to przeze mnie.

Może gdybym była lepsza, sprzątała swój pokój, pomagała mamie w kuchni, starała się tyle nie jeść, potrafiłabym wszystko naprawić.

Najzabawniejsze jest to, że przez dłuższy czas wszystko było w porządku. Było dobrze aż do moich siedemnastych urodzin, kiedy sama odkryłam, że mój ojciec ma romans.

Siedziałam z grupką koleżanek w kafejce w Covent Garden, gadałyśmy o chłopcach i seksie, o którym żadna z nas nie miała bladego pojęcia, i kopciłyśmy jak lokomotywy, jak to wszystkie miałyśmy w tym czasie w zwyczaju.

Prowadziłyśmy coś, co z naszego punktu widzenia stanowiło głęboką i znaczącą konwersację, kiedy przypadkiem podniosłam wzrok i zerknęłam przez okno. Po drugiej stronie ulicy szedł mój ojciec. Twarz mi pojaśniała, wybiegłam na zewnątrz, by się z nim przywitać. Co za cudowna niespodzianka!

Ale wtedy dostrzegłam, że obok niego idzie kobieta i trzymają się za ręce. Oczywiście, nie była to moja matka. To przyjaciółka moich rodziców, nigdy niezamężna. Kobieta, która, jak przypuszczam, miewała romanse z żonatymi.

Przystanęłam zaskoczona. Dlaczego trzymali się za ręce? Mimo że w wieku siedemnastu lat byłam niedoświadczona, to nie aż tak naiwna. A potem, gdy patrzyłam przez okno, czując się jak jedenastolatka, której świat właśnie wylatuje w powietrze, mój ojciec stanął twarzą do tej kobiety i pocałował ją. To nie był całus na do widzenia. Pocałunek był namiętny, pełen pożądania.

Może powinnam była podbiec do nich? Chciałam wydrapać jej oczy, walić ją po twarzy, aż zacznie wrzeszczeć, targać za włosy, aż łzy pocieknę jej po policzkach.

Lecz nie zrobiłam tego. Usiadłam szybko z powrotem i próbowałam zachowywać się jak gdyby nigdy nic. Byłam tak wściekła, tak rozczarowana, że nie potrafiłabym rozmawiać z ojcem, nie umiałabym mu wygarnąć. Przerażała mnie świadomość, że miałam rację i jednocześnie, że może się mylę. Może to był tylko całus, który zupełnie nic nie znaczył. Ja też całowałam się z chłopakami, których nie znosiłam, ale to było tylko całowanie. Tak naprawdę jednak wiedziałam, tylko po prostu nie chciałam przyjąć tego do wiadomości.

Po tym spotkaniu wszystko stało się jasne. Wakacje, na które moja matka jeździła sama, a w środku nocy w domu dzwonił telefon i słyszałam, jak mój ociec mamrotał coś do słuchawki. „To Anthony", mówił, jego partner. „Prosił, żeby cię pozdrowić". Wycofywałam się z pokoju, bo wiedziałam, że mężczyźni nie szepczą przez telefon do innych mężczyzn, szepczą do innych kobiet. Kobiet, które nie są ich żonami.

Czasami wychodził, mówiąc: „Będę u Joe, gdybyś mnie potrzebowała. Nie wrócę późno". A ja dzwoniłam do Joe, by spytać ojca o jakąś rzecz, by się upewnić, że od nas nie odejdzie i że wszystko będzie w porządku, a Joe mówił: „Och, właśnie wyskoczył po papierosy. Powiem, żeby do ciebie zadzwonił, jak wróci".

Pięć minut później mój ojciec oddzwaniał, a ja chciałam go przyłapać na kłamstwie. Chciałam zadzwonić od razu do domu Joe, wiedząc oczywiście, że wcale go tam nie ma. Ale nigdy tego nie zrobiłam. Wiedziałam, ale nie chciałam wiedzieć.

Albo wracał do domu nad ranem, kiedy leżałam w łóżku, udając, że śpię, ale nasłuchując odgłosów otwierania drzwi wejściowych i patrząc, jak zegar powoli odlicza godziny. Rano pytałam ojca: „O której wróciłeś?", a on przewracał oczami i odpowiadał: „Niezbyt późno. Chyba koło jedenastej".

Kłamał, oczywiście. Pewnego dnia otwarcie go oskarżyłam. Gdy podnosiłam słuchawkę w drugim aparacie, usłyszałam końcówkę zdania wypowiedzianego przez jakąś kobietę, a potem mój ojciec wrzasnął: „Anastasio, odłóż słuchawkę!"

Po raz pierwszy w życiu poczułam prawdziwy gniew na ojca i nie bałam się mu go okazać. „Jak śmiesz?", syknęłam. „Masz romans. Wiem o tym".

Objął mnie i powiedział: „Tasha, nigdy w życiu nie skrzywdziłbym ciebie czy twojej mamy. Musisz o tym pamiętać. Zawsze". Lecz to oczywiście nie było żadne zaprzeczenie. To tylko usprawiedliwienie.

Wyobraź sobie, że jesteś siedemnastolatką, która kocha swoich rodziców i nie chce ich zranić, nie chce też, by ranili się nawzajem. Wyobraź sobie, że przez resztę życia nosisz w sobie ciężar niewierności własnego ojca. Nie możesz pogadać o tym ze znajomymi, bo nie rozumieją, dlaczego dla ciebie to takie ważne. Nie możesz porozmawiać z matką, bo nie chcesz niepotrzebnie zadawać jej bólu.

Nosisz więc w sobie tę zdradę, ten brak zaufania wokół ciebie i powoli zaczyna to wpływać na każdy twój następny związek z mężczyzną. Zaczynasz od wybierania facetów, którzy nie są podobni do twojego ojca, i na początku waszego bycia razem mówisz coś w rodzaju: „Najgorsze, co mógłbyś mi zrobić, to mieć romans. Nie wybaczyłabym ci czegoś takiego". A oni kiwają głową i mówią, że nigdy nie zranią. Lecz, rzecz jasna, zawsze to robią, bo sama się tego spodziewasz, niemal pragniesz, by tak właśnie było.

— Dlaczego, twoim zdaniem, pragniesz, by tak właśnie było?

Zagubiona we własnych myślach prawie zapomniałam o Louise i o tobie. Przepraszam. Wiem, że to ciężka artyleria.

— Chyba podświadomie sądzę, że na to zasługuję. Taki schemat znam z życia: rodzina równa się zdrada. Mój ojciec zdradzał moją matkę, więc spodziewam się, że moi partnerzy postąpią ze mną tak samo. Jeśli nie zdradzają mnie, sypiając z inną kobietą, to znajdę jakiś inny powód.

— A jako dziecko myślałaś, że nie jesteś wystarczająco dobra, by zatrzymać ojca przy sobie, tak?

— Tak. A jako dorosła osoba czuję, że nie jestem wystarczająco dobra, by zatrzymać przy sobie faceta. Nawet wtedy, gdy jestem z kimś, kto jest wierny i zdaje się mnie kochać, nie potrafię mu zaufać. Przedstawiam go moim koleżankom, które uważam za ładniejsze od siebie, siadam i obserwuję, jak rozmawiają, okazują sympatię, a ja w duszy przekonuję siebie samą, że flirtują.

— Jak się wtedy czujesz?

— Robi mi się słabo. Dosłownie mam ochotę zwymiotować, czysta panika. Jestem absolutnie przerażona, że mnie zostawi. Że będę sama. Co stanowi swego rodzaju ironię, bo kiedy jestem sama, gdy nie ma wokół mnie żadnych mężczyzn, to jestem bardzo spokojna i szczęśliwa. Lecz w chwili, gdy wchodzę w jakiś związek, wszystko sypie się w drobny mak.

— Musimy przyjrzeć się przyczynie, dla której jako dziecko tak panicznie bałaś się rozwodu — mówi Louise i po tonie głosu poznaję, że zaraz zacznie wywód i powie mi coś, czego nie chcę wiedzieć; co, de facto, już wiem, ale jestem zbyt przerażona, by się do tego przyznać.

— Nigdy tak naprawdę nie uwolniłaś się od swojego ojca. Pozostajesz z nim w kazirodczym związku psychologicznym. Nigdy nie zerwałaś tej więzi, więc teraz, jako dorosła kobieta, kiedy już wiesz, że twoi rodzice też są dorośli i ich życie nie ma nic wspólnego z twoim, nie umiesz zapomnieć. Jesteś przepełniona goryczą. Wściekła. Wściekła, że masz takich rodziców, że twój ojciec był niewierny, że sprawiali, że czułaś się gorsza. Teraz to ty musisz przejąć kontrolę nad własnym życiem, musisz być za siebie odpowiedzialna. Dopóki nie przekonasz samej siebie, że to ty tu rządzisz, i nie przestaniesz winić swoich rodziców, wszystko zostanie po staremu. Ale gdy powiesz sobie: „W porządku, stało się, przez to jestem taka, jaka jestem dzisiaj, czuję gniew, czuję żal, jestem autentycznie wkurwiona!", to dorośniesz. Odetniesz się od nich i zaczniesz żyć jako kobieta niezależna.

— Ale jak to zrobić? Czy to po prostu proces, przez który musisz mnie przeprowadzić?

— Tak, i trochę to potrwa. U każdego przebiega to inaczej, ale w końcu się udaje. Tobie też się uda.

Rozdział dziesiąty

Wychodzę od Louise i w chwili, gdy wkładam klucz do zamka swoich drzwi, słyszę, że dzwoni telefon. Nie cierpię, gdy ludzie dzwonią, a ja nie zdążam odebrać, włącza się automatyczna sekretarka, a zanim podniosę słuchawkę, ten ktoś już swoją odłoży. Dzięki Bogu za 1471, cztery cyfry, które zmieniły moje życie. Jednak nadal nie mogę sprawdzić wszystkich numerów, spod których do mnie dzwoniono. Jeśli ktoś dzwoni z pracy, z komórki lub ma zastrzeżony numer, to gówno mogę zrobić i nadal nie mam pojęcia, kto dzwonił.

Kiedy wprowadzono usługę 1471, całymi dniami dzwoniłam pod nieznane mi numery i mówiłam zupełnie obcym ludziom, że ktoś do mnie dzwonił z ich domu. W większości przypadków udało mi się dojść do tego kto, ale teraz już nie zawracam sobie głowy. Ma to znaczenie tylko kiedy się czeka na telefon od mężczyzny, a ja nie czekam. A przynajmniej nie tak naprawdę.

Biegnę do telefonu i odbieram, dysząc ciężko (ponieważ dbanie o formę nie stanowi jednej z moich, hmm, mocnych stron i nawet krótki bieg przez przedpokój i do salonu sprawia, że tracę nieco oddech).

— Tasha? Tu Andrew.

Uśmiecham się szeroko. Nie dałam mu swojego numeru, musiał go zdobyć od Adama.

Zapada cisza, podczas gdy on czeka na moją reakcję. Odpowiadam standardowo:

— Cześć, jak się masz?

91

— W porządku. Chociaż nie całkiem. Mogłoby być lepiej.
— Och? A to dlaczego?
— Od stu lat z nikim nie spałem.
Nie wierzę, że już zaczął! Przecież to tylko początek rozmowy, a Andrew znów zaczyna mnie kusić.
— Nie wierzę! Dlaczego?
— Może nie spotkałem tej właściwej kobiety. A może spotkałem, ale jeszcze tego nie zrobiliśmy...
— Nie wyglądasz mi na faceta, który ceni sobie związki.
— Kto mówi o związkach? Potrzeba mi jedynie trochę przyjemnego, nieskomplikowanego seksu bez zobowiązań.
Pauza, w czasie której zastanawiam się nad tym, co właśnie powiedział. Chodzi mu o mnie? Czy to propozycja nie do odrzucenia? Nie mogę zareagować wprost, więc rzucam sugestywnie:
— Kochanie, chyba wszystkim nam tego potrzeba.
— To co porabiasz?
Na pewno nie powiem mu, że właśnie wróciłam od psychoterapeutki, więc mówię krótko:
— Dopieszczam scenariusz programu.
— Czy to oznacza, że będziesz siedziała do rana? Chciałem zapytać, czy nie masz ochoty gdzieś wyskoczyć.
Miękną mi kolana i... cholera! Nagle sobie przypominam, że przecież dziś wieczorem jestem umówiona z Adamem.
— Nie będę siedziała do późna. Idziemy z Adamem coś przekąsić. Może pójdziesz z nami?
— Nie będę piątym kołem u wozu?
Oczywiście, że tak. Ale nie mogę tego głośno powiedzieć. Mówię więc:
— Skąd! Im więcej, tym weselej.
— Dobra. Przyjdę prosto z pracy, więc może spotkamy się na miejscu, w restauracji?
Informuję go, że będziemy w The Red Pepper na Formosa Street o wpół do dziewiątej i odkładam słuchawkę z uśmiechem nadal przyklejonym do twarzy.
Nie myślałam o tym, co na siebie włożyć, bo w końcu miał być tylko Adam. Chciałam pójść tak, jak stoję, w dżinsach i kozakach, z makijażem nieodświeżanym od rana.
Ale teraz, teraz muszę mieć konkretny plan. Muszę zdecydować, czy wyglądam dobrze czy nie. Muszę wyciągnąć wszystko

z szafy, przymierzyć każdą rzecz i zdecydować, który strój jest seksowny, elegancki i czy podkreśla zalety mojej figury.

Muszę też poświęcić co najmniej pół godziny na makijaż, który normalnie zabiera mi dziesięć minut, i muszę zachować zimną krew. Muszę posłać łóżko, pozbierać ciuchy i wepchnąć je z powrotem na dno szafy. Muszę wstawić butelkę białego wina do lodówki, by się chłodziła, tak na wszelki wypadek.

Muszę błyskawicznie posypać dywan tym obrzydliwym środkiem do czyszczenia wykładzin i szybciutko przetrzeć meble woskiem o zapachu lawendy, i zapalić małą lampkę oliwną z kilkoma kroplami olejku ylang-ylang, by w mieszkaniu unosił się zmysłowy, zachęcający, cudowny zapach.

Muszę zrobić to wszystko, bo mimo że chcę się oprzeć Andrew, chociaż wiem, że jest dla mnie nieodpowiednim mężczyzną, to dzisiejsza noc może być właśnie tą. Nigdy nie wiadomo.

Ponieważ jestem kobietą uświadomioną i ty też nią jesteś, to musisz przyznać, że w głębi duszy każda kobieta leci na takiego Andrew, bo ma nadzieję, że to właśnie ona zdoła go zmienić. No, dalej! Przyznaj, że mam rację.

Angażuje się z pieśnią na ustach, w pełni świadoma tego, jaki on jest i dlaczego to nie wyjdzie, i mimo że on mówił jej, że to tylko przelotny romans, że nie jest gotowy na związek, ona będzie trwała przy swoim, bo, a nuż, któregoś dnia on zbudzi się rano, spojrzy na nią, śpiącą u jego boku w ślicznej, jedwabnej koszulce nocnej marki Janet Reger i nagle dozna olśnienia. „Mój Boże", pomyśli. „Kocham ją!"

Jakie my jesteśmy żałosne! Wiemy o tym, rozmawiamy na ten temat z przyjaciółkami i jeśli jedna z nich znajdzie się w takim układzie, to poradzimy jej, by dała sobie spokój. Wiemy, że on się w niej nie zakocha, wiemy, że to ona skończy z twarzą zalaną łzami i ze złamanym sercem.

Oto moja teoria na temat kobiet i mężczyzn. Kiedy mężczyzna spotyka kobietę, w ciągu trzydziestu sekund decyduje, czy jest atrakcyjna. Jeśli uznaje, że nie, to zostają przyjaciółmi, ale zawsze istnieje szansa na to, że kiedyś staną się kochankami.

Kiedy kobieta spotyka mężczyznę, to w ciągu trzydziestu sekund decyduje, czy jest atrakcyjny. Nawet jeśli uzna, że nie, to zostają przyjaciółmi, ale w każdej chwili może się w nim zakochać. Może się w nim zakochać, bo jest czuły, wrażliwy, miły i umie ją rozśmieszyć. Może się w nim zakochać, bo dojrzewa i zaczyna rozumieć, że świat nie zaczyna się i nie kończy wyłącznie na pociągu fizycznym. Bo w końcu zaczyna pojmować, że zasługuje na dobrego faceta, a dobrzy faceci wcale nie są nudni. Czasami czynią cuda z twoim ego, czasem są dokładnie tym, czego ci potrzeba.

Mężczyźni bardziej reagują na bodźce wzrokowe niż kobiety, które interesuje to, co jest głębiej, jak działa dana osoba. A ty się zastanawiasz, dlaczego przyjaźnię się wyłącznie z kobietami? Chryste, są momenty, kiedy nie wiadomo, po co sobie w ogóle zawracać głowę facetami.

Wiem, że Andrew się nie zmieni, i wiem, że go pociągam. Wiem również, że nie sprawię, by mnie pokochał, lecz mimo to chcę, żeby wszystko było w idealnym porządku. Tak na wszelki wypadek.

W końcu, gdy moje mieszkanie wygląda doskonale, a ja jestem zadowolona ze swojego odbicia w lustrze, ze swoich włosów i z doboru elementów stroju: obcisły, czarny, jedwabny sweterek na guziczki, pod spodem najlepsza bielizna z czarnej koronki, odrobinkę widocznej, gdy się pochylę (czego nie mam zamiaru robić; niezbyt często) oraz czarne spodnie z lycrą z lekko rozszerzanymi nogawkami. Jestem gotowa.

Podjeżdżam pod restaurację, gdzie czeka już na mnie Adam. Na Adamie można polegać: jest zawsze na czas i zrzędzi, kiedy ja nie jestem i za każdym razem cieszy się, że mnie widzi.

— No, no! Wyglądasz rewelacyjnie! — mówi, obejmując mnie jednocześnie. — Świetnie wyglądasz! Co u ciebie?

Oczywiście, że wyglądam rewelacyjnie. Mam błyszczące oczy, chodzę otoczona łuną wewnętrznego blasku, bo przyjdzie Andrew, mężczyzna, na którego mam ochotę, mężczyzna, o którym marzyłam na jawie.

— Wszystko w najlepszym porządku. Czy Andrew dzwonił do ciebie?

— Nie, dlaczego?

— Och, zadzwonił do mnie przed moim wyjściem i powiedział, że się nudzi jak mops, więc do nas dołączy. Chyba nie masz nic przeciwko, prawda?

— Jasne — odparł i chociaż mogę się mylić, to jestem przekonana, że widziałam, jak na chwilę twarz mu lekko spochmurniała.

— Pójdę i powiem im, że potrzebujemy jednak stolik dla trojga. Zaraz wracam.

Patrzyłam na dużą i zgrabną sylwetkę Adama, gdy szedł przez lokal, i poczułam nagły przypływ czułości.

Czy to nie zabawne, że nasza prawdziwa rodzina to nie osoby, z którymi łączą nas więzy krwi? To ludzie, których spotykamy przez całe życie i którzy w jakiś sposób zyskują nasze zaufanie. Obdarzamy ich miłością, a oni dają nam jej jednakową dawkę i zawsze są gotowi ci pomóc.

Moja rodzina to Mel, Emma, Andy. A teraz należy do niej również Adam i nie bardzo już potrafię sobie przypomnieć, jak wyglądało moje życie, zanim ich wszystkich spotkałam.

Stoję, patrzę na Adama i myślę o tym, jak bardzo go uwielbiam, gdy nagle ktoś obejmuje mnie w talii i cmoka w kark.

Najwyraźniej ta forma powitania staje się znakiem rozpoznawczym Andrew, odpowiednikiem cmoknięcia w policzek. Stoję i w duchu błagam, by ograniczał ją tylko do mnie. Bo jestem wyjątkowa. Bo jego pocałunek na moim karku oznacza coś zdecydowanie więcej niż tylko „cześć".

Jeśli przedtem uważałam, że Andrew reprezentuje typ urody modela, to patrząc na niego teraz, w jednorzędowym granatowym garniturze od Armaniego, tracę dech i oczywiście nie mogę się oprzeć, by tego nie skomentować, połechtać jego i tak już przerośnięte ego.

— Dobrze wyglądasz w garniturze — rzucam cienkim głosikiem. — Pasuje ci.

Uśmiecha się i unosi jedną brew, bo doskonale wie, że dobrze mu w garniturze. Byłoby mu dobrze nawet w parcianym worku, na miłość boską!

— Dziękuję, Tasha. Muszę powiedzieć, że ty również prezentujesz się wyjątkowo smakowicie.

Wybucham krótkim śmiechem i jednocześnie pochylam się (tylko odrobinkę), by pozwolić mu przelotnie uchwycić intrygujący widok czarnego, koronkowego staniczka.

Wraca Adam, wymieniają uściski dłoni, a potem na chwilę się obejmują. Naprawdę się obejmują, chociaż Adam wygląda na mało chętnego. Jednak Andrew ma w sobie tyle uroku, że nie można mu się oprzeć. Przynajmniej ja nie potrafię i wybacz mi mój egoizm, lecz w tej chwili to jedyne, co mnie tak naprawdę obchodzi.

Idziemy do stolika i siadamy, a ja czuję dumę, gdy przechodzimy przez restaurację, bo każda kobieta na sali odwraca się, by spojrzeć na dwóch przystojnych, wysokich facetów, w których towarzystwie przebywam. Czuję, jak przeszywają mnie wzrokiem, myśląc: „Co takiego ona ma, czego ja nie mam?" A mnie to nic a nic nie obchodzi, bo oni są tutaj ze mną.

Nie ma nic wspanialszego niż wyjście na kolację z dwoma przystojniakami. Szczególnie jeśli obaj z tobą flirtują, a ty możesz sobie usiąść wygodnie, świecąc subtelnie odbitym blaskiem, co ja niniejszym czynię, w pełni świadoma zazdrosnych spojrzeń. Rozkoszuję się każdą spędzoną tam chwilą.

— Wpadłem dzisiaj na Kay — mówi Adam do Andrew. Znam Kay, co prawda niezbyt dobrze, ale nie jestem pewna, czy ją lubię. Zawsze jest uprzejma, nawet dość przyjaźnie nastawiona, ale coś mi w niej nie pasuje. Nie czuję się swobodnie w jej towarzystwie.

— Nadal nie chce ze mną rozmawiać — stwierdza Andrew z westchnieniem. — Można by pomyśleć, że po tak długim czasie cała sprawa przycichnie, ale najwyraźniej nadal jestem największym skurwielem, jakiego spotkała.

— Chodziłeś z Kay? — pytam, znów się pochylając i przerywając mu w pół słowa. Andrew mnie ignoruje. — Andrew, chodziłeś z Kay?

Ponownie weszłam mu w słowo, ale to ważna sprawa. Muszę znać jego typ, muszę wiedzieć, czy chodził z tą przeciętnie wyglądającą Kay, która nie jest ani atrakcyjna, ani dynamiczna.

— Tasha, nie przerywaj, poczekaj, aż skończę mówić.

Zawstydzona, siadam z powrotem prosto na krześle. Oto pokazano mi moje miejsce. Czuję jednak niechętny szacunek do Andrew. Nikt nigdy, ani kobieta, ani mężczyzna, żaden szef, nikt absolutnie nie zdołał mnie nigdy tak ustawić.

„Oto mężczyzna, którego mogłabym pokochać", myślę. Pierwszy facet w moim życiu, którego moja osoba nie przytłoczyła. Przestań, Tasha, sądzę, że on cię wcale nie chce. Gdyby chciał, toby zadzwonił i zaprosił na obiad. Gdyby cię chciał, to chciałby również z tobą być. Nie dzwoniłby i nie mówił, że ma ochotę gdzieś wyjść i się zabawić. Nie zmieniałby potem frontu i nie informował cię, że jedyne, czego mu potrzeba, to odrobina miłego, nieskomplikowanego seksu bez zobowiązań.

W końcu odwraca się do mnie i mówi:

— Teraz odpowiem na twoje pytanie: tak, chodziłem z Kay. Zdezorientowana nie wiem, co powiedzieć. Nie wiem, czy on zdaje sobie sprawę z tego, jakie to dla mnie ważne.

— Po prostu jestem zaskoczona, to wszystko — oświadczam w końcu. — Jakoś nie widzę was razem.

— On też nie widział — śmieje się Adam. — Na tym polegał cały problem.

Siedzimy i rozmawiamy, a ja nie mogę oderwać wzroku od Andrew. Prawie w ogóle nie patrzę na Adama, tylko od czasu do czasu rzucam szybko wzrokiem w jego stronę, gdy o czymś mówię, by nie czuł się wyłączony z rozmowy.

A Adam milknie coraz bardziej i pozwala Andrew zająć centralne miejsce na scenie, bo najwyraźniej mu tego potrzeba. Nie mogę się jednak oprzeć wrażeniu, że chodzi tu o coś więcej. Gdy Andrew wstaje i wychodzi do toalety, patrzę na Adama, który wpatruje się w stół.

— Wszystko w porządku? Jesteś dziś bardzo cichy — pytam delikatnie.

— Czuję się świetnie — odpowiada, trochę zbyt gwałtownie.

— Jesteś pewien? Chyba nic złego się nie dzieje, co?

Adam nie mówi nic, tylko wzdycha, a potem podnosi na mnie wzrok. W chwili, gdy chce coś powiedzieć, czuję, że miało to być coś ważnego, przynoszą nam jedzenie: olbrzymie pizze, których brzegi wystają poza krawędzie talerzy, i miski pełne sałatki. Potem wraca Andrew i cokolwiek Adam chciał mi powiedzieć, pozostaje niewypowiedziane. Właściwa chwila minęła. Przez moment zastanawiam się, o co chodziło, ale nagle Andrew podnosi kawałek pizzy do moich ust i mówi: „Spróbuj, pycha!", i skupiam uwagę na pizzy, na przyjęciu jego intymnego gestu w sposób tak zmysłowy, jak tylko potrafię.

Andrew nie zadaje mi żadnych pytań. Przez cały wieczór słucham jego opowieści, od czasu do czasu dorzucając jakiś własny komentarz, i choć raz nie jestem w centrum uwagi, nie muszę nikogo zabawiać, lecz chociaż to trochę dziwne, podoba mi się taki układ.

Tylu spośród moich starych znajomych jest już żonatych i zamężnych lub w długich związkach, że gdy zapraszają mnie na kolację, spijają każde słowo z mych ust. „Żyjemy pośrednio przez ciebie", mówią wszyscy i sądzą, że powiedzieli to pierwsi.

Na drugim brzegu rzeki trawa jest zawsze bardziej zielona, no nie? Kiedy człowiek jest sam, marzy o tym, by rano przewrócić się na drugi bok obok ukochanej osoby. Patrzy tęsknym wzrokiem na pary całujące się w parku i godzinami fantazjuje na temat tego, co będzie robił, kiedy już znajdzie kogoś do pary. Ale gdy jest już w związku, gdy przywykł do budzenia się obok ukochanej lub ukochanego, kiedy wiadomo, że weekendy nie są wypełnione włóczęgami wzdłuż brzegów kanałów i intymnymi, wspólnymi śniadankami, lecz drobnymi sprzeczkami, bo on nigdy nie chce nic robić razem (gra w rugby z kolesiami, chce oglądać mecz w telewizji), wtedy człowiek zaczyna tęsknić za uczuciem podekscytowania, które towarzyszy byciu singlem.

A jak się cieszą na spotkanie ze swoimi prowadzącymi podniecający tryb życia, samotnymi koleżankami, kobietami takimi jak ja. Same nigdy nie zamieniłyby swojego życia na inne, mówią, ale nie mogą powstrzymać się od odczuwania drobnego żalu, że same już nigdy tego nie zaznają.

Ich zachwyt moim stylem życia jednak mnie napędza. Sprawia, że ubarwiam, wyolbrzymiam, rzadko kiedy słyszą te najlepsze historie. Opowiadam im o kokieteryjnych pogaduszkach, pierwszych pocałunkach, pierwszym razie, gdy idziecie ze sobą do łóżka... jeśli znam wszystkie wystarczająco blisko.

Nie mówię im o wieczorach, kiedy siedzę na imprezie i obserwuję obecne tam pary, zastanawiając się, co jest ze mną nie tak. Nie słyszą o momentach, gdy użalam się nad sobą skulona na kanapie i słucham wiązanek piosenek o miłości, szlochając przy tym przez trzy godziny z rzędu.

Nie czują tego bólu, gdy kolejny facet, potencjalna bratnia dusza, odwraca się i mówi, że już cię nie pragnie. Gdy powiedział to, co mówiła ci matka: że nie jesteś wystarczająco dobra.

Kiedyś Freya, moja najstarsza przyjaciółka, która jest bardzo spostrzegawcza, bardzo mądra i bardzo zamężna, powiedziała: „Zawsze mówisz o tym w taki ekscytujący sposób, ale czasem myślę, że musi ci być naprawdę ciężko. Ze sporo cię kosztuje ukrywanie tego bólu. Czasami musisz się czuć bardzo samotna".

Nie miałam pojęcia, co powiedzieć. Nawet gdybym wiedziała, to i tak byłoby mi trudno, bo miałam ściśnięte gardło i myślałam, że się rozpłaczę. Oczywiście, że nieźle mi wychodzi to ukrywanie wewnętrznego bałaganu: ludzie widzą jedynie opanowaną, twardą, prowadzącą fascynujący tryb życia, samotną kobietę. Widzą to, co chcą widzieć, a niewiele osób ma ochotę spojrzeć trochę głębiej.

Gdy kończymy jeść, Andrew sięga do wewnętrznej kieszeni marynarki i wyciąga cygaro. Wielkie, grube, kubańskie cygaro, i powoli, zmysłowo obraca je między palcami, po czym odcina końcówkę i zapala.

Uwielbiam patrzeć, jak mężczyźni palą cygara. Andrew podnosi na mnie wzrok i widzi, że przyglądam mu się jak zaczarowana.

— Palisz? — pyta.

— Nie cygara, ale chciałabym spróbować.

— Musisz się nauczyć, i to od prawdziwego znawcy — mówi.

— Popatrz, pokażę ci.

Przez stół wysuwa w moją stronę palec wskazujący.

— Pokaż mi, jak byś to zrobiła.

Gdy prowadzę jego palec do ust, Adam, restauracja, przeszłość i teraźniejszość znikają i jesteśmy tylko Andrew i ja. Tu i teraz. Powoli wkładam sobie jego palec do ust i wyobrażam sobie, że to nie cygaro, a jego penis. Patrzę mu w oczy i wsuwam palec głębiej do buzi.

— Bardzo dobrze — stwierdza, patrząc w moje oczy. — Ale nie całkiem. Daj rękę, to ci pokażę.

Łapie za mój palec i robi mi to samo, co ja jemu. Ponieważ moje ręce są jedną wielką strefą erogenną, czuję się tak podniecona, że omal nie zemdleję.

Potem podaje mi swoje cygaro i obserwuje mnie spod wpół przymkniętych powiek. Ssę je powoli, świadoma jego fallicznego kształtu, wiedząc, o czym on teraz myśli, o czym myśli Adam, i mając to gdzieś.

— Mój Boże, naprawdę jesteś w tym dobra — mówi Andrew po chwili. — Uwielbiam patrzeć, jak kobieta pali wielkie, grube cygaro. Wiesz, jak seksownie przy tym wyglądasz?

Jasne, że tak, bo w przeciwnym razie nie robiłabym tego. Od cygar robi mi się trochę niedobrze, ale to najlepszy flirt, jaki mi się przydarzył od lat, więc rozkoszuję się każdym cierpkim, pełnym dymu pyknięciem.

— Nic dziwnego, że masz takie powodzenie wśród mężczyzn. To wspaniała technika — mówi, a ja zastanawiam się, o co mu chodzi.

— O czym ty mówisz? Nie mam żadnego powodzenia wśród facetów. Przecież nie mam nikogo! — śmieję się.

— Owszem, ale wielbicieli ci nie brakuje. Ani seksu, jak sądzę. Kiedy ostatnio poszłaś z kimś do łóżka?

— Co mi próbujesz powiedzieć? Że uważasz, że jestem łatwa?

— Jestem absolutnie przerażona. Ostatnie, czego chcę, to by Andrew uważał mnie za puszczalską.

— Nie, wcale nie sądzę, że jesteś łatwa. Myślę, jeśli mogę być z tobą naprawdę szczery, że jesteś typem kobiety, która wie, czego chce, i nie boi się o to zabiegać. Uważam, że jeśli spotkasz faceta, który cię pociąga, to wykorzystałabyś go dla samej przyjemności wykorzystywania. Nie zrozum mnie źle: żałuję, że nie ma więcej takich kobiet jak ty.

A ja, oczywiście, przyjmuję to jako komplement i cieszę się każdym słowem, bo on widzi we mnie seksowną, erotycznie rozbudzoną kobietę. Lecz gdzieś tam kryje się również obelga, bo Andrew mówi to, czego nie chciałabym usłyszeć. Właśnie mi powiedział, że jestem typem kobiety, z którą się sypia, ale której nie można pokochać.

Boże, jak ja bym chciała, żeby było inaczej, żebym była inna! W takich chwilach żałuję, że nie jestem Mel albo Emmą, lub kimkolwiek innym: jedną z moich koleżanek, które są w długich związkach, jedną z tych, które zdają sobie sprawę, jak trudno być z kimś, wiedząc, że nie układa im się tak, jak by sobie tego życzyły, ale które nie mają pojęcia, jak to boli, gdy człowiek jest sam.

Kończymy i Adam oraz Andrew nalegają, by za mnie zapłacić. Adam przytula mnie mocno na do widzenia i mówi, że przedzwoni jutro, a Andrew i ja idziemy ulicą do naszych samochodów.

Ale, o dziwo, teraz Andrew jest inny. Idę i myślę, że to ten moment, zaraz mnie pocałuje, teraz się wszystko zacznie, a on już się wycofał. Jak tylu innych facetów, rezygnuje w kluczowym momencie.

Dochodzimy do wozu i odwracam się, by stanąć z nim twarzą w twarz. Unoszę swoją w geście oczekiwania, a on kładzie mi dłoń na policzku, pochyla się w moją stronę i całuje mnie długo i miękko w usta. Z zamkniętymi oczami czekam na więcej, aż słyszę, jak mówi: „Uważaj na siebie. Do zobaczenia". Wyraz rozczarowania na mojej twarzy jest tak wyraźny, że przystaje, podchodzi o krok bliżej i kładąc rękę na moim podbródku, przyciąga mnie do siebie.

Jego usta dotykają moich i tym razem całuje mnie jak należy, a pode mną uginają się nogi. Stoimy tak ze splecionymi językami, po czym on odsuwa się i mówi:

— Chryste, jesteś niewiarygodna. Nie wierzę, że to zrobiłaś.

— Chyba żartujesz! Przecież to ty mnie pocałowałeś!

— Nie mogłem nic na to poradzić, masz takie ponętne usta. Mieszkasz tu niedaleko, prawda?

Kiwam głową w milczeniu, bo boję się cokolwiek powiedzieć.

— Mam wpaść na kawę? — uśmiecha się, a ja nagle nie jestem pewna. Nie jestem pewna.

Nie jestem, ponieważ poważnie się w nim zadurzyłam, i nie jestem pewna, czy byłabym w stanie znieść konsekwencje.

— Nie wiem. A co ty o tym sądzisz?

Modlę się, by powiedział, że nie może przestać o mnie myśleć, że to będzie początek czegoś poważnego, że może moglibyśmy zacząć powolutku i zobaczyć, dokąd nas to zaprowadzi.

Ale to oczywiście nie jest film, a prawdziwe życie, więc mówi:

— Myślę, że chciałbym pójść z tobą do łóżka, kochać się z tobą.

— I to wszystko. Nie bylibyśmy parą. — Chciałam, by zabrzmiało to jak stwierdzenie, ale, de facto, jest to pytanie i on o tym wie.

— Nie, nie bylibyśmy parą. Ale to nie znaczy, że dzisiejszej nocy nie możemy cieszyć się swoim towarzystwem.

Teraz już wszystko wiadomo, podane czarno na białym, droga czytelniczko. I wiesz co? Nie mogę tego zrobić. Nie mogę znieść myśli o jutrzejszym poranku (jeśli uprzejmie zostanie na noc, rzecz jasna).

— Nie — odpowiadam i stanowczo kiwam przecząco głową, niemal nie wierząc własnym uszom. — Lepiej, żebyś sobie poszedł.

Ja chyba zwariowałam, ale jakaś część mnie podpowiada, że może jeśli zagram przez jakiś czas trudną do zdobycia (chociaż wiem, że to nic poważnego), to może uda mi się sprawić, by mnie pokochał.

Całuję go raz jeszcze i idę do samochodu. Lecz możesz być ze mnie dumna: ani razu się nie odwróciłam. Ani razu.

Rozdział jedenasty

Co mogę powiedzieć o moim życiu po odejściu Simona? Tylko tyle, że budziłam się co rano ze śladami łez na policzkach. Jeśli przy odrobinie szczęścia w ogóle udało mi się zasnąć. Że w większość nocy zasypiałam powoli jak dziecko i śniłam o Simonie. Tak, naprawdę o nim śniłam. Dopóki nie przebudziłam się gdzieś koło trzeciej nad ranem... Resztę nocy spędzałam, wędrując bez celu po mieszkaniu i na nowo przeżywając każdą spędzoną z nim chwilę.

Że gdyby nie Mel, a potem Adam, to nie wiem, czy sama bym sobie poradziła. Że do tego momentu w moim życiu nigdy nie rozumiałam, jak to jest szczerze kogoś pokochać. Że do wieczoru, kiedy Simon odszedł, nie wiedziałam, czym jest prawdziwy ból.

Dzień po naszym rozstaniu chciałam pójść do pracy i postanowiłam jechać autobusem. Poszłam na przystanek, wsiadłam do autobusu i oparłam głowę o szybę. W tym momencie zaczęłam łkać w niepohamowany sposób, ale było mi wszystko jedno. Wiedziałam, że wszyscy dookoła gapią się na mnie, ale nie mogłam przestać.

Podeszła do mnie jakaś kobieta w średnim wieku, usiadła obok i wzięła mnie za rękę.

— Co się stało? — zapytała stanowczym tonem. — Dlaczego płaczesz?

Pomiędzy łkaniem i głębokimi wdechami, które zdawały się wysysać ze mnie całą siłę, zdołałam odpowiedzieć:

— Rozstałam... się... z... moim chłopakiem.

— Skurwiele. Wszyscy oni to skurwiele — powiedziała.

— Chodziło o inną kobietę? Zawsze jest jakaś inna kobieta.

Przytaknęłam głową i znowu zaczęłam łkać. Pozostali pasażerowie przestali się we mnie wpatrywać, ale, Chryste, jak podsłuchiwali! Była to prawdopodobnie najbardziej ekscytująca podróż autobusem, jaką w życiu odbyli.

— Mój mąż odszedł ode mnie do innej. Wykopałam go za drzwi, a co! Bez nich jest nam lepiej — mówiła tak głośno i z taką pasją w głosie, że sytuacja była niemal komiczna.

— Wracam do domu któregoś dnia i nakrywam go w łóżku z jakąś ździrą ze sklepu przy naszej ulicy! To teraz jestem tylko ja i dzieciaki. Bez tego gnoja wszyscy jesteśmy szczęśliwsi.

Nie mogłam się powstrzymać i uśmiechnęłam się przez łzy. Gadała do mnie przez całą drogę do pracy, a na koniec, gdy miałam już wysiadać, ścisnęła moją dłoń i powiedziała:

— Poradzisz sobie, kochana, zobaczysz. Taka śliczna dziewczyna jak ty? Niedługo znajdziesz sobie innego. Faceci są jak cholerne autobusy.

„Ale ja nie chcę innego, chcę Simona", pamiętam, że pomyślałam, stając jedną stopą na chodniku. W tym momencie: bum! Kolejny wodospad łez.

Trzy tygodnie później przespałam się z Jeffem, przyjacielem Simona, który zawsze na mnie leciał, lecz nigdy głośno tego nie powiedział. Wpadłam na niego w czasie przerwy o 12.30. Przystojny, wysoki i absolutnie nie w moim typie. Zaprosił mnie na lunch.

Jeff zawsze miał na mnie chrapkę, wciąż flirtował, ale jego gładki, wymuskany wygląd i zamiłowanie do teatru oraz baletu nie były w moim stylu, więc byłam pewna, że nie będzie z nas pary.

— Jak się masz? — zapytał, kładąc akcent na „masz", podobnie jak wszyscy ostatnio. — Rozmawiałaś z Simonem?

— Nie, a ty?

— Widziałem go w zeszły weekend, byliśmy na tej samej imprezie. Adam też tam był.

— Z kim przyszedł Simon? — Nie mogłam się powstrzymać, musiałam wiedzieć.

— Z jakąś blondyną. Ładna, ale głupia. Do pięt ci nie dorasta.

Zrobiło mi się niedobrze. To była Tanya. Wtedy podjęłam decyzję. Wymuszając na twarzy kokieteryjny uśmiech, choć była to ostatnia rzecz, na jaką miałam ochotę, zapytałam:

— Naprawdę tak uważasz? A co ja takiego mam, czego jej brakuje?

— Po pierwsze, jesteś olśniewająca. Na dodatek inteligentna i potrafisz się bawić. Czego więcej może chcieć facet?

Pamiętam, że kiedyś wyszłam gdzieś z paroma osobami i że Jeff też tam był. Wszyscy zwracali na mnie uwagę, bo byłam prawdziwą duszą towarzystwa.

Było mi wówczas wszystko jedno, czy podobam się facetom czy nie, bo kochałam Simona, a Simon kochał mnie i mogłam sobie flirtować do woli, ponieważ to i tak było bez znaczenia. To te chwile Jeff określił jako „bawienie się". Chodziło mu o flirt.

— Ale ty nie umówiłbyś się z kimś takim jak ja?

Jeff uśmiechnął się:

— Tasha, przez dziewięć miesięcy byłem zazdrosny jak cholera, że to Simon jest z tobą.

— A teraz?

Uśmiech zniknął z jego twarzy.

— Co: teraz?

— A teraz byś się ze mną umówił?

Skoro mowa o autodestrukcji... Ale mnie było wszystko jedno, a Jeff mógł mi pomóc zbliżyć się do Simona. Mogłam go zranić poprzez Jeffa. Nawet jeśli miałby się nigdy o tym nie dowiedzieć, to byłoby to bez znaczenia, bo ja bym wiedziała. Na swój sposób zdołałabym sobie na nim odbić.

Jeff szeroko otworzył oczy ze zdumienia.

— Mówisz poważnie? Naprawdę chciałabyś ze mną chodzić?

Teraz kolej na mój uśmiech.

— Może jest jeszcze trochę za wcześnie na konkretną odpowiedź? Może wystarczyłby mały romans?

Jezus Maria! Ktoś mógłby pomyśleć, że odtąd czeka go jedno wielkie Boże Narodzenie. Gwiazdka każdego dnia!

— Kiedy? — zapytał nerwowo.

— Może wpadniesz wieczorem?

— Idę do teatru, ale spektakl nie kończy się późno. A gdybym tak wpadł po przedstawieniu?

— W porządku.

Już w chwili, gdy to mówiłam, cała sytuacja wydała mi się nierzeczywista. Zupełnie jakby chodziło o kogoś innego, nie o mnie, więc nie myślałam o tym przez resztę dnia. Pracowałam jak gdyby nigdy nic.

Wróciłam do domu, usiadłam i patrzyłam na zegar, nie myśląc przy tym kompletnie o niczym. Mój umysł był pusty jak niezapisana dyskietka.

O dziesiątej podniosłam się i nalałam sobie bardzo dużą wódkę. Jeff mnie nie pociągał, ani teraz, ani nigdy, lecz to było coś, co musiałam zrobić. Zadzwoniłam do Mel.

— Mel, wiem, że pomyślisz, że jestem ostatnią lafiryndą, ale chyba będę miała romans z Jeffem.

— Tasha, to naprawdę nie jest dobry sposób. Chcesz po prostu zranić Simona bardziej niż on ciebie. Daj sobie spokój i zacznij żyć własnym życiem.

— Nie potrafię. On zaraz tu będzie i mam zamiar to zrobić. Muszę.

— Dlaczego? Żeby Simon mógł mieć mniejsze wyrzuty sumienia z powodu Tanyi, bo ty sypiasz z jego znajomymi?

— Nie, ponieważ chcę poczuć kogoś innego niż Simon. Bo muszę sobie udowodnić, że Simon nie jest jedynym facetem na świecie. Bo czuję się jak kawał gówna, a wiem, że Jeff na mnie leci. Muszę poczuć, że są też inne możliwości.

Mel wzdycha głęboko:

— Wiem, że i tak to zrobisz, Tash, ale bądź ostrożna. Nie tego ci tak naprawdę teraz potrzeba.

Odkładam słuchawkę i nalewam sobie następnego drinka. Alkohol dodaje odwagi. Kwadrans po dziesiątej zakładam jedwabny szlafroczek, a o wpół do jedenastej, punktualnie jak w zegarku, dokładnie o godzinie, o której Jeff miał tu być, rozlega się dźwięk dzwonka do drzwi.

— Cześć — powiedział. — Nie sądziłem, że zdążę na...

Tutaj przerwał, bo już opłątałam go ramionami i nogami jak ośmiornica i zaczęłam całować, zmuszając go językiem do otwarcia ust i nie pozwalając powiedzieć nic więcej.

Chciałabym móc ci powiedzieć, że ten pocałunek był tego wart, lecz nie był. Z mojej strony była to czysta pokazówka. Nie czułam kompletnie nic. Kompletnie. Ale musiałam to kontynuować, musiałam dowieść czegoś sobie i Simonowi. In absentia.

— O rany! — powiedział w końcu Jeff, obejmując mnie w pasie. — Gorąca z ciebie laska.

Nie miałam ochoty słuchać jego głosu, nie chciałam nawet na niego patrzeć, złapałam go więc za rękę i pociągnęłam do sypialni.

Skoro mowa o agresji... Popchnęłam go na łóżko. Leżał z rękoma pod głową i szczerzył do mnie zęby, podczas gdy ja rozwiązałam szlafroczek i pozwoliłam mu opaść na podłogę.

— Boże, jaka ty jesteś piękna! — powiedział i wyciągnął rękę, by pogładzić moje piersi. Potem przestał mówić, bo usiadłam na nim i zaczęłam jak oszalała rozpinać mu koszulę, zamek w spodniach i zerwałam z niego ubranie.

— Zwolnij trochę — wyszeptał. — Nie musimy się spieszyć.

Zsunęłam się niżej po jego ciele, tam, gdzie stał na baczność jego penis, i wiedziałam, że muszę go wziąć do ust. Gdy otoczyłam go wargami, usłyszałam, jak Jeff sapnął. Uklękłam między jego nogami, pochylona nad ciałem, z głową poruszającą się rytmicznie, obracałam językiem wokół jego szczytu, po czym wsunęłam go głęboko do buzi, prawie do samego gardła.

Nie czułam zupełnie nic. Jeff wsunął mi rękę między nogi i zaczął mnie pieścić, ale ja nic nie czułam. Położyłam się, a on wszedł na mnie, delikatnie rozsuwając mi nogi. Sprawnie nałożyłam mu prezerwatywę i poprowadziłam ręką do środka. Jeff przez cały czas mnie całował: moje oczy, usta, policzki, szyję. „Wiesz, od jak dawna marzyłem o tej chwili?", szeptał. A ja niczego nie czułam. Byłam całkowicie otępiała.

Gdy poruszał się we mnie coraz szybciej i szybciej, będąc coraz bliżej i bliżej, poczułam nagle, jak z mojego żołądka wypływa olbrzymia fala, przebija się przez ściśniętą klatkę piersiową i zaczynam łkać. Jak cholerne dziecko! Leżałam pod facetem, który był mi niemal zupełnie obcy, i ryczałam jak mała dziewczynka. Idealny sposób, by zabić namiętność. Coitus interruptus z powodu łez. Myślałam jedynie o tym, że to nie jest Simon. Ja chcę Simona.

Ale Jeff (muszę przyznać, że tu mnie zaskoczył) postąpił w sposób wręcz niewiarygodnie miły. Wyszedł ze mnie, położył się obok i objął. Ja dalej płakałam, a on nic nie mówił, tylko kołysał mnie w ramionach, delikatnie głaszcząc po plecach. Ryczałam przez prawie godzinę.

Gdy skończyłam płakać i leżałam, pociągając nosem, Jeff wstał, poszedł do łazienki i wrócił z chusteczką higieniczną w ręce. Przystawił mi ją do nosa jak dziecku i powiedział: „Dmuchnij!" Dmuchnęłam więc i posłałam mu uśmiech, bo chociaż seks był do niczego, to coś się we mnie zmieniło. Nie mogę powiedzieć, że po tej nocy wszystko już było OK, ale zaczęło działać trochę lepiej.

Kiedy kobieta uwalnia się ze związku z mężczyzną, którego kocha, to postęp jest powolny. Każdego dnia robi jeden krok i początkowo czyha na nią tyle przeszkód, że myśli, że sobie nie poradzi. Ale powolutku zauważa, że przed każdym krokiem w tył są trzy kroki w przód i pewnego dnia to już nie są nawet kroki, a długie skoki.

Pierwszą przeszkodą, na jaką trafiłam, nie licząc Jeffa, był telefon od Adama tydzień później.

— Cześć, słonko. Chciałem sprawdzić, czy u ciebie wszystko w porządku.

Westchnęłam.

— W porządku, Ad. Ale tylko tyle. Rozmawiałeś z Simonem?

— Wczoraj wieczorem. Jest w okropnym stanie.

Serce zabiło mi szybciej. Może to prawda, co ludzie mówią: daj im trochę luzu, a sami zrozumieją, jak wielki błąd popełnili.

— Dlaczego? Co się stało?

— Tash, nie powinienem ci tego mówić, ale on za tobą tęskni. Cały czas się zastanawia, czy może nie popełnił strasznego błędu.

— To znaczy, że nie jest z Tanyą?

Chwila ciszy.

— Jest — powiedział w końcu. — Jest z Tanyą, ale myślę, że czuje się zagubiony. Tanya w jakiś sposób zdołała do niego dotrzeć i nie potrafi bez niej żyć, ale wie również, co utracił, rozstając się z tobą. Szczerze mówiąc, Tash, nie sądzę, by kiedykolwiek jeszcze spotkał taką kobietę jak ty.

Chciałam rzucić słuchawkę, złapać płaszcz i pobiec do Simona, by paść mu w ramiona. Objąć go i powiedzieć, że już wszystko dobrze, jestem tu i wszystko będzie w porządku.

Lecz oczywiście nie mogłam tego zrobić, bo w tej chwili nic nie było dobrze. Gdy ja rozmawiałam z Adamem, Simon najprawdopodobniej siedział z Tanyą i to ona go obejmowała i pocieszała.

— Tash? Jesteś tam, Tash? Przepraszam, nie powinienem był ci o tym mówić. Nie chciałem ci robić przykrości.

— W porządku, Ad. Jest OK, tylko boli mnie, gdy słyszę, że on cierpi. Skurwiel. — Uśmiecham się i słyszę, jak Adam śmieje się po drugiej stronie linii.

— Tak już lepiej. Oto Tasha, którą znamy i kochamy.

— A ty mnie kochasz, Ad?

— Oczywiście, że tak, Tash. Jesteś teraz jedną z najbliższych mi osób i boli mnie, gdy słyszę, że jest ci tak źle. Nie powinienem tego mówić, bo Simon to mój najlepszy przyjaciel, ale uważam, że zasługujesz na więcej i że to znajdziesz.

— Wiem — mówię, chociaż wcale nie wiem. Jednak brzmi to lepiej niż „dziękuję".

Jeff był pierwszym krokiem w powrocie do życia po Simonie, ale nie ostatnim. Bynajmniej! Zupełnie jakbym sypiając z każdym, kto o to poprosił, musiała dowieść, że nadal jestem warta miłości, pociągająca; że wciąż jestem człowiekiem.

Nie jestem dumna z tego okresu w moim życiu, choć, gdy trwał, nosiłam wielki uśmiech przyklejony na twarzy i zabawiałam wszystkich opowiastkami o swoich najnowszych podbojach.

Jednym z nich był Jamie, który był bardzo przystojny, ale beznadziejny w łóżku. Nie przestał nawet, gdy udałam pięć orgazmów i gdy mu powiedziałam wprost, by to zrobił, bo jestem wykończona. Nawet wtedy zapytał: „Chcesz iść spać czy masz ochotę na jeszcze trochę kutaska?"

Potem był Tony, którego spotkałam na imprezie. Zadzwonił i został przeze mnie uwiedziony dla samej przyjemności uwodzenia. Owszem, podobał mi się, o ile mógł mi się podobać ktoś, kto nie był Simonem, ale seks był do kitu. Nie tylko z nim: seks był zawsze beznadziejny, bo mnie nie zależało na nich, a im na mnie.

Oczywiście, wydawałam wszelkie właściwe odgłosy, odgrywałam dziką, namiętną aż do granic kobietę, a jednocześnie w środku czułam się martwa. Wiedziałam jednak, że to kiedyś minie — minie, gdy zacznę wracać do życia.

Nikt mnie nigdy nie osądzał, chociaż ani razu nie usłyszałam, co o mnie mówią za moimi plecami. Mel próbowała ze mną o tym rozmawiać, tłumaczyć, że seks to nie miłość i że nie muszę tego robić. To właśnie wtedy poleciła mi spotkanie z Louise. Ostatni raz zrobiłam to tuż po pierwszej wizycie u Louise. Poszłam na imprezę z Adamem: Adamem, który o wszystkim wiedział i który mnie nie osądzał. Po prostu śmiał się razem ze mną, gdy zdawałam mu relację z kolejnej eskapady.

Adam, który od czasu do czasu potrafił przejrzeć moją grę, objąć i mocno uścisnąć, a ja opierałam głowę na jego ramieniu i robiłam wszystko, by się nie rozpłakać.

Impreza była w domu w Fulham. U „znajomego znajomego znajomego" i czułam się na niej jak na imprezach z mojej młodości. Studencka balanga u jakiegoś młodego menedżera, w jednym z tych szeregowców z podwójnym salonem, kuchnią na tyle domu i przeszklonymi drzwiami do ogrodu.

To była impreza pod tytułem „Bagietka i pasztet", z tanim winem oraz wiadrem pełnym kostek lodu i piwa. Gdy weszliśmy do środka, zrozumiałam, że dom był pełen starych znajomych Adama, których nie widział od lat.

— Ad! — krzyczeli i rzucali się, by go poklepać po plecach i przytulić.

— To jest Tasha — próbował mnie przedstawiać, ale ja ich nie interesowałam. Obchodził ich tylko stary, dobry znajomy.

Wszystkich, oprócz gościa w rogu, dokładnie w moim typie. Wysoki, krótkie kasztanowe włosy i wielkie zielone oczy. Miał na sobie spłowiałe dżinsy i T-shirt. Obserwował, jak wszyscy witają Adama z wyrazem szczerego rozbawienia na twarzy. W końcu powoli podszedł.

— Chryste — zawołał Adam. — Myślałem, że mieszkasz w Stanach!

— Mieszkałem — odpowiedział Chrystus, który, jak się okazało, miał na imię Sam. — Ale wróciłem kilka miesięcy temu.

Mówił z lekkim amerykańskim akcentem. Kiedy spojrzał na mnie, wiedziałam, że to jedyny facet na tej imprezie, którym warto się zainteresować. Po tym pierwszym spojrzeniu poznałam też, że wrócimy razem do domu.

— A ty jesteś zapewne dziewczyną Adama — stwierdził, ściskając mi rękę na powitanie.

— Nie — zaśmiał się Adam. — Przyjaźnimy się z Tashą, która przy okazji jest kobietą. Niestety.

— To czyją jesteś dziewczyną? — zapytał Sam, a ja potrząsnęłam głową bez słowa, zastanawiając się jednocześnie, jak by wyglądał bez koszulki, jaką ma skórę w dotyku i czy jęczy z rozkoszy.

— Jestem sama, zdecydowanie sama — odparłam i uniosłam jedną brew.

— I poszukujesz? — Teraz on uniósł jedną brew.

— Ja zawsze poszukuję.

— Drugiej połowy?

— Błąd! — roześmiałam się. — Nic bardziej mylnego. Nie, poszukuję dobrej zabawy, odrobiny rozrywki.

— Tymczasowo czy na stałe?

— Rozrywka jest na stałe, to ludzie są tymczasowi.

— Mężczyźni, jak sądzę?

— Kobiety nie są w moim stylu.

— To gdzie spotykasz tych mężczyzn?

— A jak sądzisz?

— Na imprezach takich jak ta?

Uśmiechnęłam się tajemniczo i spojrzałam w swoją szklankę piwa, zanim znów podniosłam na niego wzrok i powtórzyłam:

— Na takich imprezach jak ta.

— Myślałem, że jesteście z Adamem parą. To naprawdę tylko przyjaźń?

Skrzywiłam się.

— Dlaczego pomyślałeś, że jesteśmy razem? Dlatego, że razem przyszliśmy?

— Nie, jest między wami jakaś chemia.

— Bystre spostrzeżenie — uśmiechnęłam się. — Ale błędne. Chodziłam kiedyś z przyjacielem Adama i tak go poznałam. Od tamtej pory jesteśmy przyjaciółmi.

— To dobrze. Cieszę się, bo inaczej nie spotkalibyśmy się dzisiaj.

— To dobrze.

Adam podszedł do nas od tyłu i objął mnie w pasie swoimi wielkimi ramionami.

— Mam nadzieję, że nie podrywasz mojej przyjaciółki — powiedział do Sama, który tylko się uśmiechnął. — Uważaj na niego — zwrócił się do mnie. — W szkole był największym Don Juanem. Że nie wspomnę o uniwersytecie.

— Znacie się od tak dawna? — Spojrzałam na Adama z niedowierzaniem, a on pokiwał głową z uśmiechem.

— Tak jest. Kiedyś spuściliśmy sobie nawzajem niezłe lanie na boisku do rugby.

— O Boże — stęknął Sam. — Nawet mi nie przypominaj! Grał w rugby jak patałach! Na szczęście to się zmieniło.

— Ostrożnie — powiedział Adam. — Łatwo mnie zdenerwować, a przyłożenia to nadal moja specjalność.

Wybuchamy wszyscy śmiechem.

— To jaki Adam był w szkole? — pytam Sama.

— No cóż... — Uśmiecha się do Adama. — Nie, nie mogę kłamać. Nauczyciele nie cierpieli go uczyć, ale od razu było widać, że mają do niego słabość.

— Dlaczego nie cierpieli go uczyć?

Adam jęczy cicho:

— Nie, błagam, tylko nie stare historie ze szkoły!

— Nie, nie — odpowiada Sam. — Zacząłem, więc dokończę. Adam był zawsze bardzo zdolny, ale, jak oni to określali, wcale się nie przykładał. Siedział z tyłu i rzucał „śmierdzielami". Raz przyniósł puszkę sproszkowanego muszkatu i rozsypał go w czasie lekcji matematyki.

— Zupełnie o tym zapomniałem!

— Ale pani Jenkins nie zapomniała. Musieli wszystkich ewakuować z klasy i przeprowadzili wielkie dochodzenie. Nigdy nie doszli do tego, kto to zrobił. To był jeden z jego lepszych numerów i chociaż później znali go niemal wszyscy w szkole, to popularności mu to nie przydało. Cóż jeszcze mogę powiedzieć o Adamie?

— Przestań już — ostrzega go Adam, ale dla mnie jest to całkowita nowość i bardzo chcę posłuchać czegoś na temat jego szkolnych czasów.

— A wtedy, gdy przemyciłeś tę dziewczynę do akademika i musiałeś ją schować pod łóżkiem, bo przyszła kierowniczka?

— Miałem nadzieję, że już o tym zapomniałeś — mówi Adam, ale jednocześnie się uśmiecha.

— Ta biedaczka musiała się rzucić pod łóżko, a my stanęliśmy przed nim, żeby ją zasłonić.

— Złapali ją? — pytam zafascynowana.

— Na szczęście nie — śmieje się Adam. — Była naprawdę fajna — dodaje rozmarzonym tonem, najwyraźniej wracając myślami do chwil, o których dawno zapomniał.

— Ale co dokładnie miałeś zamiar z nią zrobić, Ad, w zatłoczonym akademiku?

— Tego chyba nawet ja wtedy nie wiedziałem — odpowiada ze śmiechem. — Po prostu chciałem ją tam wprowadzić, żeby chłopaki mieli o czym rozmawiać. Nieważne! To przecież Sam był prawdziwym łamaczem damskich serc, szczególnie na studiach.

— Zmieniłem się — mówi Sam. — Studia były dawno temu.

— Czy ludzie tak naprawdę się zmieniają? — pytam. — Nie sądzę. Nie aż tak. Wilk zawsze pozostaje wilkiem i tak dalej. Przypuszczam, że nadal łamiesz damskie serca, i myślę, że sprawia ci to przyjemność.

— A Adam? — mówi Sam z szatańskim uśmiechem na twarzy. — Nadal podrzuca „śmierdziele" i przemyca dziewczyny do sypialni?

— Nie rzuciłem żadnego „śmierdziela" już od dziesięciu dni, a co do dziewczyn, ostatnio rzadko mam okazję przemycać je dokądkolwiek. Niestety.

— Ależ Ad! — Wyciągam ręce i ściskam go czule. Gdyby tylko znalazł sobie jakąś kobietę. Lecz w tej chwili bardziej obchodzi mnie znalezienie mężczyzny dla mnie. A mówiąc dokładniej, chodzi mi o Sama, który po raz kolejny patrzy mi oczy tak intensywnym wzrokiem, że muszę spojrzeć w bok.

Adam był świadomy tej chemii. Jak mogłoby mu to umknąć, skoro wisiało w powietrzu otaczającym naszą, przez chwilę milczącą, trójkę jak mgła?

— Dobrze, to ja skoczę po jeszcze jedno piwo — powiedział Adam, odsuwając się od nas. — Macie na coś ochotę?

Oboje pokręciliśmy głowami.

Sam spojrzał na mnie i zapytał:

— O czym to myśmy mówili?

— O tobie. O tym, że łamiesz kobiece serca.

— Naprawdę? A ty niby jesteś taka święta? Nie sądzę. Jak myślisz, dlaczego ze sobą rozmawiamy? Jesteś moim kobiecym odpowiednikiem.

— O czym ty, do cholery, mówisz?

— Nie obraź się, proszę, bo dopiero się poznaliśmy, ale wiedziałem o tym w chwili, kiedy cię ujrzałem. Jesteś hedonistką, bawisz się wszystkim, co ci tej zabawy dostarczy, i nie ma w tym nic złego, wierz mi. Absolutnie nic złego.

— Cieszę się, że uważasz, że nie ma w tym nic złego. Nie chciałabym, żebyś odniósł niewłaściwe wrażenie co do mojej osoby.

— Nie chciałabyś? To wolałabyś, żebym jakie odniósł wrażenie?

Prowadziliśmy rodzaj bezsensownej, idiotycznej rozmowy, która kręciła się w kółko, zataczając kokieteryjne kręgi, i tylko jedno mogło przerwać ten proces... sypialnia.

— A może takie, które można znaleźć w pościeli?

Teraz jego kolej na pytające spojrzenie.

— Co ty na to? — powiedziała Tasha Samoniszczycielka; Tasha, której jest wszystko jedno.

— Możesz tak zostawić Adama?

— Ja każdego mogę zostawić.

— Idziemy. Wezmę płaszcz.

Sam poszedł po niego na górę, a ja nagle zrozumiałam, że źle robię. Nie chciałam kolejnego nieznajomego, nie miałam ochoty spędzać kolejnej nocy w obcym łóżku, z mężczyzną, o którym nic nie chciałam wiedzieć. Chciałam pójść spać we własnej pościeli, we własnym domu. Sama.

„Adamie, musimy natychmiast wyjść. Przepraszam". O nic nie pytał, słyszał ponaglenie w moim głosie. Po prostu wypchnął mnie przed drzwi wejściowe, jeszcze zanim Sam zszedł na dół.

Wsiedliśmy do samochodu, a kiedy ruszył, zaczęłam się śmiać. Adam popatrzył na mnie dziwnym wzrokiem i jechał dalej, aż w końcu, gdy ocierałam łzy śmiechu z twarzy, zapytał:

— O co chodzi, do jasnej cholery?

— Adamie, tak mi przykro! Przepraszam, że wyciągnęłam cię stamtąd, ale musiałam wyjść. Sam miał mnie za chwilę porwać do siebie, a ja po prostu nie mogłam z nim iść. Nie chcę tak dłużej. Adamie, jestem szczęśliwa. Czuję się naprawdę doskonale. Jest mi dobrze bez Simona i jest mi dobrze samej ze sobą. To fantastyczne uczucie.

Adam powinien być na mnie wściekły za to, że wyrwałam go ze spotkania z przyjaciółmi, których nie widział od lat, ale wiedziałam, że zrobi to dla mnie. Zatrzymał samochód i mocno mnie objął.

— Wiedziałem, że sobie poradzisz, Tash — powiedział, uśmiechając się, z twarzą ukrytą w moich włosach.

Potem usiadł prosto i powiedział:

— Wybierzmy się gdzieś i napijmy szampana. Taką okazję trzeba oblać. Ja stawiam!

Rozdział dwunasty

— No i co zrobił Adam? — pyta Andy, pochylając się i próbując wyciągnąć ze mnie wszelkie szczegóły historii z restauracją w tle. Znów jemy razem lunch, odbywając nasz sobotni rytuał, a ja opowiadam im o Andrew.

— Nie wiem, zachowywał się trochę dziwnie i nie bardzo mogę z nim na ten temat porozmawiać. Nie wiem dlaczego, ale mam wrażenie, że coś jest nie tak.

— Tash, nie przyszło ci kiedyś do głowy, że może Adam ma do ciebie słabość? — chce wiedzieć Mel.

— Ja zawsze byłam tego zdania — stwierdza Andy.

Emma dorzuca:

— No, ja też.

— Mówicie poważnie? — pytam i przesuwam wzrokiem po osobach siedzących wokół nielakierowanego, okrągłego, sosnowego stołu. — Widzę, że tak. A ty też nie zaczynaj! Adam i ja? Mowy nie ma!

— Dlaczego nie? — mówi Mel. — To twój najlepszy przyjaciel. Na dodatek porządny człowiek, honorowy, uczciwy i przystojny. Czego więcej może chcieć kobieta?

— No, taak... Ale to Adam — odpowiadam. — Między nami nic nie ma, wszystkie jesteście w błędzie. Wiem, że on czuje do mnie to samo, co ja do niego: jesteśmy wyłącznie przyjaciółmi.

— Myślę, że to ty się mylisz — mówi Emma. — Nie znam go zbyt dobrze, ale kiedy widzę was razem, on jest zawsze wpatrzony w ciebie jak w obrazek.

— Oczywiście, że jest. Tak samo jak ja w niego! W platoniczny sposób.

Uśmiechają się pobłażliwie, ale nie mają o niczym pojęcia. Ja mam, a one nie.

— Nieważne, przecież nie przyszłyśmy tu, żeby rozmawiać o Adamie, miałyśmy mówić o Andrew. Co sądzicie?

— Wiesz, co sądzimy — mówi Mel. — Jest rewelacyjny, ale to gnojek, który cię zrani. Co do tego nie ma najmniejszych wątpliwości.

— Wiem — odpowiadam, wzdychając głośno. — Ale nie wiem, co mam robić. Nie jestem pewna, czy potrafię się powstrzymać.

— Jasne, że potrafisz — potwierdza Andy, kobieta, która sama nie umiałaby się powstrzymać, nawet gdyby włączono jednocześnie wszystkie czerwone światła w okolicy. — Po prostu powiedz „nie". Poza tym takich jak on jest na pęczki.

Nagle przy stole zapada cisza. Rozważamy ostatni komentarz Andy: wszystkie tak mówimy, lecz żadna z nas tak naprawdę w to nie wierzy. „Co należy zrobić, by znaleźć faceta?", myślę. „Dobrego, porządnego, uprzejmego faceta, który posiadałby w wymaganych dawkach: przystojny wygląd, charyzmę i właściwą chemię?"

Wcale, ale to wcale nie jest łatwo. Owszem, mężczyźni są wszędzie, gdziekolwiek tylko spojrzeć, ale jak często udaje nam się znaleźć tego właściwego? Jak często mamy szczęście czuć do nich to samo, co oni do nas?

Emma siedzi i myśli, że musi się za wszelką cenę trzymać Richarda, musi za niego wyjść, bo nikogo innego nie znajdzie. Mel myśli sobie: „Zasługuję na kogoś lepszego niż Daniel i może znajdę siły, by to skończyć", a Andy myśli: „Nowy dzień, nowy facet".

— Zaprosiłaś go na mojego grilla? — pyta w końcu Andy. Jutro jest u niej impreza, która niewątpliwie będzie wspaniała, ponieważ Andy od kilku tygodni planowała menu, drinki, nastrój, listę gości oraz liczbę wolnych mężczyzn do wzięcia.

— A mogę? — Wyszczerzam zęby w uśmiechu na myśl, że mogłabym z nim spędzić cały wieczór: wieczór, w czasie którego (jeśli będę wyglądała lepiej niż kiedykolwiek) on być może zmieni zdanie. Może zdecyduje, że chce ode mnie czegoś więcej niż tylko przelotnego romansu? Popatrzy na mnie i pomyśli, że jednak jestem kobietą, którą mógłby pokochać.

— Wtedy wszystkie go poznamy! — rzuca Andy podekscytowana.

— Łapy przy sobie — mówię z niespodziewaną powagą, ponieważ wiem, że Andrew to dokładnie jej typ. Tak naprawdę, jeśli się nad tym zastanowić, to byłaby z nich niezła para. Andrew i Andy, idealnie dopasowani. Z tym że tak do siebie podobni, że bez przerwy walczyliby o miejsce w centrum zainteresowania.

— To chyba oczywiste — odpowiada, widząc, że nie żartuję.

— Ja nawet się do niego nie zbliżę, ale co zrobisz, gdy zacznie podrywać jakąś inną dziewczynę?

— A co miałabym zrobić? — Wzruszam ramionami. — Jeżeli on zacznie do kogoś uderzać, to nic na to nie poradzę; lecz jeśli ty zaczniesz uderzać do niego, to cię zastrzelę.

— Nie martw się — mówi Andy. — I tak nie byłabym zainteresowana. Jak na razie, mam dość facetów. — Po czym dodaje tajemniczo: — Po ostatniej nocy.

— O! Co się stało zeszłej nocy?

— Pamiętacie Tima?

Jak mogłybyśmy zapomnieć? Tim to facet, którego Andy poderwała na kolejnej imprezie, a on przez dwa tygodnie codziennie do niej wydzwaniał.

— Oczywiście, że pamiętamy Tima — zachęca ją Mel. — Widziałaś go wczoraj wieczorem?

— Tak — odpowiada Andy, krzywiąc się przy tym. — Wczoraj wieczorem widziałam go całego.

— Chcesz powiedzieć, że najpierw przeleciał cię tak, że nie mogłaś chodzić, a następnie ty zupełnie przestałaś się nim interesować? — Nie chciałam, by zabrzmiało to zbyt ostro, ale litości! Już tyle razy było dokładnie tak samo.

— Nie, tak naprawdę nawet nie doszliśmy do etapu „przelatywania". Co za okropieństwo!

Teraz już wszystkie zastrzygłyśmy uszami, rozpaczliwie chcąc usłyszeć, co się właściwie stało. Odrobina schadenfreude jeszcze nikomu nie zaszkodziła. Prawda?

— Poszliśmy razem na obiad, a potem on wpadł do mnie.

— Na kawę? — pyta Emma, a my wybuchamy śmiechem, wiedząc, że żadna z nas nie zaprasza mężczyzny wyłącznie na kawę.

— Na kawę. A kiedy stanęliśmy pod drzwiami, on mnie pocałował. Pocałunek był w porządku.

— W porządku? To nie brzmi zachęcająco — mówię.

— Pocałunek był w porządku, ale potem on zaczął robić coś bardzo dziwnego: zaczął bardzo szybko uderzać swoim... no wiecie, łonem o moje.

— Co masz na myśli? Ocierał się?

— Nie całkiem. To by było nawet seksowne, ale on po prostu walił we mnie, a ja stałam i zastanawiałam się, o co mu, do diabła, chodzi? Czy jego zdaniem mnie to podnieca?

Nadal nie do końca zrozumiałyśmy, o co chodzi, więc Andy wstaje, by nam zademonstrować, kompletnie nieświadoma ciekawskich spojrzeń posyłanych nam przez innych gości lokalu. Stoi w swoich obcisłych, beżowych spodniach i w bardzo realistyczny sposób symuluje seks na stojąco, a właściwie jego końcowy etap, tuż przed orgazmem, gdy ruchy stają się naprawdę szybkie i gwałtowne. Wygląda to tak idiotycznie, że aż otwieramy usta ze zdziwienia.

— I co wtedy zrobiłaś? — Emma wygląda na bardzo zaciekawioną.

— No cóż, postanowiłam mu zaufać. W końcu facet ma trzydzieści dziewięć lat i założyłam, że wie, co robi, gdy jest z kimś w łóżku. Ale nie wiedział. Nie miał bladego pojęcia!

— W jakim sensie? Myślisz, że był prawiczkiem?

— Szczerze mówiąc, to bardzo możliwe — stwierdza i ścisza głos, by opowiedzieć nam o intymnych szczegółach. — Ja ściągnęłam ubranie, a on się położył na łóżku i zaczął miętosić moje piersi, jakby to był kawał surowego ciasta.

— Żadnego łapania za suteczki? — Cała ja.

— A skąd! Moje sutki kompletnie zignorował. Miętosił dalej, a ja leżałam i czułam coraz większe znudzenie. A potem — tu robi krótką pauzę dla większego efektu — potem przesuwał się po moim ciele coraz niżej i niżej, więc pomyślałam: „Nieźle, przynajmniej będzie trochę seksu oralnego!" Ale wyglądało na to, że on nie ma bladego pojęcia, co robi.

— To był w końcu ten seks oralny? — Emma, mimo że najbardziej wśród nas pruderyjna, jest w głębi duszy taka sama.

— Nie, klęczał mi między nogami i coś tam majstrował przy moim kroczu, ale tak naprawdę nie robił niczego konkretnego. Zupełnie jakby nie wiedział, gdzie co jest.

— Pokazałaś mu?

— Przyszło mi to do głowy, ale stwierdziłam, że to zbyt dużo wysiłku. Powinnam leżeć i pozwolić mu dokończyć.

— I co wtedy?

— Wtedy było najgorsze. Klęczał tak i cały czas coś tam majstrował, a ja leżałam z zamkniętymi oczami, czując się jak podczas badania. Aż w końcu, po jakichś pięciu minutach, on szepnął: „Andy?", a ja odszepnęłam: „Tak?", a on na to: „Czy ty śpisz?"

Wszystkie ryknęłyśmy śmiechem na myśl o Andy (która zwykle jest w kwestii seksu wręcz nienasycona) tak otępiałej z nudów, że jej partner pomyślał, że zasnęła w samym środku gry wstępnej.

— Do tego stopnia się nudziłam, wyobrażacie sobie?

Zaczynamy kolejną rundę opowieści o seksie. Każda z nas ma jakieś najgorsze doświadczenie, którym może podzielić się z pozostałymi. Gdy wszystkie już powiedziałyśmy, co miałyśmy na ten temat do powiedzenia, zaczynamy od nowa, wybuchając jeszcze głośniejszym śmiechem. Bardzo długo siedzimy przy tym stoliku: wszystkie nisko pochylone, mówimy konspiracyjnym szeptem, po czym nagle szybko odchylamy głowy do tyłu i ocieramy z oczu łzy.

Zostawiam Andrew wiadomość na automatycznej sekretarce. Przekaz brzmi profesjonalnie, uprzejmie i powściągliwie: „Jeżeli nie masz żadnych planów na jutro, to moja przyjaciółka Andy urządza grilla i pomyślałam, że może chciałbyś tam wpaść. Zaczynamy koło trzeciej przy Queens Garden 15, dolny dzwonek. Mam nadzieję, że się tam spotkamy".

Uwielbiam niedziele. Kocham to uczucie, gdy człowiek otwiera rano oczy i wie, że nie ma powodu, by wstawać. W niedzielę nawet samotność mi nie doskwiera: nie przeszkadza to, że nie mogę sięgnąć ręką i pogłaskać mężczyzny, którego kocham.

Moja typowa niedziela? Zawsze budzę się wcześnie i wołam Harveya i Stanleya, by ich trochę poprzytulać. Harvey to stara przylepa i gdy drapię go po brzuszku, wydaje z siebie głębokie pomruki miłości. Stanley jest nieco bardziej niezależny. Lubi być blisko mnie i patrzeć, co się dzieje, ale spróbuj go podnieść, a natychmiast zwieje, by gdzieś się ukryć.

Po naszej sesji miłości i przywiązania, a raczej mojej sesji miłości i przywiązania z Harveyem i Stanleyem w roli podglądacza, wyłażę z łóżka w koszuli nocnej, narzucam płaszcz i idę kupić niedzielne gazety w kiosku przy mojej ulicy.

Za każdym razem, gdy to robię, myślę sobie: „Boże, dzięki ci, że nie jestem sławna! Gdybym była Annalise, to brukowce stanęłyby na głowie, żeby dorwać mnie w tym stanie". Zatytułowaliby to zapewne: „Z BLOND PIĘKNOŚCI W BABĘ-JAGĘ". Z moim obecnym wyglądem kwalifikuję się na bezdomną.

Kupuję zawsze te same gazety: „The Sunday Times" i „The News of The World". Od czasu do czasu, jeśli śledzę jakąś historię ze względu na program, kupuję wszystkie tytuły i pobieżnie czytam ważne dla mnie fragmenty. Ale zwykle biorę tylko te dwie i w drodze do domu przyciskam je do klatki piersiowej, by powstrzymać moje pozbawione osłony stanika piersi od popadania w nadmierną ekscytację.

Wracam do łóżka z tostem i czasami jajkiem na twardo. Jem i czytam: najpierw „The Sunday Times", a potem „The News of The World", po nim dodatek „Style", a następnie magazyn (Zoe Heller, mój wzorzec osobowy) i „Przegląd Wiadomości".

Dzisiaj jednak nie mogę się skupić. Mam się spotkać z Andrew, więc szybko przerzucam pozostałe strony, chociaż ich zawartość wcale mnie nie interesuje, zerkam na zegar i wiem, że już czas, by zacząć się przygotowywać do wyjścia. Jest 13.24, a ja obiecałam Andy, że pomogę jej w przygotowywaniu jedzenia. Wczoraj po południu zrobiłam wielką michę sałatki z grillowanymi papryczkami i szparagami. Wyciągam ją z lodówki i wieńczę dzieło parmezanem. Obok stoi miska sałatki ziemniaczanej z gęstą śmietaną i majonezem oraz szczypiorkiem i zieloną pietruszką. Po drodze wpadam do sklepiku i kupuję kilka świeżych, gorących bagietek.

Z trudem pokonuję ścieżkę prowadzącą do domu Andy, starając się przy tym utrzymać bagietki leżące w jednej misce, która spoczywa na drugiej misce. W chwili, gdy już myślę, że za moment wszystko poleci na ziemię, Andy otwiera drzwi i wyskakuje, by mi pomóc. Już jest nakręcona tą imprezą, chociaż to tylko grillowanie w środku dnia. Skacze po kuchni i kończy przygotowywać jedzenie, które dodatkowo przykrywa folią przed wyniesieniem do ogrodu.

— Chyba w tym nie wystąpisz? — pytam, patrząc na jej byle jakie spodnie od dresu i poszarzały podkoszulek.

— Jasne, że nie — śmieje się Andy. — Zwariowałaś? Mam na górze idealny ciuszek na tę okazję. Wczoraj kupiłam. Po prostu nie chciałam go ubrudzić. Za momencik skoczę się przebrać.

— Co powiesz na drinka przedtem? — proponuję, rzucając jej przewrotne spojrzenie i wiedząc doskonale, że bez względu na to, ile czasu ma jej zająć profesjonalne „namalowanie" twarzy, to nigdy nie odmówi propozycji wypicia małego co nieco.

Wyjmuję białe wino, ale Andy potrząsa głową. Wykonuje szybki obrót i zaczyna przeszukiwać wszystkie szafki.

— Pimms, Pimms... Trzeba nam szampana — mówi, znajdując w końcu butelkę, którą kupiła tydzień wcześniej.

Siadamy i wypijamy toasty za siebie nawzajem. „A teraz za lato i przystojnych facetów", ogłasza Andy. Siedzimy dalej i wymyślamy następny. „Za prawdziwą miłość", mówię. „Za prawdziwą miłość", powtarza za mną Andy. „Za namiętność", dorzucam, a ona kiwa głową ze śmiechem i znów powtarza, głośno i dobitnie: „Za namiętność!", po czym obie wypijamy zawartość naszych kieliszków niemal do dna.

Jedzenie jest na stole, wszystkie dostępne w domu krzesła zostały wytaszczone do ogródka, a Andy udowodniła, że jest mistrzynią w podpalaniu grilla, na którym zatańczyły właśnie pierwsze płomyczki i wystrzeliły wysoko nad węgle. Powietrze wypełniły dźwięki piosenki Gypsy Kings, płynące z głośników ustawionych na parapecie jednego z okien.

— To jak, przyjdzie? — pyta Andy.

— Kto?

— Andrew, a kto?

— Nie wiem. — Próbuję przy tym nonszalancko wzruszyć ramionami. — Zostawiłam mu wiadomość na sekretarce, więc jak przyjdzie, to przyjdzie.

— Dobra, ale jeśli znowu będzie się do ciebie przystawiał, to zapewne tym razem nie powiesz nie.

— Pewnie nie. Bóg mi świadkiem, że siła woli nigdy nie była moją najmocniejszą stroną. Oto po raz kolejny dołączę do Klubu Złamanych Serc.

W ciągu kolejnej godziny ogród zapełnia się przeróżnymi znajomymi Andy i, rzecz jasna, moimi. Są jej koledzy i koleżanki z pracy, starzy znajomi ze szkoły i kursów oraz my. Adam nie może przyjść. Ma jakieś spotkanie rodzinne i musi jechać na wieś, ale reszta kręgu moich przyjaciół stawiła się w komplecie. Emma i Richard stoją razem. Emma wygląda olśniewająco w powiewnej, długiej, białej sukience. Gdy rozmawiają z Andy, znacząco obejmuje Richarda ramieniem w pasie.

A Andy odgrywa rolę urządzającej przyjęcie gwiazdy Hollywood: wielkie okulary przeciwsłoneczne w szylkretowych oprawkach, obcisła jaskrawozielona koszula, rozszerzana do dołu mini oraz sandałki bez palców na bardzo, bardzo wysokich obcasach, które na moich oczach powoli zapadają się w ziemię.

„Śmieszne", myślę, patrząc na moje płaskie, czarne buciki bez pięty. To zabawne, że w taki piękny letni dzień Andy nadal musi się tak popisywać. Choć może jestem trochę zazdrosna o spojrzenia, które przyciąga...

Dzwonek do drzwi nie przestaje dzwonić i przez kuchnię przechodzi parada ludzi z puszkami piwa, talerzami pełnymi mięsa, marynowanych piersi kurczaka, kawałków jagnięciny nabitych na metalowe szpikulce. Rozmawiam z Mel, starając się przy tym ignorować tego myślącego fiutem przygłupa, Daniela, który mierzy mnie lubieżnym wzrokiem od dołu do góry. Kątem oka cały czas obserwuję drzwi kuchenne, by zauważyć, kiedy przyjdzie. Czy w ogóle przyjdzie.

— Chyba jesteś myślami gdzie indziej, co? — pyta Mel, kiedy Daniel gdzieś znika. Podąża za moim spojrzeniem, gdy patrzę na wchodzących kilku raczej mało interesujących facetów.

— Przepraszam, Mel, ale nie mogę uwierzyć, że jestem aż tak podenerwowana.

— Dlaczego? Z powodu Andrew?

— No cóż... tak. Wiem, że to głupota, ale nie zadurzyłam się w nikim od dawna i wiem, że to tylko zauroczenie, jednak nic na to nie poradzę. Szlag mnie trafi, jeżeli nie przyjdzie.

Zadurzenie. Samo to słowo przypomina mi okres, kiedy byłam nastolatką. Chodzenie na imprezy i modlenie się, by obiekt zadurzenia również tam był. Pieczołowite rozpamiętywanie każdego zdania, każdego spojrzenia, każdego dotyku. Leżenie bezsennie po nocach i wyobrażanie sobie, co moglibyście robić we dwójkę.

Jednak zadurzenie rzadko prowadzi do związku, a przynajmniej tak wynika z mojego doświadczenia. Związki, w których potem żyjemy, pojawiają się niespodziewanie, zaskakują nas w najmniej oczekiwanym momencie. Związki, w których żyjemy, nie są najczęściej z mężczyznami z naszych marzeń, a z tymi, którzy o nas zabiegają. Kobiety, przez proces pochlebstwa, z powodu braku pewności siebie oraz z potrzeby, powoli zaczynają odwzajemniać ich miłość.

Zadurzenie nigdy nie jest niczym więcej niż tylko oślepiającym podnieceniem poprzedzającym ból rozczarowania.

— Nie wiem, Tash. Nadal uważam, że to ryzykowna zabawa.

— Od kiedy to ryzyko jest zabronione?

Odwracamy się obie, wyczuwając męską obecność za plecami. Mel posyła mu swój promienny uśmiech i przedstawia się.

— Ja jestem Martin.

Nieśmiało uśmiechnięty facet o przeciętnym wyglądzie ściska nam obu ręce, rzucając mi przy tym jedynie pobieżne spojrzenie, by skupić całkowicie uwagę na Mel.

— Podobno też jesteś psychoterapeutką.

— Też? Ty również się tym zajmujesz? Niesamowite! Nigdy dotąd nie spotkałam żadnego innego psychoterapeuty na imprezach u moich znajomych — wykrzykuje Mel, która okazuje temu obcemu mężczyźnie taką samą radosną uprzejmość jak wszystkim. Widzę, że on natychmiast się rozluźnia i wkrótce oboje są już pogrążeni w rozmowie. Mel sprawia, że Martin raz po raz wybucha serdecznym śmiechem.

„Cieszę się, że Mel ma trochę rozrywki", myślę i jednocześnie patrzę dookoła, by sprawdzić, gdzie jest Daniel. Zauważam go przez okno w kuchni, jak posyła namiętne spojrzenia Annie, szczupłej, egzotycznej piękności, która w tej samej chwili uśmiecha się blado i odpowiada monosylabami na grad pytań z jego strony. Widać wyraźnie, że chce stamtąd uciec.

— Przepraszam — mówię do Mel i Martina (oto potencjalna dobrze dobrana para) i znikam, by mogli kontynuować konwersację. Lecz oni są tak zajęci sobą, że szczerze mówiąc, nie sądzę, by którekolwiek z nich zauważyło moje odejście.

— Kim jest ten Martin? — szepczę do ucha Andy, która stojąc przy grillu, przewraca kiełbaski.

— Kto? — pyta, natychmiast ożywiając się na myśl, że na imprezie jest jakiś facet do wzięcia, którego nie zna.

— Martin. Ten gość, który rozmawia z Mel.

— Nie wiem — odpowiada, patrząc na niego; wyraz zainteresowania natychmiast znika z jej twarzy, gdy dostrzega, że on nie jest w jej typie. — Przyszedł z Tomem — dodaje, po czym patrzy na mnie z przerażeniem w oczach. — Chyba ci się nie spodobał? To typ faceta, który codziennie jada tarty na śniadanie, lunch i obiad. Absolutnie nie w twoim typie.

No to co, myślisz sobie zapewne, ale ja rozumiem, o co jej chodzi. Ktokolwiek wymyślił powiedzenie, że prawdziwi faceci tart nie jadają, zdecydowanie miał trochę racji. A ten facet, choć nieźle wyglądał, jak na mój gust, nie był wystarczającym skurwielem.

Owszem, chciałabym jakiegoś miłego faceta (kto by nie chciał?), ale posadź mnie w jednym pokoju z dziewięćdziesięcioma dziewięcioma zjadaczami tart i jednym fanem krwistego steku i jak sądzisz, kogo wybiorę? No właśnie.

— Andy, na miłość boską! To, że o kogoś pytam, nie oznacza, że natychmiast chcę zerwać z niego spodnie! Wygląda na to, że dobrze mu się rozmawia z Mel, to wszystko. A on wygląda na miłego gościa.

— Hmm. Chyba są już gotowe. Masz ochotę na kiełbaskę? Komu kiełbaskę?! — woła, trzymając nabitą na widelec przypaloną wędlinę.

To dziwne, ale alkohol wypity w ciągu dnia ma na człowieka większy wpływ. Koło szóstej wszyscy goście mają już solidnie „w czubie". Ktoś podkręcił muzykę i gdy słońce zaczyna powoli gasnąć, widać, że czeka nas długa noc.

Ta noc byłaby również wyjątkowo interesująca, gdyby Andrew się zjawił, ale (nie mów, że jesteś zaskoczona) nie przyszedł.

Przez cały dzień starałam się nie pić, ponieważ wiem, jak działa na mnie alkohol. Tusz do rzęs spływa mi po twarzy, oczy nabiegają krwią, a moja skóra nabiera raczej mało atrakcyjnego odcienia ciemnej czerwieni. Ale jeżeli jedyny facet, na którego obecności mi zależy, nie ma zamiaru przyjść, to równie dobrze mogę pójść i utopić swe smutki.

Andy biega przerażona, że zabraknie jedzenia, Emma w kącie ogrodu obściskuje się czule z Richardem, a Mel... jej nigdzie nie widać. Martina również.

Daniel zdążył obskoczyć wszystkie kobiety na imprezie i stwierdziwszy, że nie ma szans na żadne podboje, gada z jakimiś facetami o futbolu. Przyglądam im się przez chwilę, niezdecydowana, czy do nich dołączyć. Ale w chwili, gdy chcę to zrobić, widzę, że Andy wpadła na ten sam pomysł.

Wita się z nimi uściskiem ręki, raz po raz wybucha głośnym śmiechem i bezczelnie flirtuje z tym, na którego ja miałam oko. Gdybym nie czekała na Andrew, to mogłabym się nieźle wkurzyć, ale tak to może go sobie wziąć. Dzisiaj.

Łapię butelkę Pimmsa, nalewam sobie dawkę, którą w każdym szanującym się barze uznano by za potrójną, i ruszam do łazienki, by sprawdzić fryzurę i makijaż. Tak na wszelki wypadek. Najdziwniejsze jest to, że gdy wychodzę, słyszę, jak zza zamkniętych drzwi sypialni dochodzi rzęsisty śmiech Mel.

Chryste, przecież ona by tego nie zrobiła? A może? Nie... Niemożliwe. Kręcę się przez chwilę po korytarzu, nie wiedząc, czy zapukać czy nie, a w rzeczywistości nasłuchuję ciężkich oddechów i jęków. Nie słyszę jednak nic prócz ściszonych głosów Mel i zakładam, że Martina. Ostatecznie pukam do drzwi. Natychmiast zapada cisza, po czym słychać kroki.

Ktoś szarpnięciem otwiera i na mój widok Mel, z wyrazem poczucia winy na twarzy, oddycha głęboko z ulgą.

— O Boże, myślałam, że to Daniel!

— Co wy tu robicie? — pytam, zerkając podejrzliwie na Mel, a następnie wskakuję do łóżka i opieram się o poduszki.

— Akurat! — wyszczerza zęby w uśmiechu Mel. — Ty to tylko jedno masz w głowie.

O, wybacz, droga czytelniczko, ale czy ty nie pomyślałabyś o tym samym? Tak sądziłam.

— No więc? — napieram. — Zabawiacie się rozmową czy czymś zupełnie innym?

Martin wygląda na zakłopotanego, ale Mel tylko się śmieje.

— Nie zwracaj na nią uwagi — mówi i daje mi kuksańca w bok. — Rozmawiamy sobie. Okazuje się, że oboje studiowaliśmy na tej samej uczelni.

— Niemożliwe! — wykrzykuję zdziwiona i, niestety, wychodzi to odrobinę sarkastycznie. Próbuję to naprawić, pytając grzecznie: — Znaliście się wtedy?

— Tak naprawdę, to ja studiowałem tam kilka lat wcześniej — informuje mnie Martin.

— To znaczy, że ma ile? Policzmy... Trzydzieści sześć lat?

— Przestań — ostrzega mnie Mel ze śmiechem.

— Co mam przestać? A więc, Martin, czy jesteś żonaty?
— Nie-e.
— Kiedy byłeś w związku po raz ostatni?
— Rok temu.
— Dlaczego zerwaliście?
— Po prostu nasze drogi się rozeszły.
— A więc zakładam, że nie masz żadnych innych poważnych zobowiązań, Martinie?
— Jesteś pewna, że ty też nie jesteś psychoterapeutką?
— Unik! Proszę o odpowiedź na pytanie.
Wybuchamy śmiechem, gdy Martin kiwa przecząco głową:
— Nie, nie mam żadnych innych poważnych zobowiązań.
— Dzieci?
— Nic mi na ten temat nie wiadomo.
— Gdzie mieszkasz?
— W Hampstead. W okolicach.
— W jakich dokładnie?
— Na South Green End.
— „W Hampstead. W okolicach". Dobrze! Zdałeś. Martinie „Jak-ci-tam", witaj w naszym życiu!
Martin posyła mi szeroki uśmiech, po czym pochyla się i całuje mnie mocno w policzek.
— To było najbardziej niezwykłe powitanie w moim życiu.
— Wybacz — mówi Mel. — My ją kochamy mimo wszystko. Boże, Tash, dziwię się, że go nie zapytałaś o jego roczny dochód.
— Cholera! — Uderzam dłonią o udo. — Wiedziałam, że coś mi umknęło!
Martin wstaje i mówi, że skoczy po drinka. Ja mam swojego szampana, a Mel prosi o wodę mineralną.
— No to mów, mów!
— O czym mam mówić, Tasha? Że miło sobie rozmawiałam z miłym facetem?
— Jasne, ale wiem, że to nie wszystko. Za długo cię znam.
— Tasha, Martin jest cudowny, ale ja mam już faceta. Przestań mnie w końcu swatać. Jestem bardzo szczęśliwa.
Ale w jej oczach widać zwątpienie. Nie mogę się powstrzymać, by nie wymamrotać:
— Z tym dupkiem Danielem? Nie sądzę.
— To gdzie jest ten twój bohater? Jeszcze się nie pokazał?

— Nie, do cholery — odpowiadam, ale potem myślę: „Kurczę, on może już tu być. Mógł przyjść, kiedy ja tu siedziałam i ktoś inny, ktoś w jaskrawozielonej koszuli i rozszerzanej spódniczce mógł już wbić w niego swoje szpony".

W tym momencie jednak otwierają się drzwi i wbiega Andy.

— Boże, poznałam absolutnie niesamowitego faceta! — woła, a Mel i ja zaczynamy się śmiać.

— Widziałaś go, Tash? Tego, który rozmawia z Danielem? Potakuję głową.

— Fantastyczny, prawda?

Znów kiwam głową, czując ulgę, że choć tym razem nie jesteśmy rywalkami.

— Powiedział, że może później zostać i pomóc mi posprzątać. Trzymajcie za mnie kciuki! — mówi, puszczając do nas perskie oko, i znika.

Mel i ja wstajemy, a ja patrzę na nią zaskoczona.

— Nie zaczekasz na powrót cudownego Martina?

W odpowiedzi wygładza przód swojej tuniki.

— Nie, idę z tobą. Siedzę tu nie wiadomo ile czasu. Daniel będzie się zastanawiał, gdzie jestem.

O drugiej nad ranem rozlega się dźwięk dzwonka u moich drzwi. Śpię tak mocno, że wydaje mi się, że słyszę go we śnie, i otwieram oczy dopiero za trzecim razem. Co jest, kurwa?

Gdy naciągam na siebie szlafrok, czuję, że wciąż jeszcze jestem trochę zamroczona alkoholem.

— Kto tam? — krzyczę.

Cisza. Zakładam łańcuch na drzwi i uchylam je. Po drugiej stronie stoi Mel. Z każdym włosem w inną stronę, czerwonymi obwódkami wokół oczu i w krzywo zapiętym swetrze, wygląda, krótko mówiąc, okropnie.

— Mel? Co się stało?

Zdejmuję łańcuch i obejmuję ją w chwili, gdy jej twarz wykrzywia się z płaczu, a z oczu zaczynają kapać łzy.

— On, on, on... — Nie może dokończyć, bo łka coraz mocniej i musi walczyć, by odzyskać głos. — On mnie zostawił. Co ja teraz zrobię? Co ja teraz zrobię?

Strach przed porzuceniem to określenie znane niemal każdemu, kto kiedykolwiek odbywał terapię lub zajmował się popularną psychologią. Siedzimy i z pełną powagą na twarzach godzinami omawiamy jego przyczyny, starając się zakasować nawzajem naszym bólem po odrzuceniu.

Lecz co dziwnego, nawet gdy przeraża nas myśl, że możemy zostać porzucone, to kiedy same postanowimy, że mamy dość, kiedy zdecydujemy, że wolimy być same, potrafimy się z tym uporać. Umiemy walczyć z bólem, ponieważ to nasza decyzja i w jakiś bliżej niewytłumaczalny sposób czerpiemy z niej naszą siłę.

Ale Boże uchowaj, by był to ich wybór! Nieważne, jak bardzo czujemy się nieszczęśliwe, jak nisko spadła nasza samoocena. Kiedy to oni zmienią zdanie i oznajmią, że odchodzą, bo nie mogą już dłużej tak żyć, to wpadamy w najczarniejszą rozpacz i znów stajemy się skrzywdzonymi dziećmi.

Prowadzę Mel do salonu i sadzam na sofie, przez cały czas ją obejmując. Pozwalam jej oprzeć głowę na moim ramieniu i płakać, dopóki będzie w stanie wziąć się w garść.

— Co ja teraz zrobię? — powtarza w kółko. — Co ja teraz zrobię?

W końcu mówi mi, o co poszło. Daniel ignorował ją przez resztę imprezy, a w drodze do domu rozpoczął swoją zwykłą litanię na temat tego, jak to Mel powinna w końcu o siebie zadbać.

— Powiedział mi, że jestem śmieszna; że flirtowałam z Martinem, który nigdy w życiu by na mnie nie zwrócił uwagi, bo wyglądam beznadziejnie. Powiedział, że przytyłam, okropnie się ubieram, wyglądam żałośnie i jestem brzydka. Dodał też, że jest ze mną tylko z przyzwyczajenia i że robi mi przysługę, bo gdyby nie on, to w życiu bym sobie nikogo nie znalazła.

Z oburzenia nie wiem, co powiedzieć. Mel opowiada dalej:

— Byłam tak zła, że powiedziałam mu, że w rzeczywistości to Martin ma na mnie oko i poprosił o mój numer telefonu, ale mu go nie dałam, bo już kogoś mam. A on na to, że szczerze mówiąc, to ma powyżej dziurek w nosie naszych wspólnych wyjść i tego, że za każdym razem przynoszę mu wstyd. Może powinnam być dla odmiany z kimś takim jak Martin, którego on zdaje się uważać za gorszego od siebie.

— Boże, Mel! I co wtedy?

— Wtedy wróciliśmy do domu, a on zaczął pakować moje rzeczy do walizki. Powiedział mi, że mam się wynosić do tego

Martina, że nie chce mnie więcej widzieć i powinien był to już dawno zrobić.

W tym momencie znów wybucha płaczem.

Co można powiedzieć, gdy twoja przyjaciółka zrywa ze skurwielem i przychodzi wypłakać się na twoim ramieniu? Przychodzą mi do głowy wszystkie używane w takiej sytuacji komunały w rodzaju: „Zasługujesz na coś lepszego", „Spotkasz kogoś innego", „On cię nigdy dobrze nie traktował". Lecz sama wiesz, że nic wtedy nie może człowiekowi poprawić nastroju.

Słucham jej więc i myślę przy okazji, po co my sobie w ogóle zawracamy głowę? Po co ktokolwiek ją sobie zawraca? A gdy Mel już się wypłakała, kładę ją do łóżka, siadam w kuchni z filiżanką herbaty, setką papierosów i rozmyślam nad tym, w którym momencie wszystkie popełniłyśmy błąd.

Rozdział trzynasty

Minęły trzy tygodnie, a ten gnojek Daniel nawet się nie pofatygował, by przedzwonić do Mel. O nie! To ja muszę dzwonić do niego, by ustalić, kiedy mogę wpaść po jej rzeczy (o ósmej rano w cholerny poniedziałek!).

A co ten skurwiel robi, gdy tylko przekraczam próg? Rzuca się na mnie, mówiąc, jak to zawsze miał na mnie chrapkę, a skoro teraz jest wolnym strzelcem, to może byśmy spróbowali? Jego zuchwalstwo jest tak niewiarygodne, że ze zgorszenia nie mogę wydusić słowa.

Dopiero gdy podchodzi do mnie i napierając całym ciałem, zmusza, bym stanęła plecami do ściany, odzyskuję głos.

— O co ci, kurwa, chodzi? — pytam głosem lodowatym i twardym jak stal.

— Przestań, Tasha. Wiem, że też tego chcesz.

— Chryste, ależ ty jesteś obmierzły! Nie rozumiem, jak Mel mogła wytrzymać z tobą tyle czasu. A tak przy okazji, wiem, że nawet gdybym przyjęła twoją propozycję, czekałoby mnie rozczarowanie.

Jego twarz momentalnie zmienia wyraz: lubieżność przechodzi w niepewność.

— O czym ty mówisz?

— No cóż, nie, żeby Mel była niedyskretna... Powiem tylko jedno: mój czteroletni kuzyn ma lepsze warunki niż ty.

To go naprawę rusza. Natychmiast robi krok do tyłu i stoi kompletnie bez słowa, gdy przeciskam się obok niego i biegam po mieszkaniu w poszukiwaniu rzeczy ujętych na liście, którą Mel naskrobała pospiesznie wczoraj wieczorem.

Olejki aromatyczne w koszyczku w łazience (zostaw paczuli — jest obrzydliwe!).
Szal, który dostałam od Emmy na urodziny (fioletowy ze srebrnymi lustereczkami, w lewej szufladzie szafki).
Sandały Birkenstock pod łóżkiem.
Zawartość szuflady w szafce nocnej po lewej stronie łóżka.
Pudełko na biżuterię (z czerpanego papieru) z toaletki i wszystko, co jest w środku.
Wok z kuchni (nie ten z Habitatu — ten chiński z dolnej szafki).
Szare segregatory z górnej półki w salonie.

Zbiegając po schodach z naręczem pudeł, mijam Daniela. Siedzi przy stole w kuchni, udając, że czyta „Daily Telegraph", i nawet nie podnosi głowy, gdy mu hałasuję nad uchem. W końcu zostaje mi tylko wok, więc wchodzę tam pewnym krokiem, patrząc z przerażeniem na panujący w niej bałagan. Ze zlewu wystają stosy brudnych talerzy. Na kuchence stoją trzy garnki z poprzylepianymi wewnątrz, wyschniętymi kawałkami jedzenia, wokół których krąży kilka much, najwyraźniej w nadziei na posiłek.

— Co to? Nowe zwierzątka domowe? — pytam sarkastycznym tonem.

— O czym ty gadasz?

— Muchy. Zakładam, że rasowe. Musiały kosztować fortunę!

— Skończyłaś już? — mówi, wyraźnie coraz bardziej wkurzony.

— Owszem — rzucam niedbale, wyciągając wok ze wskazanej szafki. — Już idę. Zadzwoń, jeśli będziesz potrzebował namiarów na jakąś dobrą sprzątaczkę — krzyczę, znikając na końcu korytarza. Zatrzaskuję za sobą drzwi, nie dając mu nawet szansy na odpowiedź.

Dzisiaj idzie mój program, więc zostawiam rzeczy Mel w samochodzie i biegam w kółko jak spanikowana panna młoda, sprawdzając, czy wszystko jest w porządku.

Goście są już na miejscu, a ponieważ nie było żadnych zmian w ostatniej chwili, David i Annalise siedzą w studio, przeprowadzając swoją codzienną, półgodzinną, chaotyczną próbę.

— To mi się nie podoba — jęczy Annalise. — „Moda młodzieżowa" brzmi trochę staromodnie. Nie możemy wstawić tu czegoś innego?

— To jest moda młodzieżowa — mówi David, starając się ją uspokoić. — Według mnie brzmi dobrze.

— A co ty byś zaproponowała, Annie? — pytam przez mikrofon, który łączy mnie bezpośrednio z jej uchem.

— No cóż, może „Modne nastolatki"?

— W porządku — wzdycham. Po raz kolejny Annie próbuje wprowadzać zmiany tylko po to, by wszystkim skomplikować życie. Lada chwila zacznie się rozwodzić na temat tego, że przecież jest dziennikarką, więc na pewno wie lepiej.

— W końcu jestem dziennikarką — oświadcza, posyłając wdzięczny uśmiech w stronę kamery, bo dobrze wie, że patrzę.

— Tytuły artykułów to była moja specjalność.

Tak naprawdę, to z tytułami nie miała nic wspólnego i gdyby rzeczywiście pracowała w redakcji jakiejś gazety, to wiedziałaby, że piszą je albo redaktor wydania, albo jego lub jej zastępca. Nie jacyś cholerni reporterzy. Ale nie, Annalise przyszła do firmy jako nieopierzona dziennikarka, prosto po uniwersytecie, gdzie robiła jakieś żałosne reportaże pokazywane na szarym końcu lokalnych wiadomości i dotyczące idiotycznych wydarzeń z okolic Hertfordshire lub gdzie ta jej cholerna stacja miała swoją siedzibę.

A ponieważ te łagodniejsze wiadomości są zawsze podawane na końcu, Annalise stwierdziła, że jest dziennikarką. Sama nie dostrzegłaby materiału na newsa, nawet gdyby Bob Monkhouse podłożył bombę w jej własnej mazdzie MX5.

— Pięć minut do wejścia na wizję — oznajmia kierownik planu, a ja jeszcze muszę zadzwonić do Mel!

Mel nadal u mnie mieszka i muszę przyznać, że mi to odpowiada. Nie żebym w ogóle była za wspólnym mieszkaniem, ale obecność drugiej osoby to prawdziwa zmiana. Zachowujemy się jak dwie nastolatki, skaczemy po łóżkach i chichoczemy po nocach.

Wiesz co? Mimo że ona wciąż cierpi, myślę, że (o ile to w ogóle możliwe) zbliżyło nas to do siebie jeszcze bardziej. Od kiedy Mel ze mną zamieszkała, dowiedziałam się o niej wielu nowych rzeczy. Poznałam jej historię.

Wszyscy jakąś mamy i od wysłuchiwania mojej pewnie już ci się słabo robi, ale gdy ktoś nie jest taką paplą jak ja, to trudno jakąś usłyszeć. Można dowiedzieć się tego i owego na przestrzeni kilku lat, lecz nigdy nie poznaje się całości. Tworzymy obraz danej osoby na podstawie jakichś pojedynczych, przedstawianych nam przez nią wątków. Jednak, gdy mamy okazję spędzić razem parę chwil, które naprawdę nas do siebie zbliżą, wizja w naszej głowie ulega zmianie, a przyjaźń wchodzi w zupełnie nowy etap.

Po trzech latach przyjaźni z Mel uważałam, że jest cudowna. Troszeczkę roztrzepana i przepełniona miłością. Dla mnie była kimś, kto bardzo dobrze zna swoją wartość.

Ale w ciągu tych ostatnich trzech tygodni odkryłam, że Mel wcale za samą sobą nie przepada. Patrzy na siebie oczami Daniela, a jej związek z nim powoli ją wyniszczał. Zdołał ją przekonać, że okropnie się ubiera, wygląda żałośnie i jest brzydka. Mel chce być bardziej taka jak ja. Albo jak Andy, albo Emma.

Dowiedziałam się też czegoś na temat jej dzieciństwa i gdy stwierdziłyśmy, że mamy podobne doświadczenia, popatrzyłyśmy na siebie z niedowierzaniem. Jej matka również powtarzała, że nie jest wystarczająco dobra. Daniel to po prostu matka Mel w męskim wydaniu.

Przez te trzy tygodnie podtrzymywałyśmy się nawzajem na duchu i dowiedziałyśmy się o sobie więcej niż niektórzy przyjaciele przez całe życie.

Odkryłam też, że Mel ma niesamowitą siłę wewnętrzną. Mimo że tęskni za Danielem jak szalona, chce, by jej życie toczyło się dalej; chce dać życiu szansę.

Ale to nie powód, aby przepuściła naszą dzisiejszą telefoniczną sondę. Łapię ją przez telefon, zanim zdążyła wyjść do kliniki.

— Cześć, kochanie, to ja. Musisz dzisiaj obejrzeć mój program. Za piętnaście dwunasta masz mieć włączony telewizor.

— Nie mogę — odpowiada. — Moi pacjenci nie będą zachwyceni, jeżeli w środku sesji powiem: „Przepraszam, ale muszę coś obejrzeć".

— Cholera. Dobra. To ustaw wideo i obejrzymy to razem po twoim powrocie do domu. Wiesz, jak ustawić wideo na nagrywanie, prawda?

— Oczywiście, że tak. Nie jestem troglodytą!

Jakoś nie wykorzystuję okazji, by dodać, że sama nie mam bladego pojęcia, jak nastawić moje własne wideo, i w tych rzadkich chwilach, gdy zdarza mi się coś nagrywać, muszę być w domu, by wcisnąć jednocześnie guziczki „play" i „record".

— Dobra. To do zobaczenia później.

— Powodzenia. Całuję. — Mel posyła mi buziaka, a my wchodzimy na wizję.

O 11.38 Annalise i David przedstawiają naszego specjalnego gościa z kręgu ludzi znanych i bogatych. Molly Turner to jedna z tych kobiet, które słyną z tego, że są sławne. Nikt nie wie dokładnie, jak Molly zarabia na życie. Wiadomo jedynie, że musiała cholernie dobrze się ustawić, sypiając ze sławnymi facetami.

Za każdym razem, gdy zaczyna nowy romans, pozuje razem z wybrankiem do zdjęć w „Hallo!" i oświadcza, że tym razem to prawdziwa miłość oraz że wkrótce mają zamiar się pobrać. Ta kobieta musi mieć z dziesięć pierścionków zaręczynowych, a każdy z nich to wielki, pieprzony brylant.

Trudno powiedzieć, ile ma lat, a ona sama przyznaje się do trzydziestu ośmiu. Podejrzewam, że bliżej jej do czterdziestu ośmiu, ale wygląda fantastycznie. Powinna, zważywszy na to, ile razy trafiała pod nóż chirurga plastycznego.

Teraz opowiada o swoim ostatnim nieudanym romansie. Richard Beer to jeden z najbogatszych ludzi na świecie. Opis ich przyjęcia zaręczynowego opublikowały wszystkie brukowce w kraju — trzystu najbliższych przyjaciół, większości z nich gospodarze nigdy wcześniej nie spotkali.

Molly myśli, że jest tu po to, by zareklamować swoją najnowszą książkę na temat ćwiczenia mięśni twarzy, ale po sześćdziesięciu sekundach rozmowy na jej temat David zmienia wątek.

— Molly — mówi, zanim jeszcze jego gość skończył opowiadać nam, zafascynowanym widzom, za ile można zakupić jej dzieło. — Nasza dzisiejsza sonda telefoniczna jest zatytułowana: „Kiedy miłość się kończy". Przypuszczam, że masz na ten temat co nieco do powiedzenia. Czy to prawda, że to koniec między tobą a Richardem Beerem?

Molly uśmiecha się z gracją i przeczesuje swoje przycięte na pazia miedzianorude włosy palcami o idealnie zrobionych paznokciach. Jako osobie zawodowo skupiającej na sobie światła reflektorów, nie robi jej najmniejszej różnicy, czy reklamuje swoją książkę czy życie osobiste. W końcu jest, do cholery, w telewizji. Wciąż jeszcze sławna, wciąż jeszcze prowadząca tryb życia gwiazdy.

— No cóż, Davidzie — mruczy zalotnie ze swoim środkowoatlantyckim akcentem, chociaż plotka głosi, że urodziła się na osiedlu należącym do władz miasta Birmingham. — Kocham być zakochana i za każdym razem, gdy miłość przychodzi, sprawia, że całkowicie się w niej zatracam.

— Ile razy byłaś już zaręczona? — pyta Annie, która wyraźnie nie może znieść tej kobiety, a na dodatek znów próbuje zgrywać dziennikarkę. Wiesz chyba, że Annie jest dziennikarką, prawda? Oczywiście! Wszyscy wiedzą, że Annie jest cholerną dziennikarką!

— Kochanie, gdy człowiek był zaręczony tyle razy co ja, to w pewnym momencie traci rachubę.

— Opowiedz nam więc o Richardzie Beerze — mówi David, który zdaje się powoli tonąć w zieleni oczu Molly.

— Byłam w nim naprawdę zakochana, a Richard był naprawdę zakochany we mnie. Ten romans to prawdopodobnie najbardziej namiętna historia mojego życia, jednak czasami sprawy nie toczą się takim torem, jak byśmy tego sobie życzyli.

— Gazety, choć zapewne się mylą — David jak zwykle zabezpiecza sobie tyły — podały, że Richard zostawił cię dla młodej modelki. Co wtedy czułaś?

— Cieszyłam się, że tak mu się powiodło. Rzecz jasna, nie byłam zachwycona, gdy mi powiedział, szczególnie jeśli wziąć pod uwagę, że poinformował mnie o tym e-mailem, a ja oczywiście nie miałam pojęcia, jak obsługiwać komputer w domu, i przez to dowiedziałam się o naszym rozstaniu dopiero tydzień później. Ale jeżeli chce mnie zostawić dla kogoś innego, dla jakiejś modelki, to już jego decyzja. Znajdę sobie kogoś.

— Ale, czy ta modelka... Cora Cherry, prawda...? nie była przypadkiem twoim gościem w domu na południu Francji? To musiało być straszne: wiedzieć, że coś takiego dzieje się pod twoim dachem.

— Richard jest cudownym człowiekiem, który kocha piękne rzeczy. Cora jest nie tylko piękna, lecz również naprawdę słodka, więc w pewnym sensie to było nieuniknione.

Annie śmieje się z niedowierzaniem.

— Jestem naprawdę zaskoczona, że okazujesz im aż taką wielkoduszność.

„Oooo...", krzyczymy wszyscy w reżyserce. Co za wyszukane sformułowanie, Annie!

— Zbyt wiele razy musiałam już przez to przejść — mówi Molly, wyglądając przy tym na nadzwyczaj zadowoloną. — Życzę Corze dużo szczęścia. Może ona będzie umiała lepiej poradzić sobie z jego bardziej... — tu robi krótką pauzę — ...niezwykłymi nawykami.

Annalise natychmiast się ożywia.

— Niezwykłymi nawykami? Jakimi niezwykłymi nawykami?

— No cóż, Richard jest kolekcjonerem pięknych przedmiotów: obrazów, rzadkich wyrobów szklanych sygnowanych przez Lalique, starych modeli ferrari i kobiet. Jeśli czegoś chce, to najczęściej to kupuje. Pieniądze nie grają żadnej roli, szczególnie jeżeli chodzi o kobiety.

Annalise wygląda na zaskoczoną, a ja w reżyserce aż wstrzymuję dech. Czy ona naprawdę mówi to, co myślę, że mówi?

— Chodzi ci o to, że kupuje kobiety? — Teraz David patrzy na nią niepewnym wzrokiem, a ja modlę się, żeby prawnicy wyciągnęli mnie z bagna, gdyby cała ta sprawa zamieniła się w potężny proces o zniesławienie.

— Określiłeś to w bardzo uprzejmy sposób — uśmiecha się Molly.

— Ciebie też kupił? — pyta Annie z wyrazem przerażenia na twarzy.

— Nie, kochanie, nie musiał. Nie jestem dziewczyną do towarzystwa. Jest na świecie kilku nieprawdopodobnie zamożnych mężczyzn. Tam, gdzie się pojawią, zawsze będą kobiety lecące na ich pieniądze. Te dziewczęta są zwykle bardzo młode i bardzo piękne. Same nigdy nie nazwałyby się prostytutkami, ponieważ nie wyłapują klientów, stojąc na rogu. Swoim klientom są przedstawiane, a płatność przybiera formę prezentów. Czasami te prezenty przyjmują postać gotówki, a mówimy tu o tysiącach dolarów (te dziewczęta są najlepsze), ale najczęściej jest to złoty Rolex, diamentowa bransoletka albo futro z norek.

— Chcesz przez to powiedzieć, że Richard Beer korzysta z usług prostytutek?

— Richard to mężczyzna o bardzo dużym apetycie na seks i z olbrzymimi pieniędzmi. To wszystko.

— Molly, niestety, musimy już kończyć, ale dziękujemy, że zechciałaś nas odwiedzić.

Annalise patrzy na nią z nieukrywanym obrzydzeniem, po czym szybko spogląda w stronę kamery.

— Po przerwie zapraszamy państwa do udziału w naszej sondzie telefonicznej na temat: „Kiedy miłość się kończy".

Po programie wchodzę do zielonego pokoju i spotykam wychodzącego z garderoby Davida.

— O, Anastasio — mówi. — Czy mógłbym zamienić z tobą słówko?

Otwiera mi przy tym szeroko drzwi do swojego pokoju.

— Usiądź — zaprasza i wskazuje swój fotel do makijażu.

Siadam, a on staje oparty o stół naprzeciwko mnie. Ponieważ pomieszczenie jest bardzo małe, odległość między nami wynosi może trzydzieści centymetrów. Stojąc nade mną i nieco się pochylając, zapewnia sobie pozycję dominującego samca.

— No cóż, Tasha — mówi. — Uważam, że dzisiejszy program był znakomity. Naprawdę znakomity.

Jestem tak zaskoczona, że otwieram usta ze zdziwienia. Jeszcze nigdy w czasie mojej kariery w telewizji żaden prezenter tak wylewnie mnie nie pochwalił.

— Pracujemy już trochę razem — mówi David — i chcę, żebyś wiedziała, że jesteś nieocenioną członkinią naszego zespołu. Naprawdę sporo się nauczyłaś i jestem przekonany, że masz przed sobą wielką przyszłość.

— David, hmm, dziękuję... Chryste, nie mam pojęcia, co powinnam powiedzieć.

— Czasem ludzie w telewizji zapominają podziękować tym, którym się to należy. To bardzo szybki biznes i przez większą część czasu jesteśmy zbyt zajęci ganianiem w kółko, by wyrazić wdzięczność. Chciałem więc, żebyś wiedziała, jak ważną rolę odgrywasz w tworzeniu tego programu.

Tego jeszcze nie było. Uśmiecham się szeroko i, szczerze mówiąc, nie mogę przestać.

— Idę teraz do kafejki na końcu ulicy przekąsić coś przed zebraniem. Może też byś poszła?

Aha! Teraz przechodzimy do sedna sprawy. Tak, David Miller jest mną zainteresowany i zakłada, że pochlebstwem wszystko załatwi. Tylko że nie w tym przypadku. Mimo że jest przystojny, jest również żonaty. Kiedy szukam jakiejś stosownej odpowiedzi na jego zaproszenie, mój wzrok pada na zdjęcie przyczepione do ramy wiszącego za nim lustra. Dwie blond dziewczynki o wyglądzie aniołków i okrąglutka, choć wciąż ładna żona.

— Z przyjemnością, Davidzie — mówię, patrząc mu prosto w oczy i widząc, jak wyraz jego twarzy powoli się zmienia, zdenerwowanie ustępuje miejsca pewnemu siebie uśmiechowi.

— Ale nie mogę. Obiecałam Jilly, że pomogę jej przy edycji, która musi być dzisiaj zrobiona. Może innym razem?

— Tak, oczywiście — rzuca obrażonym tonem. — Która jest godzina?

Patrzy na zegarek.

— Muszę już lecieć.

Mel przynosi wypitą do połowy butelkę wina i stawia dwa kieliszki na stole. Usadawiamy się wygodnie, kieruję pilota w wideo i mam właśnie nacisnąć „play", gdy dzwoni telefon. Mel przewraca oczami. Odbieram.

— To ja.

W tym przypadku „ja" to Andy, chociaż czasami nie potrafię odgadnąć, ponieważ każda spośród moich przyjaciółek dzwoni i mówi: „To ja".

— Cześć, Andy. Co słychać?

— Och, Tash! On nie zadzwonił!

— Kto nie zadzwonił?

— Rick, ten gość z imprezy.

A, faktycznie. Ten, który podwiózł ją do domu, wpadł na kawę i został do rana. Ten sam, o którym Andy nie mogła od tamtej pory przestać mówić. Ten, który wyszedł z jej domu bez numeru jej telefonu, więc musiała szybko go zapisać na karteczce i pobiec za nim, krzycząc, że czegoś zapomniał.

— Andy, przykro mi, ale tak czasem bywa. Zapomnij. Na pewno spotkasz kogoś innego.

— Ale on naprawdę mi się podoba.

— Wiem — odpowiadam, bo zawsze tak jest. — Ale skoro nie zadzwonił, to daj sobie z nim spokój.

— A może to ja do niego zadzwonię i powiem, że mam bilety na coś, co on naprawdę chciałby zobaczyć. Wtedy na pewno powie „tak". Jestem przekonana, że chciałby się ze mną zobaczyć, tylko pewnie jest zajęty.

Wzdycham głośno. Czy ta kobieta nie widzi, że przegrała tę bitwę?

— Bilety na co?

— No właśnie o to chciałam cię zapytać. Nie macie jakiejś premiery albo czegoś w tym rodzaju w najbliższym czasie?

Patrzę na Mel i tym razem to ja przewracam oczami. W mojej pracy regularnie dostajemy zaproszenia na premiery filmów, produktów, imprezy prasowe, spotkania, które wydają się niezwykle eleganckie i pełne sław, a de facto, są tak nudne, że przestałam na nie chodzić.

Początkowo było wspaniale: szłam, bawiłam się w „Znajdź gwiazdę" i jeśli miałam akurat szczęście, udało mi się nawet z jakąś porozmawiać. Z paroma się wręcz całowałam, lecz teraz ich unikam. Uważam, że je przerosłam, lecz Andy najwyraźniej nie.

— Jestem pewna, że mam na coś bilety, ale w biurze. Może zadzwoń do mnie jutro do pracy?

— Fantastycznie. Dzięki, Tash!

— Ale, Andy, ja nadal uważam, że nie powinnaś do niego dzwonić.

— Dlaczego nie? Są lata dziewięćdziesiąte: kobiety mają takie same prawa jak mężczyźni.

Żegnam się z nią, nie mówiąc ani słowa na temat mojej teorii dotyczącej mężczyzn i telefonów. Jeżeli facet nie dzwoni, to nie dlatego, że jest zbyt zajęty lub zgubił twój numer. Po prostu nie chce zadzwonić.

Powtarzam naszą rozmowę Mel, która potrząsa głową i mówi:

— Kiedy ona się w końcu nauczy?

Po czym znów siadamy, by obejrzeć program. Naciskam „play" i... krykiet. Tak jest. Cholerny mecz krykieta!

— Mel, nagrałaś nie ten kanał!

— Nie, jestem pewna, że nie. Przewiń do przodu, to pewnie nagrałaś wcześniej.

— Jasne! Boże uchowaj, żebym przepuściła rozgrywki „Anglia kontra Indie Zachodnie" czy co to ma, cholera, być! Po co miałabym nagrywać mecz krykieta?

— Przepraszam cię bardzo — krzywi się Mel. — Ale przesuń trochę do przodu, tak na wszelki wypadek.

— No dobra. — Wzruszam ramionami. — Przepadło ci kilka ciekawych telefonów. Pomyślałam, że pomogą ci spojrzeć na wszystko pod innym kątem.

— Słonko, to naprawdę miło z twojej strony, ale ze mną wszystko w porządku. Jasne, że tęsknię za Danielem, ale pod paroma względami czuję ulgę. Zapomniałam już, jaka wtedy byłam, i chyba zaczynam odkrywać siebie od nowa.

— A co z tym facetem z imprezy u Andy? Martinem?

— Co z nim?

— Uważam, że powinnaś się z nim spotkać, chociaż na drinka. Dobrze ci to zrobi. Nie mówimy o tym, że powinnaś z nim pójść do ołtarza czy zerwać z siebie gatki. Po prostu idźcie na koleżeńskiego drinka.

— Nie wiem, Tasha. Nie jestem jeszcze gotowa nawet myśleć o innym mężczyźnie. Mimo że ten był naprawdę bardzo, bardzo fajny.

— Jesteś głodna? — Właśnie przyszedł mi do głowy fantastyczny sposób na odwrócenie jej uwagi.

— Jak wilk. Co mamy?

— W domu nic, ale mogłabym skoczyć i coś przynieść. — Patrzę na zegarek. — Sklepik na rogu jest jeszcze otwarty. Możemy sobie zafundować taramasalatę, tzatziki i oliwki. Skoczę tam.

A Mel mówi to, co spodziewałam się usłyszeć, ponieważ mieszkając ze mną, robi wszystko, by okazać mi wdzięczność.

— Nie, ja pójdę. Ty tu sobie posiedź, a ja to załatwię.

Tym razem nie zaczynam dyskusji i gdy tylko wychodzi za drzwi, łapię za telefon i dzwonię do Toma, by podał mi numer Martina.

Gdy go wykręcam, włącza się automatyczna sekretarka. „Cześć, Martin. Nie wiem, czy mnie pamiętasz, ale mówi Anastasia. Tasha. Byliśmy razem na grillu u Andy kilka tygodni temu. Rozmawiałeś z moją przyjaciółką, Mel, a ona teraz u mnie mieszka. Wiem, że prosiłeś ją o numer telefonu, a ona ci odmówiła, bo była z kimś związana, ale już nie jest i myślę, że byłoby jej naprawdę miło, gdybyś się do niej odezwał..." Nagle ktoś podnosi słuchawkę i słychać zdyszany głos.

— Tasha?

— Martin?

— Cześć! — Jego uśmiech jest niemal słyszalny.

— Słyszałeś, co mówiłam?

— TAK! Bardzo chciałbym z nią porozmawiać. Jest tam?

— Nie, wyskoczyła na chwilę i zabije mnie, jeśli się dowie, że do ciebie dzwoniłam. Podam ci numer, a ty potem zadzwoń gdzieś za godzinę i powiedz, że znalazłeś ją przez Andy.

— Rewelacja. Dzięki, Tasha! Zadzwonię za godzinę.

Mel wraca obładowana jedzeniem. Jemy, siedząc na podłodze przed telewizorem. Kiedy dzwoni telefon, dokładnie po godzinie od naszej rozmowy, odbieram i mówię znudzonym tonem:

— A, cześć... Martin. Co słychać?

Patrzę na Mel, robiąc wielkie oczy z udawanego zdziwienia. Zdziwienie Mel jest prawdziwe. Odstawia talerz.

— Tak, impreza była naprawdę fajna. Jasne, że tu jest, poczekaj chwilkę — mówię i przykrywam głośnik dłonią. — Jezu, ale zbieg okoliczności! — szepczę.

— Wiem — szepcze Mel i bierze słuchawkę. — Niesamowite.

Najciszej jak tylko potrafię, zbieram talerze i wynoszę do kuchni, by pozmywać. Gdy stukam naczyniami, słyszę, jak Mel śmieje się do słuchawki, a gdy kończę, ona sama wchodzi do kuchni.

— Nie mogę w to uwierzyć — mówi, bez przerwy się uśmiechając.

— Ja też nie — odpowiadam i dodaję: — To co ci powiedział?

— Pójdę z nim na tego drinka. Jutro wieczorem. Ale to tylko drink. Jeszcze nie jestem gotowa na nowy związek, ale on wydaje się naprawdę miły. Bardzo miły.

— Co na siebie włożysz? — pytam z przyzwyczajenia, wiedząc, że Mel nie robi to najmniejszej różnicy.

— Nic wyjątkowego, to tylko koleżeński drink.

— Skoro tak mówisz...

— Co robisz jutro wieczorem? Może pójdziesz z nami?

— MEL! Czyś ty oszalała? Z chęcią zabawię się w przyzwoitkę... Tak czy inaczej, nie mogę. Wychodzę z Adamem.

Nigdzie się z nim nie wybieram. Nie mam żadnych planów, ale teraz muszę do niego zadzwonić. Robię to, leżąc w łóżku i strasznie się nad sobą użalając.

Jasne, że kocham Mel i że cieszę się jej szczęściem, ale kiedy nadejdzie moja kolej? Kiedy to ja spotkam kogoś, kto otoczy mnie opieką? Wzdycham ciężko i wykręcam numer Adama.

Opowiadam mu o Mel i Martinie, a on jest zachwycony, że go poznała. Mówię mu również o sobie i o tym, że chociaż jej szczęście jest moim szczęściem, to nie rozumiem, dlaczego mnie ono ciągle omija.

Adam mówi same właściwe rzeczy, a kiedy informuję go, że jutro wieczorem musi mnie gdzieś zabrać, odpowiada, że nie widział mnie całe wieki i takie są właśnie zalecenia lekarza.

Mówi, że pewnego dnia, i to zapewne niedługo, spotkam mężczyznę, który będzie mnie uwielbiał, ponieważ jestem piękna i wyjątkowa, i każdy facet byłby dumny, mogąc być z kimś takim jak ja.

Jednak gdy odkładam słuchawkę, nadal czuję się beznadziejnie. „Dlaczego ja?", myślę, odpływając powoli w pozbawiony marzeń sen. A raczej: „dlaczego nie ja"?

Rozdział czternasty

Od mojego powrotu do domu Mel jest cała w skowronkach. Wybrała się nawet (wierz mi, że w jej przypadku to naprawdę coś niezwykłego) do body shopu, gdzie zakupiła maseczkę do twarzy. Możesz w to uwierzyć? Mel w maseczce na twarzy? Oczywiście, że jest podekscytowana, ale moim zdaniem sądzi, że tak nie wypada; że nadal powinna być w żałobie po swoim popieprzonym facecie. Wybacz, popieprzonym byłym facecie.

Wymuszam na niej, by pozwoliła mi ułożyć sobie włosy. Kiedy kończę, Mel wygląda wspaniale: miękkie, ciemne loki okalające jej twarz, w miejsce szopy, którą nosi na głowie na co dzień.

— Boże drogi, przecież ja w ogóle nie jestem do siebie podobna — mówi, podziwiając swoje odbicie w lustrze, lecz w jej głosie wyraźnie słychać zadowolenie.

— Teraz makijaż — oznajmiam i sięgam po swoją firmową kosmetyczkę MAC, wypełnioną po brzegi produktami we wszelkich możliwych odcieniach.

— Ja nie mogę mieć wymalowanej twarzy! — woła Mel. — Pomyśli, że jestem jakąś ladacznicą. Nie, żebyś ty była... — dodaje przerażona poczynioną przez siebie sugestią. — Ty masz taki dobry styl i gust, że do ciebie to pasuje, ale nie do mnie.

— Tylko odrobinkę — proszę. — Obiecuję, że będziesz wyglądała tak, jakbyś nie miała ani grama makijażu.

— Bez podkładu?

— Bez podkładu.

— Bez cienia do powiek?

— Tylko troszkę, ale przysięgam, że on nawet nie zauważy.

— Bez czerwonej szminki?

— Co ty, do diabła? Myślisz, że co chcę z ciebie zrobić? Klowna? Bez czerwonej szminki.

— No dobrze — mówi Mel zrzędliwym tonem. — Ale jeżeli będę się czuła naprawdę nieswojo, to mogę wszystko zmyć?

Wygląda cudownie i jest naprawdę zadowolona. Bardziej niż zadowolona: jest zachwycona subtelną różnicą. Lecz nadal z jakiegoś powodu ma wątpliwości. Nie zaskakuje mnie, gdy odwraca się do mnie i pyta:

— Naprawdę uważasz, że powinnam z nim pójść na tego drinka?

— Mel, znasz odpowiedź.

— Wiem — wzdycha — i cieszę się na to spotkanie, ale od lat nie byłam na randce. Nie wiem, co mówić, co robić.

— Takie nerwy przed pierwszą randką to normalna rzecz. Wszyscy przeżywają to tak samo. Jezu, ja przez to przeszłam w życiu więcej razy, niż ty zjadłaś gorący obiad, ale to mija.

— No dobrze, ale co, jeżeli skończą nam się tematy do rozmowy?

— A skończyły się na imprezie u Andy?

— Nie, ale to była inna sytuacja, to nie była randka. O Boże — jęczy nagle głośno. — A co, jeśli spróbuje mnie pocałować?

— Mel, nie sądzę, by Martin był typem faceta, który zrobiłby coś takiego. Naprawdę nie uważam, że powinnaś się nim tak przejmować.

— Może masz rację — mówi z wyrazem ulgi na twarzy. — Pewnie i tak chce się po prostu zaprzyjaźnić. Ale jest miły, byłby dobrym kumplem. Jest naprawdę miły — powtarza, tym razem pod nosem, a ja nie mogę powstrzymać uśmiechu.

Kiedy słychać dzwonek do drzwi, patrzę, jak Mel płynie w stronę wejścia na obłoku godności osobistej, po chwili zaś ona i Martin stoją w progu i szczerzą do siebie zęby.

— Mam nadzieję, że spędzisz miły wieczór z Adamem. Nie wrócę późno — mówi, obejmuje mnie i cmoka szybko w policzek, po czym oboje wychodzą. Idę do lusterka i ścieram z twarzy zostawiony tam przez nią ślad bladoróżowej pomadki.

Dziś wieczorem chcę się dobrze bawić, chcę w to włożyć trochę wysiłku. Mam nadzieję, że jeśli będę wyglądała fantastycz-

143

nie, to w środku poczuję to samo. Mimo świadomości, że w życiu jest zupełnie inaczej.

Wiem, że to tylko Adam, ale czasami nie robi się tego dla mężczyzny, lecz dla siebie. Mam nadzieję, że ta fala żalu nad sobą zniknie równie szybko, jak się pojawiła.

Co by tu włożyć? Zamaszystym ruchem otwieram na oścież drzwi mojej szafy i wywalam jej zawartość na łóżko. Żadnych jaskrawych kolorów. Chyba nie masz o mnie aż tak złego zdania?

W życiu nie nałożyłabym niczego we wzorki, kwiatki czy w jaskrawych barwach. Moje ubrania są stonowane — czerń, biel, od czasu do czasu coś granatowego i wszelkie możliwe odcienie beżu oraz kremowej bieli. Tak się należy ubierać, gdy się jest samotną, elegancką i na łowach.

Dzisiaj mam ochotę na sukienkę. Krótka, granatowa, z miękkiego materiału, bez ramiączek, ale z pojedynczym paskiem zapinanym na karku. Gdy idę, opływa mi miękko uda i sprawia, że czuję się niewymownie kobieco. Granatowo-białe, otwarte z przodu pantofle i wyglądające przez wycięcie krwistoczerwone paznokcie u stóp, które rzucają wyzwanie, by popatrzeć wyżej.

Mam błyszczące włosy, a blond pasemka odbijają subtelnie ostatnie promienie słońca. Kończę, nakładając na usta odrobinkę cielistej pomadki MAC. Naprawdę dobrze wyglądam. Jaka szkoda, że tylko Adam to zobaczy.

— Ty nigdy nie nosisz sukienek — mówi na powitanie.

— Wiem, są dla mnie trochę zbyt kobiece. Ale wyglądam dobrze? Pasuje mi?

— Wyglądasz pięknie — odpowiada Adam jak zwykle, ale ponieważ mówi to szczerze, humor zaczyna mi się poprawiać. Troszeczkę. Moja samoocena nie jest aż tak niska.

Wsiadamy do jego samochodu, w którym opuścił dach, i jedziemy ulicami Londynu, a ja wypatruję na drodze innych mężczyzn za kierownicą i notuję w myślach ich pełne zachwytu spojrzenia. Nie ma to zbyt wielkiego znaczenia, ale każda dawka podziwu wpływa pozytywnie na moje pogrążone w depresji ego.

Przypomina to mijanie terenu budowy. Tylko jedno jest gorsze niż banda budowlańców gwiżdżących i wykrzykujących: „Ej, lala, bucik ci się rozwala!" — mijanie terenu budowy i pozostawanie kompletnie niezauważoną.

Spinasz się cała, ciało ci sztywnieje, gdy podchodzisz coraz bliżej do miejsca kaźni, modląc się, by siedzieli cicho. A gdy już ich miniesz, a te gnoje nie pisnęły ani słowa, to myślisz natychmiast: dlaczego nie, do diabła? Co jest ze mną nie tak? A może ty tego nie robisz? Może to tylko ja taka jestem. Lecz dzisiaj łowię ukradkowe spojrzenia, od czasu do czasu pełen żalu uśmiech, że siedzę w lepszym samochodzie z innym mężczyzną. Tulę do siebie te spojrzenia i od razu jest mi trochę lepiej.

Adam zatrzymuje wóz przed małą, grecką restauracją w Camden Town. Kelner — wysoki, przystojny Grek z obowiązkowym gęstym, szczotkowatym wąsem, wita nas wylewnie, po czym prowadzi do środka, na górę, na położony na tyłach mały taras.

Na dwóch malutkich, ściśniętych na niewielkiej powierzchni stoliczkach migają płomyki niedużych świec. Adam odciąga kelnera na bok i mówi mu coś po cichu, po czym inny kelner wynosi drugi stolik z tarasu, rzucając nam przy tym pełne złości spojrzenia, bo przez nas musi tak ciężko pracować.

Jesteśmy więc tylko we dwójkę. Wdycham zapach clematisu pnącego się po balustradzie i ciężkie wieczorne powietrze, które nawet w Camden jest cudownie świeże. Siadam wygodnie i uśmiecham się do Adama: mojego starego, dobrego przyjaciela, który tyle już dla mnie zrobił.

— Trochę tu romantycznie, prawda? — mówię w końcu, zauważając lekką ironię sytuacji. Dla kogoś, kto na nas przypadkiem spojrzy, wyglądamy jak idealna para.

— Nie podoba ci się? — pyta Adam zaniepokojony.

— Oczywiście, że podoba. Jestem zachwycona, to cudowne miejsce. Dziękuję, że mnie tu zaprosiłeś, i przepraszam, że wczoraj miałam takiego doła.

— Rozumiem, Tasha. To się zdarza każdemu, nawet mnie.

— Ty nigdy nie masz depresji, Ad.

— Byłabyś zaskoczona.

Nigdy nie myślałam o tym, że mężczyźni mogą się nad sobą użalać; że też mogą czuć się samotni i tracić wiarę w siebie. Może po prostu za dobrze to ukrywają? Ja mam swoje dziewczyny, a większość kobiet posiada kogoś bliskiego, wsparcie, sieć przyjaciół, którzy pomogą im się pozbierać, kiedy wszystko bierze w łeb.

Lecz mężczyźni duszą wszystko w sobie. Kiedy idą gdzieś z kolegami, to gadają o piłce nożnej, o laskach — o wszystkim oprócz uczuć. To jest powód, dla którego cierpią. Cierpią dłużej i mocniej.

Adam spogląda gdzieś w bok i nagle dostrzegam, że w kółko czymś się bawi, co jest do niego niepodobne. Podnosi nóż i uważnie mu się przygląda, po czym kładzie go z powrotem na stół i zaczyna skubać podkładkę pod talerz.

— Ad, o co chodzi? Teraz tobie jest smutno?

— Wszystko w porządku, po prostu chcę, żeby wszystko było doskonałe.

— Padam z głodu — mówię, patrząc na menu, bo nie wiem, o czym on mówi. Jednak coś w środku mnie szepcze, że wiem, choć może nie chcę wiedzieć. A może chcę? Zobaczymy.

— Meze to tutejsza specjalność — podpowiada Adam, szczęśliwy, że znów jesteśmy na znajomym gruncie.

Zamawiamy porcję dla dwojga i siedzimy, rozmawiając o życiu, pracy, o nas, aż kelner przynosi nam jedzenie.

Ustawia na stole tuzin małych talerzyków pełnych taramasalaty, humusu posypanego papryką i polanego oliwą z oliwek, połyskujące dolmady, tabule, pikantne kiełbaski oraz koszyczek chleba pita.

Zaczynamy jeść, a ponieważ jestem z Adamem, mogę swobodnie nabierać na kawałki pity duże porcje taramasalaty i nie martwić się o to, że jem jak prosię. Ponieważ jestem tu z Adamem, mogę jeść do woli i nie przejmować się tym, co on sobie o mnie pomyśli.

— Gdyby to była randka — mówię z pełnymi ryżu i liści winogron ustami — to w życiu bym się tak nie obżerała. Siedziałabym, przesuwała listek sałaty po talerzu i twierdziła, że nigdy nie jem zbyt dużo.

Adam wybucha śmiechem, po czym pyta:

— A to nie randka przypadkiem?

— Nie, Ad. To my. — Śmieję się i pakuję sobie kolejny liść winogronowy do ust.

Adam odkłada widelec i znów zaczyna obracać go w palcach.

— Tak naprawdę, Tasha, to jest coś, o czym chciałbym z tobą pomówić.

— Dobra, znowu to samo. Czekaj, tylko postawię sobie tabliczkę z napisem „Droga redakcja" na stole. Niech zgadnę: zakochałeś się, a ona nie odwzajemnia uczucia?

Żartuję, rzecz jasna, ale nagle na tarasie zapada kompletna cisza. Zupełnie jakby zatrzymały się przejeżdżające obok samochody, a ludzie wokół ucichli.

— Ad? — mówię cichutko, ale już nie tak pewnie jak przed chwilą. — O co chodzi, Ad?

Ponieważ Adam siedzi naprzeciwko mnie, to przysięgam, że gdybym nie znała go tak dobrze, powiedziałabym, że zrobił się biały na twarzy. Z lekkim odcieniem zieleni. Kolor, który pasowałby znakomicie do ścian w salonie, ale na Adamie wygląda przerażająco.

— Tasha, nie wiem, jak to powiedzieć... — Milknie w pół zdania, a ja nagle pojmuję, co takiego za chwilę usłyszę, i nie wiem, czy tego chcę.

— Adamie, może jeżeli nie wiesz, jak to powiedzieć, to może lepiej tego nie rób — staram się, by mój głos brzmiał łagodnie, ale Adam kręci głową.

Mój nóż i widelec spoczywają na talerzu. Przechodzi mi ochota na jedzenie. Podejrzewam, choć oczywiście nie wiem tego na pewno, ale podejrzewam, że moja twarz kolorem przypomina twarz Adama.

— Boże, Tasha. Nie wiem, jak to powiedzieć.

Mogę jedynie milczeć. Krzyżuję ramiona, jakbym chciała bronić się przed słowami, których tak nie chcę usłyszeć; słowami, które wszystko zmienią i niewątpliwie zniszczą naszą wspaniałą przyjaźń.

— Tasha, kocham cię. Przepraszam, ale tak jest. Kocham cię, jestem w tobie zakochany i chcę z tobą być. Wiem, że ty pewnie tego nie czujesz, ale to naprawdę nieważne. Musiałem ci o tym powiedzieć.

Adam mówi to na jednym oddechu, bawiąc się przy tym widelcem, a kiedy kończy, wypuszcza głośno powietrze z płuc i przeciąga ręką po włosach. Nagle zalewa mnie uczucie czułości, które równie szybko zmienia się w potężne rozczarowanie.

Oto słowa, które pragnęłam usłyszeć. Całymi latami marzyłam o tym, by spotkało mnie coś takiego; by siedzieć na tarasie w świetle świec, z mężczyzną, którego kocham i który wyznaje mi miłość.

Ale to jest Adam. Owszem, kocham go, ale nie czuję do niego najmniejszego pociągu. Kocham Adama, lecz nie chcę, by mnie objął, by wsunął język do moich ust. Nie chcę jego dłoni na mojej piersi ani jego ciała w moim łóżku.

Kocham Adama, ale nie jestem w Adamie zakochana. Oto ja, która zawsze wiem, co powiedzieć, nagle nie mogę wydusić z siebie jednego pieprzonego słowa!

Adam bierze mnie za rękę. Patrzę na nią przez chwilę, zamkniętą w jego dłoni, po czym powoli cofam.

— Boże, Tasha, przepraszam! Wszystko zepsułem. Ale powiedz coś, cokolwiek! Błagam.

Cisza gęstnieje coraz bardziej. Podnoszę na niego wzrok i mówię:

— Nie wiem, co chciałbyś usłyszeć.

— Nie chodzi o to, co chciałbym usłyszeć, ale o to, co ty chcesz mi powiedzieć.

— Nie wiem, Adamie. Przez te kilka lat, od kiedy cię znam, w życiu się tego nie spodziewałam. Oczywiście, pochlebiasz mi i tak dalej, ale...

— Na miłość boską, nie mów tego, Tasha! Cokolwiek, tylko nie to!

— Dobrze, przepraszam. Adamie, wiesz, co do ciebie czuję. Wiesz, że kocham cię bardziej niż kogokolwiek innego, ale nigdy nie myślałam o tym jako o czymś więcej.

— Boże! Gdybyś wiedziała, ile razy ja to robiłem!

Moja ciekawość bierze górę i nie mogę się powstrzymać od spytania go, kiedy się zdecydował, od kiedy wiedział.

— Gdy byłaś z Simonem. Tej nocy, gdy przyjechałaś do mnie kompletnie spanikowana i chciałaś wiedzieć, czy jest u mnie Simon. Miałaś na sobie pidżamę i obszerny płaszcz. Wyglądałaś tak niewinnie. Myślę, że już wtedy wiedziałem, ale ty byłaś dziewczyną Simona, a ja w takiej sytuacji nigdy bym czegoś takiego nie zrobił. Bardzo się od tamtej pory zmieniłaś. Byłaś taka twarda i cyniczna, ale teraz jest w tobie więcej czułości. Ja dusiłem to uczucie w sobie przez tak wiele lat, że musiałem ci w końcu powiedzieć.

— Adamie, niczego nie pragnę tak bardzo, jak móc ci powiedzieć to samo, ale nie wiem, czy potrafię. To byłoby nie fair.

— Tash — mówi Adam gwałtownie. — Nie oczekuję, że powiesz, że też mnie kochasz. Wiem, że w tej chwili tego nie czujesz. Jednak, może poczujesz? No wiesz, pasujemy do siebie. Znam cię lepiej niż ktokolwiek inny i kocham cię taką, jaka jesteś, a nie tę twardzielkę, którą udajesz. Czas nie jest dla mnie problemem, mogę zaczekać. Mogę zaczekać, aż zmienisz zdanie. Proszę tylko, byś to przemyślała. Żebyś przemyślała „nas". Zawsze mówisz o *Kiedy Harry poznał Sally* i o tym, że to twoja wymarzona sytuacja. Mogłoby tak być. Moglibyśmy być jak Harry i Sally.

Nie mogę się powstrzymać. Mimo powagi chwili wybucham śmiechem.

— Co? *Kiedy Adam poznał Tashę?*

Policzki Adama różowieją i mówi niepewnym tonem:

— A dlaczego nie? Niby dlaczego nie?

Nie wiem, co powiedzieć, więc siedzimy i milczymy. Mój apetyt znika ostatecznie i intensywnie myślę o tym, jak tu zmienić temat rozmowy, wypełnić tę ciszę, która jest coraz bardziej nieprzyjemną.

— Nie wiem — odzywam się w końcu. — Jeśli chcesz, bym to przemyślała, to tak zrobię, ale nie mogę ci niczego obiecać. To taki szok. Kompletnie mnie zaskoczyłeś, nie miałam pojęcia, że tak czujesz. Potrzebuję trochę czasu.

— Dobrze — odpowiada. — Po prostu musiałem wiedzieć.

Ponownie zapada cisza. Patrzę na obrus, na niedojedzony posiłek, na cicho przejeżdżające obok samochody i w końcu Adam przeryzwa milczenie, prosząc o rachunek.

W drodze do domu żadne z nas się nie odzywa. Kiedy podjeżdżamy pod mój dom, mówię ze sztucznym uśmiechem, który wypada jak grymas:

— Chyba rozumiesz, dlaczego nie zaproszę cię do siebie na kawę?

Adam uśmiecha się delikatnie, kładzie dłonie na moich policzkach i przysuwa głowę do mojej. Cała sztywnieję przerażona fizycznym kontaktem z jedynym mężczyzną, któremu mogłam w życiu zaufać. Lecz on nie całuje mnie w usta, składa delikatny pocałunek na moim czole, po czym patrzy mi w oczy i mówi:

— Zadzwoń do mnie, gdy będziesz gotowa.

Idę w stronę drzwi kompletnie otumaniona. Nie mogę o tym myśleć. Nawet gdy jestem już w środku i siadam na kanapie, gapię się przed siebie, nie potrafiąc skupić uwagi na tym, co przyniósł dzisiejszy wieczór. To zbyt poważne, za dużo tego.

Mel jeszcze nie wróciła, więc odczekuję moment, by zebrać myśli i móc jej potem wszystko opowiedzieć, gdy tylko przekroczy próg.

Ale minuty mijają, a ja siedzę i myślę o niczym, pogrążona w niezamierzonej medytacji. W końcu wzdycham, wstaję i idę się położyć do łóżka. Dlaczego moje życie jest wiecznie tak kurewsko skomplikowane?

Rozdział piętnasty

Wstaję o dziesiątej rano i nadal kompletnie nieprzytomna idę do kuchni zaparzyć kawę. W nocy na chwilę się przebudziłam. Usłyszałam, jak Mel zamyka po cichu drzwi wejściowe, po czym znów zapadłam w głęboki sen, zbyt zmęczona, by wstać i pójść zapytać, jak udała się randka.

Czuję się beznadziejnie. Powinnam być radosna jak skowronek, bo ktoś jest we mnie zakochany — pożąda mnie najcudowniejszy mężczyzna pod słońcem. Zamiast tego jestem w gównianym nastroju. Chyba nigdy przedtem nie potrzebowałam rozmowy z kimś tak bardzo, jak teraz z Mel.

Robię dwie filiżanki kawy instant, do tej dla Mel dosypuję dwie czubate łyżeczki cukru i idę do jej pokoju. Na chwilę odstawiam jedną kawę na półeczkę, by zapukać cichutko do jej drzwi.

Żadnej odpowiedzi.

— Mel? — pytam szeptem i jednym pchnięciem otwieram jej sypialnię. — Mel, przyniosłam kawkę. Pobudka!

Ale Mel już dawno wstała i wyszła. Jej łóżko jest zasłane, okno odsłonięte, a na łóżku leży karteczka z wiadomością dla mnie:

Kochana Tash.

Bawiłam się wczoraj naprawdę cudownie — siedzieliśmy na Primrose Hill i przegadaliśmy wiele godzin. Przepraszam, że wróciłam tak późno, ale nie miałam pojęcia, która jest godzina, dopóki nie dotarłam do domu!! Nie martw się — byłam grzeczna. Chociaż on jest taki fajny!!!

Umówiłam się z nim na dzisiaj rano, żeby mu pomóc przy kupnie kanapy. Będę w domu na lunchu, więc wtedy się spotkamy. Mam nadzieję, że miło spędziłaś czas z Adamem.

Pa! Całuję mocno!

M xxxxxxxx

O Boże! Nie mów mi, proszę, że miłość odbierze mi przyjaciółkę! Przedtem nigdy nie musiałam się o to martwić, bo kiedy Mel była z Danielem, to ja zawsze byłam na pierwszym miejscu. Ale czy teraz, kiedy poznała kogoś nowego, nie zniknie?

Nie dosłownie. Jest wiele kobiet, które spotykając mężczyznę, którego mogłyby pokochać, zapominają o swoim życiu, przyjaciołach i sobie samych. Nagle dociera do ciebie, że od dawna nie masz od nich żadnych wieści, a kiedy dzwonisz, oddzwaniają po dwóch tygodniach.

Nie chcą się spotykać wieczorem, bo wtedy spędzają czas ze swoim nowym facetem. Przy odrobinie szczęścia może zdołacie wyskoczyć razem na kawę. Siedzisz wtedy i patrzysz na koleżankę, która zawsze była taka towarzyska i pełna życia, a teraz jedyne, o czym chce mówić, to „on".

Wszystko, co mówi, jest upstrzone tym nieuniknionym słowem „my". Kiedy się rozstajecie, odczuwasz jednocześnie zawiść i żal, gdy obiecuje, że zaprosi cię na kolację, byś mogła „go" poznać. Tylko że dobrze wiesz, że owego zaproszenia nigdy nie otrzymasz, bo ona spotyka się teraz wyłącznie z parami.

W końcu jednak, gdy jest już po wszystkim, znowu zaczyna do ciebie wydzwaniać. Jak gdyby nigdy nic. A ty, będąc osobą wyrozumiałą, cieszysz się z jej powrotu i każesz sobie obiecać, że więcej nie porzuci przyjaciół. Ona obiecuje i dotrzymuje słowa. Aż do następnego razu.

Nie daj sobie wmówić, że tylko kobiety tak postępują. Miałam kiedyś przyjaciela imieniem Jamie. Należał do epoki sprzed Adama i Mel, był moim najlepszym kumplem. Poznaliśmy się jeszcze w dzieciństwie. Razem dorastaliśmy, to pojawiając się, to znikając z życia tego drugiego. Aż do naszych siedemnastych urodzin, kiedy zostaliśmy prawdziwymi przyjaciółmi i przysięgliśmy sobie nigdy więcej nie tracić kontaktu.

Nie traciliśmy. Aż do czasu, gdy Jamie związał się w wieku dwudziestu jeden lat ze swoją pierwszą dziewczyną. Mieszkał z nią przez dwa lata i chociaż nadal dzwonił do mnie od czasu do czasu, rzadko go widywałam, a na nasze spotkania i tak zawsze przyprowadzał Kathy, przez co czułam się wyjątkowo nieswojo. Lecz po Kathy, kiedy Jamie znów był sam, powiedział mi, że jestem dla niego najważniejszą z kobiet, a ja odetchnęłam z ulgą. Ufałam, że mówi szczerze. A potem poznał Mags i słuch po nim zaginął. Nadal zapraszałam ich oboje na każdą organizowaną przeze mnie imprezę, na każdą kolację, ale trzy lata później uświadomiłam sobie, że ja nigdy nigdzie z nimi nie byłam. Nie poznałam żadnego z ich przyjaciół. Nigdy nie widziałam wnętrza ich wspólnego mieszkania.

Ponownie mu wybaczyłam, choć tym razem niechętnie, jednak gdy pojawiła się Sarah, miałam dość. Dałam sobie spokój z naszą przyjaźnią. Kiedy pół roku później dostałam zaproszenie na jego trzydzieste urodziny, po prostu je zignorowałam. Wielkie, bezosobowe imprezy z okazji trzydziestki są dla wszystkich; dla przyjaciół organizuje się małe, intymne kolacyjki. A mnie nigdy na żadną nie zaproszono.

Bardzo za Jamiem tęskniłam. Aż poznałam Simona i byłam zbyt zajęta przepoczwarzaniem się w kobietę, która zawsze robi wszystko w parze i sama porzuca przyjaciół. Ale nigdy nie musiałam myśleć w ten sposób o Mel i modlę się, by ona nie zrobiła tego samego. Wszyscy jej potrzebujemy.

Ja potrzebuję jej teraz. Muszę ją zapytać, co powinnam zrobić; czy potrafię zakochać się w Adamie. Ponieważ tego chcę, rozumiesz? Naprawdę chcę poczuć pożądanie wobec niego, ale nie jestem pewna, czy kiedykolwiek będę w stanie. Nie jestem pewna, czy przyjaźń wystarczy.

Za cholerę nie mogę dzisiaj zdecydować, co na siebie włożyć. Nie mogę przestać myśleć o naszej wczorajszej rozmowie. Nakładając ubranie i robiąc makijaż, patrzę w lustro i na głos odtwarzam jej przebieg. Wymyślam przy tym, co powinnam była powiedzieć, co powinien był powiedzieć on.

Ale ten „dialog" nie ma oczywiście żadnego sensu, ponieważ nie mam pojęcia, ani co powinnam była powiedzieć, ani jak powinnam była to zrobić.

Przed wyjściem spoglądam na zegarek. Trzynasta dwadzieścia pięć. Spotykamy się za pięć minut. Tym razem postanowiłam sobie, że nie będę na miejscu pierwsza. Dojście do restauracji zajmuje mi dziesięć minut. Wchodząc, dostrzegam Mel, która sączy cappuccino i uśmiecha się do siebie, patrząc w jakiś bliżej nieokreślony punkt, z podbródkiem opartym na dłoni.

Gdy mnie zauważa, twarz jej jaśnieje, a ja mimo że czuję się beznadziejnie, nie mogę powstrzymać uśmiechu, widząc, jaka jest podekscytowana. Tym bardziej że Mel ma na twarzy makijaż, choć jeszcze nie całkiem opanowała sztukę jego nakładania, i wygląda jak ciotka-klotka: ma wielkie rumiane placki na policzkach.

— Przepraszam, że nie było mnie rano w domu — rzuca szybko. — Znalazłaś moją wiadomość? Tash, jaki to był miły wieczór! On jest taki fajny.

— Wiem, że jest fajny, Mel. Cały czas to powtarzasz. To gdzie tak siedzieliście aż do wczesnych godzin porannych, hmm?

— Śmieję się.

— Poszliśmy do pubu do Primrose Hill i całą noc rozmawialiśmy. Kiedy zamknęli nam lokal, żadne z nas nie miało ochoty wracać do domu, bo tyle jeszcze było do powiedzenia, więc usiedliśmy na Primrose Hill, a potem on odprowadził mnie do domu.

— Z Primrose Hill?

— Tak. Szliśmy godzinami, ale ja nawet tego nie zauważyłam, bo tak dobrze się bawiłam.

— A próbował cię pocałować?

Mel się rumieni.

— Tak, i było naprawdę fajnie.

— Chryste, Mel! Będę musiała cię nauczyć paru nowych przysłówków. Co to znaczy „fajnie"?

— Trochę dziwnie było całować kogoś innego niż Daniel, którego całowałam przez ostatnie parę lat. — Jej twarz na chwileczkę się chmurzy. — Ale to było, sama nie wiem... podniecające, a jednocześnie takie normalne — wzdycha zadowolona. — Zupełnie jakbyśmy znali się od lat. Jego towarzystwo wcale mnie nie krępuje, a on był dla mnie taki miły. Powiedział, że mam piękne oczy.

— Bo ty masz piękne oczy, Mel.

Mel wygląda na zakłopotaną. Nie przywykła do komplementów.

— Ale nikt mi tego wcześniej nie mówił. Chociaż ten pocałunek przypomniał mi o Danielu, to rozmowa sprawiła, że zrozumiałam, czego mi brakowało. Czułam się cudownie, gdy mówił o moich zaletach, i byłam zachwycona tym, że dzięki niemu poczułam się wyjątkowa. W jakiś sposób mi to pomogło, bo Daniel nigdy tego nie robił, nawet na początku.

— Zawsze mówiłam, że zasługujesz na kogoś lepszego. Może teraz to odnalazłaś... — uśmiecham się.

— Nie wiem. — Potrząsa głową. — Nie powinnam się spieszyć, bo naprawdę nie jestem jeszcze gotowa na nowy związek. Ale bawiłam się świetnie, zarówno wczoraj wieczorem, jak i dzisiaj rano. Nawet w sklepie meblowym nie przestaliśmy się śmiać.

Mel bierze mnie za rękę i patrzy mi prosto w oczy.

— Coś jest nie tak, prawda?

— Cholera, Mel — mówię. — Wszystko źle wyszło.

— Co takiego?

— Adam. Powiedział mi wczoraj, że mnie kocha, a ja nie wiem, co robić.

Na twarzy Mel maluje się wyraz całkowitego zaskoczenia, ale zanim ma okazję cokolwiek powiedzieć, wpada Andy i całuje nas obie na powitanie. Przez cały ten czas Mel nie odrywa ode mnie wzroku.

— Słodki Boże! Kochanie, co teraz zrobisz?

Andy wkłada okulary przeciwsłoneczne na głowę jak opaskę do włosów i sięga do torby po swoją nieodzowną paczkę silk cutów — ultra light.

— Z czym zamierzasz co zrobić?

— Z Adamem. Wczoraj wieczorem powiedział mi, że mnie kocha.

— Żartujesz! — Teraz obie z Mel są w szoku.

— Tak jest, żartuję — mówię. — Chciałabym obudzić się dzisiaj rano i stwierdzić, że to był tylko zły sen, ale niestety, to wszystko prawda.

— Wiedziałam — woła Andy, klepiąc się przy tym w udo dla podkreślenia swojej racji. — Zawsze czułam, że jest zainteresowany. Co mu powiedziałaś?

— A co, do cholery, miałam powiedzieć? Przecież to Adam! Nie kocham Adama, nigdy nawet o tym nie myślałam.

— Co czujesz w takim razie? — pyta Mel, która postanowiła wykorzystać w tej grze swoje umiejętności psychoterapeutki.

— Czuję się zagubiona. I zła — mówię po chwili zastanowienia. — Zdradzona. Mile połechtana. Zagubiona.

— Dlaczego zdradzona? — nie rozumie Andy.

— Nie wiem, czy „zdradzona" to właściwe słowo, ale mam wrażenie, że cała nasza przyjaźń była po prostu na pokaz. No wiecie... wiem, że to nieprawda, ale kiedy pomyślę o tych wszystkich rzeczach, o których mu opowiadałam, a jemu przez cały czas chodziło o coś innego.

— Nie sądzisz, że to trochę za surowa ocena? — pyta łagodnym głosem Mel.

— Ale to prawda. Na dodatek jest mi głupio. Tyle mu naopowiadałam o sobie i o tym, co czuję. Musiał się naprawdę męczyć, gdy wysłuchiwał, jak opowiadam o innych facetach.

— To jemu też współczujesz? — cała Mel.

— Tak. — Wzruszam ramionami i patrzę na nią. — Sądzę, że tak.

Przy stoliku pojawia się Emma i wszystkie całujemy ją na powitanie, podczas gdy Andy chce koniecznie powiedzieć jej o wszystkim pierwsza.

— Wczoraj wieczorem Adam powiedział Tashy, że ją kocha, a ona teraz nie wie, co ma robić.

— Dziękuję, Andy — mówię przez zaciśnięte zęby. — Sama potrafię mówić.

— Przepraszam — mamrocze. — Po prostu martwię się o ciebie.

— Wiem, ja też przepraszam. Co ja teraz zrobię?

— Kochasz go, prawda? — pyta Emma.

— Oczywiście, że tak. Ale nie jestem w nim zakochana, rozumiesz?

— Takie uczucie pożądania nie trwa długo — mówi Emma szczerze. — A przyjaźń to najważniejsza rzecz. Na tym się opierają związki i to łączy mnie i Richarda.

Przerywa, bo podchodzi kelnerka. Wszystkie skrupulatnie studiujemy kartę dań, po czym składamy zamówienia.

— Kiedy spotkałam Richarda, pomyślałam, że to najprzystojniejszy facet, jakiego w życiu widziałam. Naprawdę. Nogi się pode mną ugięły. A teraz patrzę na niego i widzę Richarda.

Nie postrzegam go jako przystojnego mężczyzny, to po prostu Richard. Ale ponieważ mamy tyle tematów do rozmowy, nadal dużo nas łączy, nadal jesteśmy razem.

— Nie, jestem innego zdania. Uważam, że namiętność jest niezbędna. Jeśli na początku jej nie czujesz, to najprawdopodobniej później zaczniesz jej szukać.

— Nie jestem pewna, czy tak jest naprawdę — wtrąca pełnym wątpliwości głosem Mel.

— Mówię wam, że to prawda. Mam w pracy pełno koleżanek, które mają romanse, i jak sądzicie: skąd to się bierze? Stąd, że wychodzą za mąż za pierwszego faceta, który je o to poprosi. Nie czuły do nich namiętności, ale były już w takim wieku lub w takim momencie życia, że chciały wyjść za mąż. Poślubiły więc mężczyzn, którzy byliby dobrymi mężami i ojcami. A co się dzieje potem? Kilka lat później zaczynają szukać gdzie indziej tych podniet, tego pożądania, tego wywracającego żołądek do góry nogami uczucia, bez którego ja sama nie potrafiłabym żyć. Jeżeli namiętność istnieje, chociaż na samym początku, to zawsze ma się przynajmniej wspomnienia, a te sprawiają, że człowiek pozostaje wierny.

— Wybacz, Andy, ale ja nie uważam, żeby namiętność była aż tak ważna — mówi Mel. — Zgadzam się raczej z Emmą. Popatrz na te pary, których dzieci dorosły i zamieszkały oddzielnie. Namiętność, jeśli w ogóle istniała, już dawno zniknęła, a ludzie biorący rozwód to tacy, którzy odkryli, że nie mają już ze sobą nic wspólnego.

Całymi latami rozmawiali o dzieciach, razem jeździli na rodzinne wakacje. Łączyły ich dzieci, więc kiedy one odeszły, małżeństwo się rozpadło. Lecz jeśli ludzi łączyła na początku przyjaźń, to zostają ze sobą nawet po ich odejściu. Kochają swoje towarzystwo, ponieważ zostali swoimi najlepszymi przyjaciółmi. Lubią robić te same rzeczy, chodzić do tych samych miejsc, i to ich związki są ostatecznie najsilniejsze.

Siedzimy przez chwilę w ciszy, zastanawiając się nad tym, co właśnie powiedziała Mel, i każda z nas marzy o tym, by jej małżeństwo było właśnie takie.

— Nie twierdzę, że przyjaźń nie jest ważna — odzywa się w końcu Andy z nieco mniejszą pewnością siebie. — Ale namiętność też jest potrzebna. Obie mają takie samo znaczenie.

— Bóg jeden wie — mówi Emma. — Zresztą, kto wie, co to takiego miłość.

— No cóż — wtrącam ostrożnie. — Czytałam kiedyś artykuł, wywiad z Williamem Whartonem, i o ile dobrze pamiętam, to tuż przed swoim ślubem zadzwoniła do niego córka z pytaniem, co to takiego jest miłość. Odpowiedział, że w jego mniemaniu jest to: namiętność, podziw i szacunek. Jeśli człowiekowi są dane dwa z tych elementów, to wystarczy. Jeśli wszystkie trzy, to nie musi umierać, by trafić do nieba.

— Ale które dwa? — dopytuje się Andy.

— Wiem — wzdycham. — Próbuję do tego dojść już od lat.

— Uważam, że podziw i szacunek wystarczą — mówi Mel. — Są tysiące kobiet, które zakochują się na przykład w swoim szefie, ponieważ jest to mężczyzna z pozycją gwarantującą mu władzę, te kobiety podziwiają i szanują takich mężczyzn.

— Mowy nie ma — stwierdza Andy. — Namiętność i szacunek. Nie można żyć bez namiętności. Próbowałam kiedyś i wierz mi, Tasha, tak się nie da.

Patrzy po kolei na nasze twarze i pyta:

— Opowiadałam wam kiedyś o Stephenie?

Potrząsamy wszystkie głowami, a ja uśmiecham się w duchu, bo nawet teraz, mimo że omawiamy tutaj mój problem, Andy musi być w centrum zainteresowania.

— Poznałam Stephena, kiedy miałam dwadzieścia sześć lat, a on trzydzieści dwa. Był przystojny, chociaż zdecydowanie nie w moim typie, ale przemiły i bardzo bogaty. Zakochał się we mnie bez pamięci i błagał, bym dała mu szansę. Fizycznie wcale mnie nie pociągał, ale lubiłam go jako osobę i dobrze się dogadywaliśmy, więc powiedziałam w końcu „tak". Pójdę z nim na jedną randkę, ale to wszystko. Przyjechał po mnie swoim czarnym kabrioletem porsche, a kiedy wsiadłam, w środku czekał na mnie wielki bukiet lilii. Mówiłam mu, że to moje ulubione kwiaty.

Wszystkie słuchamy jak zaczarowane, bo Andy, pomimo swoich wad, fenomenalnie opowiada historie.

— Wyjechał na autostradę A40 i nie chciał powiedzieć, dokąd mnie wiezie, aż w końcu zjechaliśmy z głównej trasy i Stephen zatrzymał wóz przed Le Manoir aux Quat' Saisons.

— Przed „le" co?

— Och! — wzdycha Emma. — Le Manoir aux Quat' Saisons. To moja ulubiona restauracja: lokal Raymonda Blanca w Oxford- shire. To piękny, wiejski dom w stylu angielskim, a jedzenie jest wyśmienite.

— Twoja ulubiona restauracja? — Nie mogę się powstrzymać od uśmiechu. — A ile razy tam byłaś?

Emma rumieni się.

— Tak naprawdę, tylko raz. Ale bardzo mi się spodobało i próbuję namówić Richarda, żeby mnie tam zabrał na moje urodziny. Ale to drogie miejsce.

Jeśli Emma mówi, że tam jest drogo, to znaczy, że jedzenie musi kosztować fortunę, bo ona nie zadowala się byle czym. Nasze wspólne wyżerki w ramach lunchu w knajpce to dla niej chyba najniższy możliwy poziom.

— Zgadza się — rzuca Andy, która rozpaczliwie chce kon- tynuować swoją opowieść. — Restauracja jest wspaniała, a je- dzenie rzeczywiście sporo kosztuje, ale pieniądze nie stanowiły wówczas problemu. Spędziliśmy cudowny wieczór, a ja przez cały czas myślałam tylko: „Cholera, gdyby on mi się tylko po- dobał".

— I co wtedy? — pyta Mel, trochę jak mała, przysłuchująca się bajce dziewczynka (tak też to pewnie odbierała, ponieważ ten świat jest obcy jej solidnemu, mieszczańskiemu wychowa- niu).

— Stephen zachowywał się jak prawdziwy dżentelmen: od- wiózł mnie do domu i odprowadził do drzwi, po czym od- jechał. Odetchnęłam z ulgą, bo nie miałam ochoty zapraszać go do środka. Nie mogłam znieść myśli o jego dużych, mięsi- stych ustach — te trzy ostatnie słowa wypowiada powoli, z naciskiem, bo wie, że wszystkie wzdrygniemy się z obrzy- dzeniem (co zresztą niniejszym czynimy). — Następnego dnia przysłał mi kolejny bukiet kwiatów i bilecik z podziękowa- niem za cudowny wieczór oraz pytaniem, czy nie zechciałabym wybrać się z nim wieczorem do opery. Oczywiście, przyjęłam zaproszenie. Siedzieliśmy w jego prywatnej loży i przez cały wieczór piliśmy szampana. Po przedstawieniu zabrał mnie do The Ivy na kolację.

— Czym on się zajmował? — pytam, zaskoczona własną przy- ziemnością.

— Nie jestem do końca pewna. Chyba pracował w rozrywce, ale większość pieniędzy prawdopodobnie odziedziczył. Tak czy inaczej, znał masę ludzi, którzy jedli wtedy w The Ivy. Podchodziły się przywitać różne sławy. Taki styl życia zaczynał mi powoli odpowiadać. Jedynym problemem był sam Stephen. Za każdym razem, gdy na niego patrzyłam, a wierzcie mi: nie był to przyjemny widok, dostawałam mdłości.

— Opisz go — prosi Mel, która chce znać wszystkie szczegóły.

— Miał jakieś sto osiemdziesiąt centymetrów wzrostu i był sporej postury. Naprawdę sporej.

— Chodzi ci o to, że był gruby? — śmieję się, bo żadna z nas nie lubi używać tego słowa na „g", nawet gdy rozmawiamy o kimś, kim pogardzamy.

— Myślę, że można tak powiedzieć. Na dodatek łysiał i miał obrzydliwe usta. Był znakomicie ubrany, a przynajmniej na tyle, na ile grubas może się znakomicie ubrać, ale naprawdę uwielbiałam go jako osobę. Mieliśmy ze sobą tak dobry kontakt, że chciałam, by mi się podobał. Robiłam, co mogłam, by tak było. W końcu, po trzech tygodniach wspólnych wyjść na jego koszt, zaprosił mnie do siebie na kawę, a ja nie mogłam odmówić. Podszedł do mnie z tyłu w kuchni, objął w pasie i pocałował w kark. Zamarłam. Teraz ja go, oczywiście, musiałam pocałować i to było obrzydliwe.

— Więcej się z nim nie spotkałaś?

— Nie, i o to chodzi. Cały czas miałam nadzieję, że zacznie mnie pociągać, że pewnego dnia obudzę się i stwierdzę, że mi się podoba. Ale zamiast tego było coraz gorzej. Uwielbiałam go, ale za każdym razem, gdy wychodziliśmy gdzieś razem, wiedziałam, że będę musiała się z nim całować na pożegnanie, i na myśl o tym cierpła mi skóra.

— To co zrobiłaś?

— Powiedziałam mu, że znów zeszłam się z moim byłym chłopakiem i że bardzo mi przykro, ale nie możemy tak dalej.

— Co się z nim stało?

— Nigdy więcej nie zadzwonił, a rok później, gdy przeglądałam „Hallo!", zobaczyłam jego zdjęcia ślubne z jakąś oszałamiającej urody blondyną. Właśnie lecieli na miesiąc miodowy jego prywatnym odrzutowcem.

— Żartujesz! — mówimy jednocześnie z niedowierzaniem.

— Chciałabym, cholera! Ale najwyraźniej trafił na babkę, która miała gdzieś całą tę namiętność. Założę się, że go zdradza. Co to w końcu za małżeństwo?

— Prawdopodobnie całkiem dobre — mówi Mel. — W porządku, może to faktycznie transakcja handlowa, ale ona da mu syna i dziedzica fortuny w zamian za wspaniały poziom życia. Być może spotka kiedyś mężczyznę, który jej się spodoba, z którym mogłaby być szczęśliwa, ale nigdy nie wiadomo... Może ku własnemu zaskoczeniu nagle się w nim zakochała?

— W tych ustach? Bleee! — Andy wydaje odgłosy, jakby wymiotowała, a my zanosimy się śmiechem.

— Ale Adam nie ma grubych, mięsistych ust — mówi Mel, kiedy Andy przestaje. — Adam momentalnie wpada w oko.

— Ale Tashy nie wpadł i tu leży pies pogrzebany — nie popuszcza Andy i jeśli mam być szczera, mam w głowie większy mętlik niż na początku tej rozmowy.

— Nie wiem — wzdycham, potrząsając głową. — Po prostu nie wiem.

Rozdział szesnasty

Super. Wpaść na dzień dobry na obcego faceta, kiedy wyglądam jak straszydło i jestem nadal na wpół pogrążona we śnie, to chyba ostatnia rzecz, jakiej mi teraz trzeba.

Wstaję rano, by pójść do łazienki, i na kogo wpadam, otwierając do niej drzwi? A na kogóż by innego, jak nie na cholernego Martina! Nie mam nic przeciwko temu, że tu nocował. Moim zdaniem to naprawdę miły facet, ale, na miłość boską, to moje mieszkanie, a nie jakiś pieprzony hotel!

A co robię następnie? Mimo że nadal na wpół śpię, stoję na półpiętrze i zagaduję go uprzejmie, po czym proponuję filiżankę herbaty.

— Cudownie — odpowiada z uśmiechem. — Obudzę Mel.

Człapię więc na dół, z hukiem stawiam na stole trzy kubki i czekam, aż woda się zagotuje.

— Postawię je tutaj — mówię i ustawiam dwa kubki na podłodze pod drzwiami sypialni Mel, która natychmiast woła:

— Nie wygłupiaj się, wchodź!

Otwieram drzwi do sypialni Mel (która, tak się składa, jest również moim pokojem gościnnym, w moim domu), a w środku widzę ich oboje, jak leżą przytuleni w łóżeczku i czują się jak u siebie. Martin ma całkiem niezłe ciało, czym, szczerze mówiąc, jestem nieco zaskoczona, podczas gdy Mel wygląda wręcz obrzydliwie ponętnie, jak na tak wczesną porę.

Tak jest, Mel poddała się całkowicie urokom nowego związku. Nie tylko zmieniła fryzurę, ale była również na lekcji makijażu i z dnia na dzień nabiera pewności siebie. Na dodatek to, co zjada, ledwo by utrzymało przy życiu królika, dzięki czemu zgubiła już nadmiar kilogramów.

Mel wygląda fantastycznie: jak ktoś, kto zna swoją wartość. Chociaż czuję odrobinę zazdrości o tę nową Mel, choć troszeczkę tęsknię za starą chaotyczną Mel z sianem na głowie i bez śladu makijażu na twarzy, to jestem również bardzo szczęśliwa. Szczęśliwa, widząc, jak staje się kobietą, którą zawsze pragnęła być. Kobietą taką jak my.

Kochałam Mel taką, jaką była. Wiedziałam, że jest równie dobra, nawet lepsza niż reszta nas, ale sama Mel tak nie uważała i na tym polegał jej problem. Teraz wręcz promieniuje swoją nowo nabytą pewnością siebie i to ona mnie tak cieszy.

Mel poklepuje łóżko dłonią.

— Siadaj i pogadaj z nami.

„Z nami". Minęły zaledwie dwa tygodnie, a ona już mówi „my". Ale rzecz jasna, siadam, a wtedy Mel wyciąga ramiona, by mnie przytulić. Przyjmuję ten uścisk z radością, chcąc być częścią owego „my", a co Mel zdaje się wyczuwać.

— Martin uważa, że powinnaś zadzwonić do Adama.

Od mojej rozmowy z Adamem minęły trzy tygodnie. Trzy tygodnie niepewności. Czasem budzę się i myślę sobie: „Dobrze, zaryzykuję. Wejdę w to. Wtedy będę wiedziała, czy namiętność rzeczywiście się pojawi". A innym razem otwieram rano oczy i myślę: „Nie, nie mogę się przespać z Adamem. To byłoby jak kazirodztwo".

Zrobiłam nawet w programie sondę telefoniczną na podobny temat, by spróbować rozwiązać swój dylemat. Uznałam, że potrzebuję dopływu informacji z zewnątrz: opowieści o innych kobietach — kobietach, których nie znam. Muszę wiedzieć, czy namiętność może się narodzić później.

Pomysł na program został zaakceptowany. Zatytułowaliśmy go „Namiętnoholicy", co natychmiast przypadło do gustu Davidowi i Annalise, którzy nigdy wcześniej nie słyszeli tego określenia.

— Czy jesteś „namiętnoholiczką"? — zadała pytanie Annalise, szczerząc przy tym zęby do kamery, jakby była na przeglądzie u dentysty. — Czy rzucasz się z jednego namiętnego związku w następny i zastanawiasz, dlaczego żaden z nich nie jest Tym Właściwym?

— Czy można żyć bez namiętności, a co ważniejsze, czy powinno się bez niej żyć? — dodała.

David spojrzał na nią i spytał z przewrotnym błyskiem w oku:
— A jak to jest z tobą, Annalise? Jesteś „namiętnoholiczką"?
— Och, Davidzie! Ja nigdy nie mówię nie, gdy nadarza się okazja do przeżycia odrobiny niespodziewanej namiętności.

— Tak właśnie sądziłem — odpowiedział, śmiejąc się po cichu i niewątpliwie wywołując tym samym nową falę plotek na temat ich romansu poza obiektywami kamer. Gdybyś się jednak zastanawiała, czy owe plotki są prawdziwe, to informuję, że szanse na to, że David i Annalise sypiają ze sobą, są takie same jak na to, że ja wyjdę za miesiąc za mąż. Naprawdę.

— Jeżeli namiętność to wasz narkotyk, to może udało wam się to uzależnienie pokonać? Opowiedzcie nam o tym. Dzwońcie do naszego programu Breakfast Break. Numer już znacie: 01393939393.

Wkrótce nasze linie były rozgrzane do czerwoności. Telefonowały kobiety, które zakochały się do szaleństwa od pierwszego wejrzenia i dwadzieścia lat później nadal czują się jak w raju.

Niektóre kobiety poślubiły najlepszego przyjaciela i chociaż w ich życiu brakowało namiętności, to i tak dwadzieścia lat później wciąż czują się jak w raju.

Niektórzy, i to zarówno kobiety, jak i mężczyźni, nie czuli namiętności, lecz mimo wszystko weszli w jakiś związek, znaleźli się w pewnej sytuacji, nawet nie zdając sobie z tego sprawy, i stopniowo zaczynali kochać. Stopniowo też rosło w nich pożądanie.

Czy to mi pomogło? Akurat! Naiwnie sądziłam, że zadzwoni jakaś mądra kobieta z zapomnianego przez Boga i ludzi miejsca w hrabstwie Somerset i powie: „Tasha, namiętność może się w człowieku rozwinąć. Daj mu szansę!"

Jednak po programie pewien telefon przykuł moją uwagę, choć jego autorki nawet ze mną nie połączono, bo nie zmieściła się już w czasie. Poszłam do pokoju telefonistów i zaczęłam przeglądać dane odebranych połączeń. Z jakiegoś powodu zainteresowała mnie jedna z tych kobiet. Może chodziło o to, że miała trzydziestkę, mieszkała w Londynie, jej mąż miał na imię Adam? Pomyślałam więc, że ona może znać odpowiedź.

Zadzwoniłam do niej. Wiedziałam, że nie mam żadnego konkretnego powodu, by to robić, ale zatelefonowałam i tak. Żeby przeprosić, że nie weszła na antenę.

— Nie szkodzi — odpowiedziała Jennifer Mason głosem, który natychmiast zdradził ją jako kogoś o pochodzeniu podobnym do mojego. Być może nawet kogoś, z kim wiele mnie łączy.

— Tak naprawdę, to nawet się z tego ucieszyłam. Chciałam opowiedzieć swoją historię, bo pomyślałam, że mogłoby to pomóc komuś, kto sam nie jest pewien; ale kiedy czekałam na linii, uświadomiłam sobie, że przecież Adam nic o tym nie wie. Do dzisiaj nie ma pojęcia, co czułam na początku.

— Wiem, że możesz to uznać za dziwne, ale bardzo chciałabym poznać tę historię. Czy możesz mi powiedzieć, jak to było?

Zaśmiała się i powiedziała:

— Czułam, że tu chodzi o coś więcej. Jasne, że ci powiem. Tylko nikomu o tym nie mów.

Obie wybuchłyśmy śmiechem, po czym Jennifer rozpoczęła swoją opowieść:

— Kiedyś wynajęłam biuro na East Endzie: w jednym z tych budynków, w których można znaleźć pomieszczenia z obsługą. Adam wynajmował biuro pode mną. Wpadłam na niego w kafejce na tej samej ulicy, a on rozpoznał we mnie sąsiadkę. Pogadaliśmy chwilę i to było wszystko. Więcej nawet o nim nie myślałam.

Adam w ogóle nie był w moim typie. Zawsze umawiałam się z przystojnymi, przedsiębiorczymi facetami, a Adam ani trochę ich nie przypominał. Miał wtedy czterdzieści pięć lat, siwe włosy i duży brzuch. Natychmiast o nim zapomniałam.

A on zaczął regularnie wpadać do mnie do biura. Chyba czułam, że mu się podobam, ale nigdy w żaden sposób nie zasugerowałam, że może liczyć na coś więcej niż przyjaźń. Oboje byliśmy sami, więc szybko zostaliśmy przyjaciółmi: spotykaliśmy się w weekendy i chodziliśmy razem coś zjeść po pracy.

Coraz bardziej go lubiłam, choć nadal tylko jako przyjaciela. Adam odgrywał w moim życiu coraz ważniejszą rolę. Pewnego wieczoru zaprosiłam go na kolację, a on powiedział mi, że czuje do mnie coś więcej. Pamiętam, że siedziałam i myślałam sobie: „No cóż, nie jest w moim typie, ale był dla mnie tak cudowny, traktował mnie tak dobrze, więc czemu nie?"

Spaliśmy ze sobą tej nocy. Dla mnie był to koniec długiego okresu celibatu. Pamiętam, jak otworzyłam rano oczy i poczułam się naprawdę dumna z siebie. Nie, żeby w nocy ziemia pode mną zadrżała, ale było mi dobrze. Swojsko.

Od czasu, gdy skonsumowaliśmy nasz związek, moje uczucia do Adama zaczęły się zmieniać. Trochę to potrwało, ale po kilku miesiącach zrozumiałam, że jestem w nim zakochana, choć nie był to ten rodzaj namiętnego szaleństwa, którego doświadczałam wcześniej.

Przedtem żyłam w świecie skrajności. Kiedy dzwonił mężczyzna, z którym byłam właśnie związana, ogarniała mnie euforia, a gdy nie telefonował, to całymi nocami płakałam.

A teraz byłam z Adamem, mężczyzną, z którym było mi naprawdę dobrze, o którym wiedziałam, że mnie ubóstwia, i który nigdy nie przysparzał mi powodów do zmartwień. Żadnych skrajności. Normalne życie. Myślę, że wtedy to zrozumiałam i poczułam... jak to nazwać? Spełnienie. Po raz pierwszy czułam się spełniona.

Jesteśmy małżeństwem od dwóch lat i coś ci powiem: kiedy patrzę na Adama, na tego siwego czterdziestosiedmiolatka z brzuszkiem, to widzę Adonisa. W moich oczach jest najprzystojniejszym, najcudowniejszym facetem pod słońcem, a ja nigdy nie byłam tak szczęśliwa jak teraz.

Sama więc widzisz, że byłam „namiętnoholiczką". Nadal nią jestem, ale moja namiętność narodziła się z miłości, a żaden inny jej rodzaj nie daje człowiekowi większego oparcia.

Przerwała na chwilę i po chwili ciszy pyta taktownie:

— Czy moja historia pomoże ci znaleźć odpowiedź?

— Bardziej niż mogłabyś sądzić. Dziękuję — odpowiadam i z uśmiechem odkładam słuchawkę.

Myślałam o Jennifer Mason przez cały dzień. Nadal o niej myślę. Kiedy więc Mel mówi, że zdaniem Martina powinnam zadzwonić do Adama, stwierdzam, że ma rację.

Jest ósma rano, a ja czuję się jak nastolatka przed swoją pierwszą randką. Mel zostaje dziś u Martina na noc. Jestem tak podenerwowana, że muszę przysiąść i wziąć kilka głębokich oddechów, by uspokoić mrowienie, które czuję w żołądku.

Chryste Panie, ile czasu zabrało mi podjęcie decyzji, co na siebie włożyć! Przymierzyłam całą zawartość szafy: zrzucałam z siebie jedną rzecz i wkładałam następną. W końcu, gdy uznałam, że granatowa koszula z dżerseju i długa, powiewna spódnica z falbankami prezentują się najlepiej, wepchnęłam resztę ubrań pod łóżko, pościeliłam je i wygładziłam tak, by wyglądało nieskazitelnie.

„Co ja, do cholery, wyprawiam?", pomyślałam, upychając rzeczy po kątach, by nie rzucały się w oczy. „Uprzątam na wszelki wypadek sypialnię", szepnął cichy głosik w mojej głowie. Nie bądź śmieszna, nie mam zamiaru wylądować z Adamem w pościeli. Nagle znów zrobiło mi się ze strachu niedobrze.

Jednak przez cały czas, gdy sprzątałam mieszkanie i przygotowywałam grunt pod spotkanie, w mojej głowie pobrzmiewał głos Jennifer Mason. Tylko że tym razem opowiadał on o mnie: o moim Adamie, o mojej przyszłości. „Oto Adam, mężczyzna, z którym jest mi naprawdę dobrze, o którym wiem, że mnie ubóstwia, i który nigdy nie przysporzył mi powodów do zmartwień. Żadnych skrajności. Normalne życie".

Ale czy będę umiała spojrzeć kiedyś na Adama i ujrzeć Adonisa? Cholera, chyba nie powinnam teraz nad tym deliberować. Może naleję sobie jeszcze jedną lampkę wina i poczekam na dzwonek do drzwi.

Kiedy w końcu dzwoni, podchodzę do drzwi bardzo powoli i gdy je otwieram, widzę na progu nie jakiegoś potwora, lecz Adama. Mojego starego, dobrego Adama.

Kto powiedział, że bać powinniśmy się jedynie własnego strachu? „Święta prawda", myślę sobie, stojąc i nie wiedząc, jak powinno wyglądać nasze powitanie. W normalnych warunkach Adam powinien mnie zamknąć w swoim niedźwiedzim uścisku. Ale tym razem jakoś nam obojgu niezręcznie, więc Adam pochyla się i całuje mnie w lewy policzek, a ja jednocześnie staję na palcach, by pocałować go w prawy. W efekcie zderzamy się nosami, bo wyszło na to, że oboje mierzyliśmy prosto w usta. Wybuchamy śmiechem, widząc, jak niezborny był ten nasz nic nieznaczący pocałunek na dzień dobry.

Adam przytula mnie i nagle jego ciało wydaje mi się inne. To już nie po prostu Adam, a mężczyzna. Mężczyzna, z którym mogłabym być. Przesuwam dłonią po jego plecach, by sprawdzić, jakie są, co się kryje pod tą koszulą, jakie jest w dotyku jego ciało.

— Masz ochotę na drinka?

Czuję się idiotycznie. Jak pani domu, która zaprasza kogoś obcego do środka. To intymne poczucie swobody, które zawsze nas łączyło, chyba zniknęło i Adam jest mi w jakiś sposób obcy. Mówiąc mi, że mnie kocha, Adam się zmienił. Oczywiście tylko pozornie, bo jest nadal tym samym Adamem, ale czy ja go kiedykolwiek znałam głębiej? Czy wiedziałam, co czuje albo o czym myśli? Najwyraźniej nie i prawdopodobnie dlatego bez przerwy go obserwuję w poszukiwaniu jakichś znajomych cech.

Nalewam mu lampkę wina i siadamy na ustawionych naprzeciwko siebie kanapach. Podwijam nogi i siadam w pionowej pozycji embrionalnej. W pozycji gwarantującej poczucie bezpieczeństwa.

Rozdział siedemnasty

W wieku szesnastu lat całymi dniami marzyłam o księciu z bajki, który uprowadzi mnie do krainy romantycznych uniesień. Mieliśmy ręka w rękę spacerować wzdłuż białych, piaszczystych plaż, a wokół naszych stóp rozbijałyby się morskie fale. Mieliśmy leżeć wtuleni w siebie w Hyde Parku: on obsypywałby moją twarz pocałunkami, a mijający nas ludzie zazdrościliby nam naszej miłości. Razem też mieliśmy się wybierać po zakup świątecznej choinki i wśród żartów i śmiechów ciągnąć ją po schodach do naszego wspólnego domu.

Żenujące, prawda? Nie muszę ci mówić, że prawdziwe życie tak nie wygląda, że miłość, nawet gdy człowiek ją znajdzie, rzadko kiedy przypomina uczucie, w które każą nam wierzyć w filmach.

A teraz mam Adama i nasza dwójka ani trochę nie spełnia moich nastoletnich oczekiwań. Adam i ja jesteśmy przyjaciółmi. Jesteśmy również kochankami. Adam mnie kocha, a ja Adama nie.

Ale kto wie, co zakochany człowiek powinien czuć? Może jednak jestem zakochana, może opacznie to wszystko rozumiem? A potem przypominam sobie Simona i uczucia, jakie we mnie wywoływał: podniecenie, zrywanie z siebie ubrania; wspominam te dobre i złe chwile. I obawę, że już to straciłam. Że nigdy więcej nie spotka mnie coś takiego.

Stałam się Jennifer Mason, ale nie jestem przekonana, czy to wystarczy.

Chcesz wiedzieć, jaki jest nasz związek? Pozwól, że ci to zaprezentuję na modłę filmową, w stylu romansideł i wyciskaczy łez, w których, by pokazać związek dwojga ludzi, robi się montaż słodkich aż do bólu, sentymentalnych migawek. Może uznasz, że to miłość. Może twoim zdaniem to wystarczy.

MIGAWKA NR 1

Siedzę w pracy. Z pochyloną głową męczę się nad następnym scenariuszem do programu. Nagle ktoś szepcze mi cicho prosto do ucha: „Chciałbym z tobą porozmawiać na temat tego fragmentu o gwałcie popełnianym na randce".

Podnoszę wzrok i widzę Davida. Stoi zbyt blisko, bym mogła czuć się swobodnie. Narusza granice mojej przestrzeni intymnej. Jego klasycznie przystojna twarz wygląda na niemal zniekształconą przez tak niedużą odległość. Odruchowo odjeżdżam krzesłem w bok. Taka bliskość mi nie odpowiada.

— Jasne. Chcesz teraz pogadać?

— Jeśli ci to odpowiada.

Dzwoni telefon. Wstaję, by go odebrać.

— Przepraszam cię na chwilkę, David... Halo? Tu Breakfast Break... Czy mogę do pani oddzwonić za parę minut? Jestem właśnie w trakcie spotkania. Dziękuję. Do usłyszenia.

Obracam się na fotelu w stronę Davida i mówię:

— Przepraszam. W czym problem?

Telefon dzwoni ponownie i David wygląda na mocno poirytowanego.

— Tasha, może byśmy poszli gdzieś, gdzie jest trochę spokojniej, i uciekli od tych telefonów?

Wstaję, biorę notatnik, pióro i scenariusz i ruszamy na dół, do stołówki. Gdy na otwartej przestrzeni biura mijamy innych producentów i osoby odpowiedzialne za przygotowywanie materiałów, ci gapią się na nas nieprzychylnym wzrokiem.

Jest coś dziwnego w tym, że w środku tygodnia prezenter prosi producenta o rozmowę w cztery oczy. Zwykle, gdy chce się komuś wyżalić, to idzie do redaktora lub redaktorki programu, a ten następnie prosi producenta do siebie, do biura, zamyka drzwi i sugeruje wprowadzenie kilku zmian.

Ja o tym wiem i wiedzą o tym inni. Wiem, co sobie myślą: że David wybrał mnie sobie na pupilkę. Mają rację. Idąc wśród nich, nie mogę pozbyć się uczucia wyobcowania. Czuję ich spojrzenia, noże unoszące się w powietrzu za moimi plecami. Bo w telewizji zawsze ktoś próbuje ci podłożyć świnię. Może nie wiesz, ale telewizja nie ma nic wspólnego z szampanem i cekinami. Nie na dłuższą metę.

Nie pamiętam już, ile razy byłam na imprezach, na których ludzie pytali mnie, czym się zajmuję. Kiedy słyszeli te pozornie magiczne słowa: producentka w telewizji, robili wielkie oczy i za każdym razem mówili dokładnie to samo: „Boże, jak niesamowicie!" Ale nie ma w tym niczego niesamowitego, to zwykła praca, a podkładanie świni i wsadzanie noża w plecy to „dodatkowe korzyści", o których nikt głośno nie mówi.

Idąc po biurze z Davidem, kilka kroków za moimi plecami czuję, jak ludzie zbierają się w małe grupki. Niemal słyszę, jak pytają szeptem: „Dokąd oni tak razem idą?", „Czego on od niej chce?"

Siadamy w stołówce przy kawie i David pyta mnie, kim jest dziewczyna, która ma wystąpić w odcinku o gwałcie popełnianym na randce. Martwi się, że wypadnie to jednostronnie, bo wyrok jeszcze nie zapadł, a ja uspokajam go, że nasz gość występuje pod zmienionym imieniem i nazwiskiem, a na dodatek filmujemy ją w zaciemnionym pomieszczeniu, więc widać jedynie zarys jej sylwetki. Ale on o tym wszystkim wie. Wie cholernie dobrze.

— A co u ciebie, Tasha? Jak ci leci?

— Eee... świetnie.

Co on, do cholery, wygaduje?!

— A jak twoje życie osobiste?

Wybucham śmiechem.

— Moje życie osobiste? O co ci, do licha, chodzi, Davidzie? Skąd to zainteresowanie moim życiem osobistym?

Nawet się nie zarumienił.

— Daj spokój, Tasha. Słyniesz ze swoich facetów. W kółko słyszymy o twoich przygodach.

— Niby, do diabła, od kogo?

— Od wszystkich. Jesteś obiektem zazdrości połowy pracujących tu kobiet. Wygląda na to, że uganiają się za tobą wszyscy faceci.

Tym razem to ja się rumienię.

— Davidzie, to jakaś kompletna bzdura. Tak czy inaczej, może w przeszłości nieco szalałam, ale teraz się ustatkowałam. Właściwie jestem mężatką.

Twarz mu nieznacznie blednie.

— Ty? Sądziłem, że jesteś wzorcową singelką?

— Nawet wzorcowa singelka ma prawo, od czasu do czasu, wyjść poza wzorzec.

Śmieje się, ale brnie dalej.

— Naprawdę zamierzasz wyjść za mąż?

Wzruszam ramionami. Wiem, że odpowiedź brzmi „nie", a przynajmniej nie za Adama, ale David chyba nie musi o tym wiedzieć.

— Zobaczymy.

— Sądzisz, że umiałabyś dochować wierności?

— A czemu nie, Davidzie? Jestem kobietą, której dobrze z jednym mężczyzną.

— Jednym w danym momencie?

— To ty powiedziałeś, nie ja.

A więc ze mną flirtuje. Co z tego? Tu i teraz nawet mi to odpowiada. Chryste, całe wieki już nikt ze mną nie flirtował i zapomniałam, naprawdę zapomniałam, jak potrafię działać na mężczyzn.

Nie twierdzę, że Adam jest zaborczy. Kiedy w końcu idziemy na jakąś imprezę, on nie ma nic przeciwko temu, żebym gdzieś na chwilę zniknęła i mogłabym flirtować do woli. Ale szczerze mówiąc, nie spotkałam zbyt wielu facetów, z którymi chciałabym flirtować. Jednak to mi się podoba. Zerkam na Davida zalotnie spod rzęs i pytam:

— A ty potrafisz dochować wierności, Davidzie?

Patrzy na mnie przez kilka sekund, po czym odpowiada powoli:

— A jak sądzisz?

— Sądzę, że masz romanse.

De facto, wiem o tym na pewno. Suzy, nasza dawna wizażystka, dostała wypowiedzenie, bo popełniła błąd i zakochała się w nim, kiedy ze sobą romansowali.

Zaczęła wydzwaniać do niego do domu i rzucać słuchawkę, gdy odbierała żona; wkładała mu do kieszeni liściki w nadziei, że małżonka na nie natrafi; zostawiała mu na garniturach ślady pomadki. „Celowo niechcący".

David myślał, że nikt o tym nie wie, ale wiedzieli wszyscy, wszyscy znaliśmy tę historię. Suzy przesiadywała w stołówce, roniąc gorzkie łzy i zwierzając się ze swego cierpienia każdemu, kto tylko zechciał jej wysłuchać (co oznaczało wszystkich po kolei, bo przez kilka miesięcy żyliśmy plotkami na ich temat). A kiedy w końcu David nie mógł już tego dłużej znieść, poproszono Suzy do gabinetu reżysera i „pozwolono odejść".

— O? A z jakim to niby typem kobiet miewam owe przygody?

— Nie wiem, Davidzie. Może ty mi powiesz?

— A może opowiem ci o tym przy drinku dziś wieczorem? Jak dla mnie wystarczy. Ta zabawa nabrała poważnych tonów i nie mam ochoty tego ciągnąć.

— Przepraszam cię, Davidzie, dzisiaj wieczorem nie mogę. Może innym razem?

— Innym razem — potakuje i choć jego ego cierpi z powodu odrzucenia, to i tak ma nadzieję na przyszłość.

Zostawiam Davida w stołówce nad filiżanką kawy i wracam na górę. Nagle obok mnie pojawia się Jim, producent poniedziałkowego programu i, drobiąc obok, szepcze wyniosłym tonem:

— Co za uroczy obrazek, Tasha. Ludzie mogą zacząć gadać...

— Na miłość boską, Jim. Facet chciał omówić jedną rzecz w ramach programu.

— Aha! Ależ jestem mało domyślny! — mówi i daje sobie dłonią klapsa w luźno zwisający nadgarstek drugiej ręki. — A ja myślałem, że chciał omówić zupełnie inne rzeczy.

— Nie bądź śmieszny.

— No cóż, kochanie, znasz to powiedzenie: „Jeśli masz co pokazać, to pokaż" — odpowiada, mierząc mnie przy tym wzrokiem z góry na dół. — Choć w twoim przypadku nie jestem całkiem pewien, o jakie „co" chodzi.

Tu Jim wzdycha w teatralny sposób i drobi nóżkami z powrotem w stronę swojego biurka. Wywracam oczami i sięgam po słuchawkę.

— Cześć, Robaczku.

Oto najnowsze czułe przezwisko, jakie wymyślił dla mnie Adam. Chyba nie muszę dodawać, że ja dla niego żadnego nie mam. To zbyt intymne, za bardzo pachniałoby... byciem parą.

— Ad, nie uwierzysz, co się właśnie stało.

— Zrobili cię redaktorką programu?

— Nie-e.

— Ktoś postrzelił Annalise, i to ciebie poproszono, żebyś ją zastąpiła na czas jej pobytu w szpitalu?

— Nie, znów nie zgadłeś.

— Dobra, nie mam pojęcia. Co się właśnie stało?

— David do mnie startował.

— Nie! Ten arogancki dupek? Co powiedział?

Za to właśnie kocham Adama. Za to, że jest jak moje kumpele, że w każdej chwili w ciągu dnia mogę do niego zadzwonić i opowiedzieć o śmiesznych i żałosnych zarazem rzeczach, które spotykają mnie w pracy. Adam zawsze ma ochotę ze mną porozmawiać, wysłuchać ploteczek, podzielić moje kompletne zaskoczenie.

Mówię mu więc, a on stwierdza:

— No cóż, nie mogę mieć do niego pretensji. Ja nie potrafiłbym pracować z tobą w jednym biurze i nie zrobić do ciebie chociaż raz podejścia.

— Jasne, tylko tak gadasz.

— Dlaczego miałbym tylko tak gadać?

— Bo mnie kochasz, osiołku.

— Naprawdę?

— Naprawdę.

— Masz zamiar przyjąć jego ofertę? — Adam bezbłędnie wchodzi w rolę kumpeli.

— Hmm — śmieję się i najbardziej niepewnym głosem, jakim potrafię, pytam: — Nie wiem sama. Uważasz, że powinnam?

— No cóż, pamiętasz tę wizażystkę, Suzy? Jak coś pójdzie nie tak, to cię wyrzucą na zbity pysk.

— Ale jeśli chodzi mi tylko o seks?

— Jeżeli wrócisz do domu dzisiaj koło ósmej, to mogę ci załatwić powalająco przystojnego, męskiego, zbudowanego faceta, który będzie na ciebie czekał odziany jedynie w bokserki i ręczniczek kuchenny.

— Ręczniczek kuchenny? — Wybucham głośnym śmiechem.

— Przecież będzie musiał przygotować dla ciebie coś wyśmienitego.

— A co by to miało być?

— Na początek mógłby podać sałatę z grillowanym kozim serem, po czym steki z łososia i masło ze szczypiorkiem oraz kilka młodych ziemniaczków i świeży zielony groszek w łupinkach.

— A co na deser?

— Na deser jest on.

— Cholera! — śmieję się. — Wiedziałam, że coś takiego jak lunch za darmo nie istnieje. A tak przy okazji: skąd on wziął te mięśnie?

MIGAWKA NR 2

Jest niedziela rano, a ja muszę znaleźć jakiś prezent urodzinowy dla Emmy. Emma to wyjątkowo ciężki przypadek: co kupić kobiecie, która ma wszystko? Kupuje się najtańszą możliwą rzecz do dostania w sklepie o znanej marce.

Breloczek, nawet jeśli byłyby to Tiffany'ego czy Louis Vuitton, byłby zbyt oczywisty. Adam proponuje więc, żebyśmy skoczyli do sklepu Conran w mieście.

Tuż przed naszym wyjściem dzwoni Andy.

— Poznałam wczoraj absolutnie niesamowitego faceta — zaczyna, a następnie serwuje mi opowieść, którą słyszałam już chyba milion razy wcześniej.

Kiedy jej słucham, myślę nagle: „Dzięki ci, Boże, że mnie to już nie dotyczy. Dzięki ci, że już nie muszę tego robić: nie muszę siedzieć całymi dniami i nocami przy telefonie, czekając, aż zadzwoni. Nie muszę się martwić, że ktoś się do mnie zniechęci po pierwszej wspólnie spędzonej nocy, bo nie spodobało mu się moje ciało".

Ale jeśli mam być z tobą zupełnie szczera, to jakaś część mnie jej zazdrości. Jakiejś maleńkiej części mnie tego brakuje. Nie na tyle, bym musiała się tym przejmować, ale, niemniej, gdzieś to we mnie tkwi.

Siedzę więc i słucham Andy, i nawet nie próbuję udzielać jej porad, bo i tak nigdy nie bierze ich sobie do serca. A kiedy oświadcza: „Co mi tam! Zadzwonię do niego!", odkładam słuchawkę i wychodzę w towarzystwie Adama z domu.

Wsiadamy do saaba. Przekręcam w swoją stronę lusterko, by sprawdzić fryzurę.

— Wyglądasz rewelacyjnie —' mówi. — Przestań się nimi bawić.

— Dla ciebie zawsze wyglądam rewelacyjnie — jęczę. — Przestałam ci wierzyć. Jesteś jak ci, co podnoszą wielkie larum bez

174

żadnego powodu. Kiedy naprawdę będę wyglądała rewelacyjnie, to już ci nie uwierzę, bo ciągle to mówisz.

— To dlatego, że ciągle tak myślę.

— Nawet od razu po wstaniu z łóżka? — moje ego domaga się połechtania.

— Przede wszystkim wtedy.

Najśmieszniejsze w tym wszystkim jest to, że to prawda. We wszystkich moich dotychczasowych związkach przez cały czas starałam się wyglądać nienagannie. Wyglądałam świetnie, nawet tuż po przebudzeniu, bo zakradałam się cichaczem do łazienki, myłam zęby i rozsmarowywałam na twarzy trochę kremu koloryzującego.

Nigdy nie czułam się na tyle swobodnie, by wystąpić przed kimś całkowicie au naturel. Nigdy nie czułam się na tyle pewnie, żeby pomyśleć, że trzyma ich przy mnie coś więcej niż tylko mój wygląd.

Ale przecież często tak bywa. Kiedy związek tworzy się szybko, to pociąg opiera się na stronie fizycznej. Idziesz z facetem do łóżka po paru randkach i martwisz się, co on sobie następnego dnia pomyśli.

Otwierasz rano oczy i modlisz się, by uznał, że jesteś w jego typie. Że obok pociągu fizycznego będzie też miejsce na pociąg psychiczny. Kiedy cię spotka coś takiego, to jesteś prawdziwą szczęściarą, bo zwykle nawet nie lubisz osoby, z którą sypiasz, a ona nie przepada za tobą.

Ale zanim poszliśmy ze sobą do łóżka, Adam znał mnie tak dobrze, że nigdy nie musiałam się martwić, że zniknie. Nigdy nie przejmowałam się tym, że mógłby nagle stwierdzić, że mu nie odpowiadam, bo jego zdaniem moje piękno pochodzi z wnętrza.

Zabawne, ale ja czuję się piękniejsza. Zaczęłam nawet używać mniej kosmetyków do twarzy, bo uznałam, że nie muszę już nikomu niczego udowadniać. Jestem kobietą, którą ktoś kocha, ale co ja czuję? Czy to poczucie bezpieczeństwa? Czy to miłość? Czy to namiętność? Co to jest twoim zdaniem?

Parkujemy przed Conranem i buszujemy po sklepie, podziwiając meble i wyrażając nasze oburzenie z powodu wyśrubowanych cen. Wybieramy gadżety, które naszym zdaniem wyglądają zachęcająco i wspólnie się zastanawiamy, do czego moglibyśmy je wykorzystać.

Postanawiamy sami skomponować kosz z jedzeniem, jako że Emma ma słabość do dobrego jedzenia, a nigdzie nie robi się takich zakupów i tak dobrze jak w markowych sklepach. Ja trzymam wiklinowy kosz, a Adam wędruje po dziale spożywczym i wybiera po kolei słoiczki sosu czekoladowo-truflowego, smakowitych oliwek faszerowanych anchois, oliwy z oliwek, w której pływają papryczki chilli i zwykłe papryki.

Wypełniamy kosz po brzegi, oboje zachwyceni naszym oryginalnym prezentem. Później idziemy do knajpki po drugiej stronie ulicy na śniadanie.

Kelner prowadzi nas do stolika, a Adam zamiast usiąść naprzeciwko mnie, podchodzi i siada obok. Teraz oboje siedzimy plecami do ściany.

— Tam jest od ciebie za daleko — narzeka i szybko całuje mnie w usta.

Zamawiam kawę, sok pomarańczowy, jajecznicę i wędzonego łososia. Adam bierze kawę, sok pomarańczowy, sadzone jajka, bekon i tost.

Rozkładamy się na stole z naszą kupioną po drodze niedzielną prasą. Od czasu do czasu Adam trąca mnie łokciem, bym posłuchała, o czym właśnie przeczytał w brukowcu.

— Nie miałem pojęcia, że on ma romans. Boże, aż nie mogę uwierzyć, że jeszcze mu staje — mówi zaskoczony faktem, że jakiegoś starzejącego się polityka przyłapano na spędzeniu gorącej nocy z jakąś młodą dziewczyną.

A potem Adam czyta mi artykuł o czasopiśmie Simona, o tym, że zwiększył nakład, i o gorących tematach, które udaje im się wyłapać. Simon. Osoba, o której nie myślałam już od dawna.

— Rozmawiałeś z nim ostatnio? — pytam, ciekawa, jak Simon zareagowałby na wieść o nas i czy w ogóle wie, że jesteśmy razem.

— Przelotem — odpowiada Adam. — Powiedziałem mu o nas, bo chciałem, żeby dowiedział się o tym ode mnie.

— Nie przeszkadza mu to?

Boże, niech mu przeszkadza, proszę, niech będzie zazdrosny, niech go to zaboli. Nie chodzi o to, że nadal mi na nim zależy, ale to byłaby okazja do małej, słodkiej zemsty.

— Chyba nie. Zaproponował nawet, żebyśmy zapomnieli o przeszłości i wpadli do niego na drinka. Jego zdaniem już pora, byśmy wszyscy zostali przyjaciółmi.

— Kompletnie mu odpierdoliło?! — Jestem oburzona do żywego.

— To samo mu powiedziałem.

— Myślisz, że mówił poważnie? — Ciężko mi w to uwierzyć.

— Obawiam się, że tak. Mówiłem mu, że ty raczej nie będziesz zachwycona, a on na to, że szkoda, że nie możemy w końcu o pewnych rzeczach zapomnieć.

— Co za dupek!

Na chwilę zapada cisza, przerywana jedynie naszymi luźnymi komentarzami na temat historii, które czytamy. Kiedy kończę, podnoszę wzrok i widzę, jak Adam przygląda mi się z uśmiechem. Otacza mnie swoim wielkim ramieniem i przytula do piersi.

— Mówiłem ci już, jak bardzo cię kocham?

— Tak. Mówisz mi to, cholera, bez przerwy — zawodzę, ale jednocześnie pławię się, i to jak bardzo, w tej miłości.

— No dobrze — mówi, zabierając ramię. — Po prostu nie pamiętałem.

Podnosi do ust kawałek tosta, wgryza się w niego, a ja wybucham śmiechem.

Przy stoliku w rogu siedzą cztery dziewczyny. Jedna z nich znajduje się naprzeciwko nas i przypadkiem łapię jej spojrzenie. Dziewczyna posyła mi krzywy uśmiech, który natychmiast rozpoznaję. Widzę w nim uśmiech, jakim sama raczyłam kochaną przez kogoś kobietę, z którą na chwilę skrzyżowałyśmy spojrzenia.

Uśmiech mówiący: „Gratulacje!" Uśmiech mówiący: „Chcę być taka jak ty. Chcę twojego związku". Odwzajemniam go, pochylam się i całuję Adama mocno w policzek. Mierzwię mu ręką włosy, a on spogląda na mnie z niedowierzaniem, bo tak rzadko sama wykonuję czułe gesty.

— Uważam, że jesteś cudowny — mówię i jeszcze raz cmokam go mocno w policzek.

Adam wyszczerza zęby z radości i wraca do czytania gazety.

MIGAWKA NR 3

Czy wspominałam już, że Mel mieszka teraz u Martina? Tak jest i układa im się wspaniale. Martin traktuje Mel jak królową.

Na szczęście Mel nie zmieniła się, czego tak bardzo się obawiałam. Nikogo nie porzuciła i nie spotyka się ze mną jedynie w ciągu dnia. Pierwsza fala tej miłości ścięła ją nieco z nóg, ale teraz już trochę osiadła w porządnym, solidnym związku. Związku, który spełnia wszystkie jej oczekiwania. Związku, w którym oboje się kochają. Adam i ja, Emma i Richard przyszliśmy do nich na kolację. Trzy pary. Siedzimy w salonie, a ja rozglądam się po wnętrzu (jestem tu po raz pierwszy) i patrzę na Martina i Mel.

„Ona go kocha", myślę. „Jest w nim zakochana", myślę. „On rozbudza w niej namiętność", myślę. Wiem o tym, bo Mel sama mi o tym mówi. Nigdy nie mają siebie dość, a jej zdaniem Martin to najprzystojniejszy facet pod słońcem. Znalazła swoją drugą połówkę.

Potem patrzę na Emmę i Richarda, na sposób, w jaki ona zawsze dba, by jakaś część jej ciała dotykała jego (dłoń z francuskim manikiurem spoczywająca na jego nodze, ramię od niechcenia zarzucone wokół jego ramion) i zastanawiam się, dlaczego ja nie robię tego samego.

Spoglądam na Adama i myślę: „Jesteś Adam. Czuję się przy tobie bezpiecznie, mogę na tobie polegać, jesteś cudowny w łóżku i cudowny wobec mnie. Czego tu tak naprawdę brakuje? Dlaczego nie potrafię cieszyć się tym poczuciem spokoju i bezpieczeństwa? Dlaczego nie umiem, jak powiedziała Jennifer Mason, „czuć zadowolenia"? Może czuję? Może to uczucie jest mi tak obce, że nawet go nie rozpoznaję? Może to ty jesteś moją połówką? Może ja jestem twoją?

Na czas posiłku przechodzimy do kuchni. Sosna, sosna, sosna. Wszędzie, gdzie spojrzę, sosna. Sosnowe drzwi szafek kuchennych, gruba sosnowa podłoga oraz stary, wiktoriański sosnowy stół o niemalowanym blacie.

Półeczka na przyprawy, drewniane kołeczki z zawieszonym na nich całym szeregiem garnków i patelni. Czystych, ale często używanych. Oto kuchnia, w której dobrze się gotuje. Kuchnia pachnąca domem.

Martin, ku powszechnemu zdziwieniu, okazał się wegetarianinem. Nasza czwórka: Emma, Richard, Adam i ja, omówiła tę kwestię po drodze w samochodzie.

— Ale ja padam z głodu — mówię. — Co, jeśli podadzą tylko brązowy ryż i soczewicę?

— Jak podadzą, to jadąc do domu, kupimy trochę chińszczyzny lub czegoś w tym rodzaju — odpowiada Adam.

— Wegetarianizm jest, de facto, bardzo zdrowy — stwierdza Emma.

— Nie, jeśli musisz żyć na makaronie, jajkach, serze i chlebie — wtrąca Richard.

— Pewnie masz rację — zgadza się z nim Emma. — Ale brązowy ryż i warzywa to fantastyczna dieta. Naprawdę przepłukują układ.

— Emma! Błagam, czy musimy o tym mówić?

— Wybacz, kochanie. — Rumieni się, a my z Adamem wymieniamy krótkie spojrzenia. Emma znów odgrywa rolę posłusznej kobiety i, nie chcąc urazić Richarda, pozwala mu przejąć kontrolę.

— O Boże, chińszczyzna! — jęczę. — Chryste, właśnie rozbudziłeś we mnie potężne chińskie łaknienie.

Adam chichocze.

— Żeberka z grilla... — mówi rozmarzonym głosem, wiedząc, że to moje ulubione danie.

— Chrupkie wodorosty.

— Smażona na głębokim oleju chrupka wołowinka. — Teraz kolej na Richarda.

— Makaron z pieczoną wieprzowiną — dorzucam swoje, a mój żołądek burczy złowrogo. — Czy naprawdę musimy tam iść? Ja chcę chińszczyznę! — odzywam się cieniutkim głosikiem małej dziewczynki.

— Tak, musimy, ale jeśli będziesz grzeczna, to potem pójdziemy coś zjeść do Chińczyka.

— Ty chyba nie mówisz poważnie? — pyta Emma.

— A czemuż by nie? — Adam patrzy na nią we wstecznym lusterku.

— Chyba nie zjadłabyś dwóch posiłków!

— Moja kobieta ma olbrzymi apetyt.

— Ja nie miałbym nic przeciwko temu, żebyś nabrała trochę ciałka. Teraz wyglądasz troszkę chudo — mówi Richard i łapie palcami milimetr skóry na udzie Emmy, kompletnie nieświadomy tego, że jej życie (z wyjątkiem sobotniego lunchu) to jedna, niekończąca się dieta, która ma sprawić, że w oczach Richarda będzie wyglądała tak pięknie, jak to tylko możliwe. Emma panicznie się boi, że on zostawi ją dla kogoś młodszego, ładniejszego lub szczuplejszego.

Kolacja jest przepyszna. Strudel serowy, ser z plamkami szczypiorku wypływający z pulchnego ciasta, podany w gęstym sosie pomidorowym, do tego kilka sałat do wyboru, a na deser tiramisu domowej roboty. Jestem najedzona, a Adam bez przerwy spogląda na mnie z wielkim uśmiechem przez stół, bo biorę kolejne dokładki. Obżeram się. Kawałeczek tego, odrobina tamtego. Emma nakłada sobie maleńkie porcyjki wszystkiego po kolei, a potem i tak połowę zostawia na talerzu. Richard opycha się tak samo jak ja, najwyraźniej szczęśliwy, że trafił na innego prosiaka przy stole.

Po kolacji Mel porywa Emmę i mnie, by pokazać obraz, który właśnie kupiła.

— Wspaniale razem wyglądacie — mówi do mnie. — Kto by pomyślał?

— I kto to mówi? To ty i Martin jesteście fantastyczną parą.

— Tak — zgadza się Emma. — Jesteście.

Widzę jednak, że zastanawia się, dlaczego nie mówimy tego o niej. Co jest nie tak z nią i Richardem? Dodaję więc szybko:

— A ty, Emma? Wszyscy wam obojgu zazdrościmy. Boże, latami marzyłam o tym, by spotkać kogoś takiego jak Richard, kogoś, kto traktowałby mnie tak, jak on traktuje ciebie.

Emma rozpromienia się na twarzy.

— Naprawdę? — pyta z niedowierzaniem.

— Naprawdę. A teraz Mel też to spotkało, prawda, Mel?

Mel uśmiecha się radośnie.

— Dzięki temu nawet przechodzenie przez całe to bagno z Danielem wydaje się sensowne.

— W jaki sposób?

— Gdyby nie Daniel, nie byłabym w tym związku. Bardzo długo zajęło mi dojście do tego, że właśnie z powodu okropnego sposobu, w jaki Daniel mnie traktował, uświadomiłam sobie, czego szukam, mimo że tak naprawdę wcale nie szukałam. Wiedziałam tylko, że nie zadowolę się byle czym. Martin mnie ubóstwia, uważa, że wszystko, co robię, jest wspaniałe i na to właśnie teraz zasługuję. Wszystkie na to zasługujemy. A wy?

— Patrzy na Emmę. — Ty masz Richarda i jesteście najbardziej zgraną parą, jaką znam. A ty — tu spogląda na mnie — masz

Adama, który oszalał na twoim punkcie do tego stopnia, że zachowuje się jak opętany.

— Wiem — mówię, wzdychając. — Powinnam być najszczęśliwszą kobietą pod słońcem, ale nadal czuję, że czegoś tu brak.

— Chyba nie znowu tej namiętności? — Emma patrzy na mnie z zaciekawieniem.

— Nie do końca. Seks jest niewiarygodny. Słowo daję, nigdy nie przypuszczałam, że Adam może być takim dobrym kochankiem. Jest coś, czego nie umiem określić. Sama nie wiem... — dodaję i potrząsam głową.

— Tash — mówi Mel cicho, kładąc mi rękę na ramieniu.

— Miłość może wyglądać różnie. Miłość doskonała nie istnieje, a o tym, co łączy cię z Adamem, marzy większość kobiet. Powinnaś się obudzić i dostrzec, jak wyjątkowe jest to, co cię spotkało.

Potakuję, ale się nie odzywam. Wiem, że ona ma rację, nie wiem tylko, jak się obudzić.

Po drodze do domu we czwórkę analizujemy związek Mel i Martina, gdy Adam nagle z piskiem opon zatrzymuje samochód przed ciągiem sklepów.

Richard pochyla się i pyta:

— Czemu się zatrzymujesz?

— Wyskoczę tylko po jakąś chińszczyznę dla Tashy.

— Ale ona już tyle zjadła — mówi Emma i natychmiast zamyka sobie usta ręką. — Przepraszam, nie o to mi chodziło...

— Jestem obżarta. — Śmieję się, kładąc ręce na brzuchu, po czym, niby za karę, uderzam Adama w ramię.

Podrzucamy Emmę i Richarda i sami jedziemy do domu, by się położyć.

Tego wieczoru żadnego seksu, tylko kilka rozdziałów kupionej przeze mnie niedawno książki i spać.

Kiedy powolutku odpływam, Adam bierze mnie za rękę pod kołdrą i delikatnie ją ściska.

Teraz wiesz, o co chodzi?

Rozdział osiemnasty

Chryste, jak ja nie cierpię wieczorów panieńskich! Stado bab, wszystkie pijane w sztok, zachowują się jak banda facetów i nie wiedzą, gdzie jest granica.

Jilly pracuje dla mnie, wyszukując oraz sprawdzając dane do programów, i to ona wychodzi za mąż. Tak jest: ten dwudziestodwuletni dzieciak wychodzi za mąż, podczas gdy ja, wysmakowana trzydziestoletnia kobieta, nadal leżę odłogiem. Choć nie obrastam już kurzem tak bardzo jak wtedy, gdy spotkałyśmy się po raz pierwszy.

Siedzimy więc w tej zapomnianej przez Boga i ludzi knajpie na West Endzie: paskudnym, podejrzanym i tandetnym nocnym klubie, do którego Jilly zdołała zdobyć wejściówki dla VIP-ów, dzięki czemu przypadły nam miejsca w pustej loży dla grubych ryb, skąd mamy widok na parkiet.

Połowa obecnych to koledzy i koleżanki z pracy (głównie wykonujący tę samą robotę, co ona), a pozostali to jej starzy znajomi. Na pewno są przeuroczy, ale w tej chwili wyglądają na solidnie zużytych, a ja nie jestem pewna, czy dotrwam do końca.

Powinnam pić. W czasie obiadu powinnam była spożyć, tak jak inni, większą część zawartości butelki wina. Powinnam była trzymać butelkę, tak jak inni, i lizać jej brzeg, wsadzić ją sobie głęboko do gardła i poruszać nią w górę i w dół, udawać, że robię minetę.

Powinnam była, tak jak inni, upić się powoli do tego stopnia, że nawet kelnerzy rzucali w stronę naszego stolika nerwowe spojrzenia i odmawiali podejścia do niego. Chyba że było to absolutnie konieczne. A kiedy już podeszli, delikatnie usuwali kobiece dłonie ze swoich kroczy i pośladków.

Powinnam była piszczeć ze śmiechu na widok stroju, w jaki dziewczyny kazały się Jilly przebrać, kiedy wychodziłyśmy z restauracji, by udać się do nocnego klubu. Była to sukienka zrobiona z czarnego worka na śmieci, obszytego zdjęciami zwisających swobodnie kutasków, wyciętymi z czasopisma erotycznego oraz kapelusz cały w prezerwatywach. W ręce trzymała wielki wibrator: olbrzymiego, czarnego penisa, którego używała jako magicznej różdżki.

Powinnam była się śmiać, ale tego nie zrobiłam. Chciałam wracać do domu.

— Abrakadabra! — mamla w pijackim stylu Jilly, stając przed bramkarzami, ulokowanymi złowieszczo przed klubem. — Abrakadabra!

Macha na nich wibratorem, a reszta dziewczyn ryczy ze śmiechu na widok jej wygłupów. Bramkarze uśmiechają się blado, a kiedy pokazujemy nasze wejściówki dla VIP-ów, robią krok w bok i pozwalają nam wejść.

— Panieńskie — mówię zmęczonym tonem, kiedy przemaszerowujemy obok. Jestem jedyną trzeźwą osobą w tym towarzystwie.

— W życiu bym na to nie wpadł — odpowiada napakowany, czarnoskóry bramkarz z uśmiechem zrozumienia na twarzy.

Wchodzimy, a raczej wtaczamy się, po schodach na górę.

Patrzę na ludzi w środku i nie mogę uwierzyć, że jestem w centrum Londynu. Kto to ma być? Skąd oni są? W życiu czegoś takiego nie widziałam i czuję się staro. Muzyka jest ogłuszająca. Wokół parkietu stoją grupki facetów, a raczej chłopców o dziecinnych twarzach, którzy próbują coś wyrwać. Nie rozmawiają, tylko patrzą i szukają kobiety, z którą mogliby dzisiaj wrócić do domu.

Parę odważniejszych osób podryguje na parkiecie z kolorowych szklanych kwadratów, które co kilka sekund rozbłyskują światłem. Kobiety w obszytych cekinami króciutkich sukienkach, krótkich topach, obcisłych krótkich spodenkach; hektary opalonych samoopalaczem nóg i czarne sandały na koturnach.

Czuję się bardzo staro. Chłopcy, bo to są chłopcy, stoją dookoła i piją piwo prosto z butelek, a Jilly wciąga swoje koleżanki na parkiet przy ironicznych okrzykach zachęty ze strony patrzących.

Chciałabym być w domu, z Adamem.

Niechętnie dołączam do tłumu tańczących i stoję bezsensownie, podskakując do taktu jakiegoś najnowszego przeboju. Powinnam wyglądać jak ktoś, kto się dobrze bawi. Powinnam włożyć w to trochę wysiłku.

— W porządku? — wrzeszczy Jilly, która wykonuje obrót, by stanąć ze mną twarzą w twarz. — Rozluźnij się, Tash. Strzel sobie drinka.

Podaje mi butelkę szampana, a ja udaję, że biorę łyk, ale tak naprawdę do moich ust spływa zaledwie kilka kropel. Oddaję butelkę Jilly, a ta rusza w piruetach dalej, prosto w ramiona jakiegoś chłopca — chłopca, który ma się za młodego Casanovę i który przyciąga przyszłą pannę młodą blisko do siebie i natychmiast kładzie ręce na jej pośladkach, przez cały czas patrząc przez jej ramię na swoich kolesi i puszczając do nich oczka.

Wiją się razem: on nadal ściska rękoma jej tyłek, przyciskając swoje krocze do jej, a ona go odpycha, by pociągnąć jeszcze trochę szampana z butelki. Chłopiec jednak nie daje za wygraną. Myśli, że Jilly jest do wzięcia i po paru sekundach znów ją obejmuje, przyjmując tę samą pozycję co wcześniej.

Idę do baru, zauważam pustą sofę na boku i opadam na nią. Siadam, podpierając podbródek ręką, i prawie płaczę z nudów.

— Chcesz zatańczyć, złotko?

Obok mnie stoi wysoki, wyżelowany typ w stylu italo.

— Nie, dzięki.

— Mogę się dosiąść?

Wciska się w sofkę obok mnie i przedstawia jako Maurizio, dwudziestopięcioletni kelner, Włoch, ale urodzony tutaj. Z dodatkowych informacji: jeździ ferrari. A przynajmniej tak mówi. Tyle na dzień dobry.

— Przykro mi, Maurizio, ale jestem mężatką — mówię, wstając.

— Ale powodzenia. Mam nadzieję, że znajdziesz to, czego szukasz.

Nie czekam, żeby zobaczyć wyraz jego twarzy. Wtapiam się w tłum i próbuję odszukać Jilly.

Chciałabym być w domu, z Adamem.

Wtedy Jilly rzuca się na mnie ze śmiechem i ciągnie mnie przed malutką scenę, której wcześniej nie zauważyłam, by obe-

184

jrzeć kabaret. Patrzę dookoła siebie i widzę, że wszystkie twarze w pierwszych rzędach należą do kobiet. Oczy im rozbłyskują, gdy rozlega się muzyka i na scenę wchodzi strażak.

O kurwa, wiedziałam! Wiedziałam, że tak będzie! Co to za panieński bez striptizera?

— Która z was, ślicznotki, to Jilly?

Nasza grupka wrzeszczy i pokazuje palcami na Jilly, szczerząc przy tym zęby do strażaka (który, trzeba to przyznać, jest bardzo do rzeczy).

Strażak wciąga przyszłą mężatkę na scenę i z głośników płyną dźwięki muzyki. Ani na chwilę nie spuszczając z niej wzroku, rozpina kurtkę i pozwala jej swobodnie opaść na podłogę, kręcąc biodrami do taktu. Gdyby nie wyglądał na takiego palanta, byłby nawet przystojny, ale sposób, w jaki tańczy, jest bardziej niż w stylu lat osiemdziesiątych. Gdybym nie wiedziała, powiedziałabym, że przyszedł tu prosto z koncertu The Village People.

Koszula ląduje na podłodze, a wtedy Jilly musi mu odpiąć rozporek. Wzdycham znudzona. Wiem, co teraz będzie. No i oczywiście: strażak kładzie jej dłonie na głowie, przyciska jej twarz do swojego odzianego w stringi krocza i kręcąc biodrami, wbija je w jej twarz.

Kiedy pozwala jej złapać trochę powietrza, Jilly szczerzy zęby w uśmiechu. Jest zachwycona. Rozważna, dobrze zorganizowana Jilly uwaliła się jak chłop na weselu i cieszy ją każda sekunda bycia w centrum zainteresowania.

Mam mówić dalej? No dobrze... Owszem, na scenie pojawia się buteleczka oliwki dla dzieci i owszem, Jilly wsuwa mu ręce pod skąpe slipki, by ją wetrzeć, gdzie trzeba (wtarłszy ją najpierw, oczywiście, w jego muskularną pierś). Owszem, slipeczki zostają w pewnym momencie zrzucone i nie — nie jesteśmy zawiedzione.

To by było na tyle. Zadowolona? Kiedy ten kabaret dobiega końca, mam już zdecydowanie dość tej imprezy. To nie moja bajka i jedyne, o czym marzę, to wrócić do domu, zrzucić te cholerne wysokie obcasy i położyć się do łóżka obok Adama.

Adam pewnie już mocno śpi. Jest pierwsza. Siedząc w lawirującej po ulicach Londynu taksówce, wyobrażam go sobie, jak leży w łóżeczku, ciepły i senny, i nie mogę się doczekać powrotu do domu i momentu, gdy będę mogła spocząć obok.

Idę na paluszkach do sypialni, i o ile mnie oczy nie mylą, Adama wcale tam nie ma. To gdzie on, do cholery, jest? Czuję ukłucie niepokoju. Głosik w mojej głowie szepcze, że może poszedł sobie na dobre, ale przecież to śmieszne. To głos dawnej, pozbawionej pewności siebie Tashy. Dawnej, pozbawionej rezonu Tashy, przekonanej, że każdy facet ją zostawi. To nie ta sama Tasha, która wygrzewa się w cieple swojego nowego związku.

Jednak wszystko wyjaśnia czerwona lampka migająca na mojej automatycznej sekretarce.

„Cześć, Robaczku. Nie zostanę dziś na noc, bo nie chcę, żebyś mnie obudziła, gdy wtoczysz się w końcu do domu i zwymiotujesz na kołdrę. Wróciłem do siebie. Tak jest, do swojego mieszkania. Prawie już zapomniałem, że w ogóle mam własne mieszkanie. Zobaczymy się jutro. Wypij dużo wody, zanim pójdziesz spać, i weź parę aspiryn. Nie będę dzwonił wcześnie. Kocham cię. Pa".

Kładę się do łóżka z uśmiechem. Uśmiecham się, bo on mnie rozśmiesza i tęsknię za nim. Naprawdę za nim tęsknię. To dziwne uczucie, spać znów w pojedynkę po tylu wspólnie spędzonych nocach.

To nie znaczy, że jestem w nim zakochana, sama rozumiesz. Po prostu do niego przywykłam. To wszystko.

— Myślę o tym, by zaproponować Adamowi, żeby się do mnie wprowadził — mówię i robię głośny wydech, po czym biorę wdech już nieco ciszej, rozkoszując się zapachem olejku lawendowego, nadpływającym od strony małej lampki oliwnej płonącej w rogu pokoju.

Louise milczy i tylko potakuje, zachęcając mnie, bym mówiła dalej.

— Naprawdę przywykłam do jego obecności, wiesz? Zdaję sobie sprawę, że ktoś mógłby to uznać za poważny krok, ale może kiedy będziemy spędzać razem więcej czasu, to powoli się w nim zakocham?

— Nie jesteś w nim zakochana? — Louise unosi jedną brew.

— Nie — wzdycham głęboko. — Nadal chodzi o namiętność.

— Dlaczego, twoim zdaniem, te wzloty i upadki, które dotąd przeżyłaś, są takie ważne, hmm?

— Nie znałam niczego innego.

— I to cię usprawiedliwia?

Milczę, a Louise mówi dalej:

— Czy to cię uszczęśliwia?

— Nie — przyznaję niechętnie. — Ale czegoś tu nadal brakuje. Jest mi po prostu za dobrze.

— A co w tym złego, że jest ci dobrze?

— Nic. Tylko że „dobrze" to po prostu „dobrze". „Dobrze" nie równa się „miłość". To nie oznacza „namiętność".

Ale „dobrze" jest przyjemne. „Dobrze" mnie zmieniło. Nawet w ciągu tych ostatnich paru miesięcy dzięki „dobrze" stałam się inną osobą. Zauważyłam to ja, zauważyli to moi przyjaciele.

Mój cynizm zaczął stopniowo zanikać; tak powoli, że nawet tego nie zauważyłam. Ale wiem, że jestem cieplejsza, łagodniejsza, nie osądzam ludzi tak szybko.

Ty też musiałaś zauważyć różnicę, która zaszła od momentu, gdy mnie poznałaś. Owszem, nadal potrafię szybko i celnie zripostować, rzucić zjadliwym komentarzem, ale uczę się choć trochę trzymać język za zębami i nie myślę już o tym tak często jak kiedyś.

Czuję, że moja uraza do świata zaczyna mi powoli przechodzić, może nawet polubiłam samą siebie. A lubiąc siebie, uczę się lubić mój świat. To chyba dobrze, prawda?

Telefony w pracy się urywają, a ja nie mogę na niczym skupić uwagi.

— Jeśli to cholerstwo zadzwoni jeszcze raz, to zacznę krzyczeć — mówię do Jilly, która nadal nie potrafi spojrzeć mi prosto w twarz po swoich wyczynach na wieczorze panieńskim kilka dni temu.

(Pozwolę sobie dodać, że strażak okazał się hetero, samotny i w rozpaczliwej potrzebie, jeśli chodzi o seks. Resztę wieczoru spędził, całując się z Jilly na schodach przeciwpożarowych. Koleżanki uratowały ją, zanim jeszcze doszło między nimi do czegoś więcej. Ale ubaw, nie? Ślub nie został odwołany. Wyznaczono go na tę sobotę. Niech Bóg ma ich w swojej opiece).

— Czego? — wrzeszczę do słuchawki.

— Uspokój się, to tylko ja. Kiepski dzień?

— Och, Ad! Ten cholerny telefon ani przez chwilę nie milknie.

— Mam zadzwonić później?

— Nie, oczywiście, że nie. I tak powinniśmy porozmawiać.

— Aha! Nie cierpię, kiedy ludzie tak mówią. Przypomina mi się wtedy mój ojciec: mówił tak do mnie, kiedy byłem mały, i od razu wiedziałem, że coś przeskrobałem.

Uśmiecham się do słuchawki.

— Nie przeskrobałeś. Chodzi po prostu o to, że... Pamiętasz, jak rozmawialiśmy na temat tego, że spędzamy razem tyle czasu, a ty zapominasz, że masz własne mieszkanie, bo i tak nigdy tam nie bywasz?

Zapada cisza, a ja myślę: „O cholera, to chyba nie jest jednak taki dobry pomysł".

— Ad? To znaczy... jeżeli uważasz, że to porąbany pomysł, to powiedz. Ale moim zdaniem, to głupota spłacać dwa kredyty mieszkaniowe, skoro jedno z nas mogłoby wynająć swoje mieszkanie. A ty i tak spędzasz u mnie tyle czasu, że pomyślałam, że może chciałbyś się wprowadzić. Ad?

— Rewelacyjny pomysł! Fantastyczny! Tak. Z przyjemnością to zrobię!

— Naprawdę?

— Absolutnie! Kiedy mogę przewieźć rzeczy?

— Kiedy tylko chcesz.

— W porządku, kiedy tylko chcę. Zacznę wieczorem. Mógłbym wyjść z pracy wcześniej. Jeśli zacznę się przenosić już dzisiaj, to w przyszłym tygodniu pójdę do agencji nieruchomości i mieszkanie pójdzie do wynajmu. Super!

Żegnamy się, a ja siedzę i myślę o tym, co właśnie zrobiłam. To poważny krok. Za chwilę podejmę najpoważniejsze, jak dotąd, zobowiązanie w moim życiu wobec mężczyzny, w którym nie jestem zakochana. Całkiem mi już odbiło czy co?

Reszta dnia mija zbyt szybko. Nie mogę uwierzyć w to, co zrobiłam. „Uspokój się, Tasha", powtarzam sobie w kółko. „Jeśli ci się to nie spodoba, to zawsze możesz mu powiedzieć, żeby się wyniósł. Zawsze możesz powiedzieć, że musisz mieć więcej przestrzeni".

Człowiek może przez całe życie myśleć, że potrzebuje poważnego zobowiązania. Dorasta w przekonaniu, że doskonale wie, czego chce. Ale gdy to dostaje, kiedy nareszcie ma to na wyciągnięcie ręki, wówczas zmienia zdanie.

Może właśnie tego mi potrzeba? Marzenia, nadziei na przyszłość? Czegoś, do czego mogłabym dążyć. A może musimy zastępować jedno marzenie innym, większym, bo gdy się ono spełnia, to zwykle stwierdzamy, że od początku chodziło nam o coś zupełnie innego.

A jeśli jednak chodziło nam właśnie o to, wtedy uznajemy, że nie jest to takie, jakie być powinno.

Czasem, gdy człowiek jest kompletnie pokręcony, bardzo głupi albo kompletnie bezmyślny, potrafi spieprzyć marzenie, gdy tylko się spełni. Mówi sobie, że na nie nie zasługuje i że musi zacząć wszystko od nowa.

Wkładam klucz do zamka, ale drzwi ustępują tylko na kilka centymetrów. Pcham z całych sił i w końcu udaje mi się przecisnąć przez szparę do środka: cała podłoga w przedpokoju jest zawalona pudłami z płytami kompaktowymi, książkami i papierami.

Wśród tego wszystkiego walają się ubrania. Lawirując przez ten bałagan, po raz kolejny zadaję sobie pytanie, co ja najlepszego zrobiłam. Harvey i Stanley siedzą naburmuszeni na przeciwnym krańcu holu i przewiercają mnie wzrokiem, który mówi: „Co ty, do licha, wyprawiasz z naszym domem? Co to za rzeczy?"

Adam zostawił wiadomość: „Pojechałem po resztę. Pewnie wrócę późno, tyle mam pakowania! Sorry za bałagan w holu. Jutro wszystko posprzątam. Całuski. Adam".

Gdzie on ma, do cholery, zamiar to upchnąć? Patrzę na tę kupę przedmiotów i robi mi się słabo na myśl, że będzie tego jeszcze więcej. Po czym spoglądam na moje śliczne, nieskazitelnie czyste mieszkanko, w którym nie ma zbyt wiele miejsca do przechowywania.

Muszę wziąć kąpiel.

Leżę i czuję, jak opływają mnie bąbelki. Zmywam z siebie wszelkie zmartwienia i wyciągam brud Londynu z porów mojej twarzy za pomocą maseczki ściągającej z ogórka. Włosy mam związane na czubku głowy, na wannie stoi kieliszek wina, a z głośników w dużym pokoju dochodzi głos Elli Fitzgerald.

Mmm... Cudownie. Nie ma to jak długa, gorąca kąpiel, kiedy człowiek czuje się zmęczony, zagubiony i nie wie, czy dobrze postąpił. Sączę wino i bezmyślnie patrzę na swoje stopy i paznokcie u stóp, pomalowane na kolor ciemnych czereśni, którymi odkręcam i zakręcam kurki.

Dokładnie w chwili, gdy zastanawiam się, czy zanurzyć głowę pod wodę — cichą, kojącą wodę z pianą — dzwoni cholerny dzwonek do drzwi.

— Cholera! — mówię. Nie otworzę. A jeśli to coś ważnego? Może Adam uwinął się szybciej niż myślał, a zapomniał wziąć klucz? To może być każdy. Cholera! Wyskakuję z wanny, owijam ciało ręcznikiem i pędzę po schodach na dół. W połowie drogi przypominam sobie, że nadal mam na twarzy maseczkę.

— Chwileczkę!! — wrzeszczę gdzieś w kierunku drzwi i gonię z powrotem na górę, przeskakując trzy stopnie naraz. Ścieram wspomnianą maseczkę z twarzy.

Ściskając wokół siebie ręcznik jak talizman, otwieram drzwi i kogo widzę na progu? Andrew.

Tak, „tego" Andrew. Andrew, który podobał mi się tak, że właściwie rozbierałam go wzrokiem, a którego nie widziałam od czasu, gdy zeszliśmy się z Adamem. Andrew, który mnie pocałował. Andrew, stojący teraz przede mną i wyglądający tak, że mam ochotę natychmiast go przelecieć.

A ja? Wyglądam jak coś, co kot przywlókł z podwórka.

Odruchowo dotykam ręką włosów, związanych na czubku mojej głowy w byle jaki kok. Niestety, nie mogę ich rozpuścić i trochę potargać. To byłoby zbyt oczywiste. Stoję więc, uśmiechając się nerwowo, i pocieram stopą jednej nogi o łydkę drugiej. Tylko się upewniam, ale uff! ogolone. Nawet włoska na nich nie ma.

Dlaczego najwyraźniej tylko mnie to spotyka?

— Mam nadzieję, że nie przeszkodziłem? — Jego seksowny, niski głos brzmi tak samo uwodzicielsko jak zawsze, więc choć przeszkodził mi w raczej dość oczywisty sposób, wyciągając mnie z kąpieli, mówię:

— Nie, ależ skąd.

Co powinnam teraz zrobić? Zaprosić go do środka czy przytrzymać tutaj, na progu i zapytać: „Mogę coś dla ciebie zrobić?" Na pomoc!

— Hmm. — Uśmiecha się. — Myślisz, że mogę wejść?

— O Boże, jasne! — mówię i cofam się, pozwalając mu przekroczyć próg. Dlaczego nie daje mi buziaka na dzień dobry?

Sama jego obecność, fakt, że jest w moim domu, w moim przedpokoju, że siedzi na mojej kanapie, sprawia, że miękną mi kolana.

Wiem, co powinnam była wtedy zrobić. Nie musisz mi mówić, naprawdę. Powinnam była powiedzieć coś w rodzaju: „Zaczekaj chwilkę, tylko coś na siebie włożę". Może wtedy wszystko byłoby w porządku. Ale tego nie zrobiłam. Byłam tak podekscytowana, tak zdenerwowana i na takiej adrenalinie, że po prostu usiadłam, owijając się szczelniej ręcznikiem.

— To Adama jeszcze nie ma?

— Powinien wrócić w każdej chwili. — Oczywiste kłamstwo, ale jeśli pomyśli, że Adam zaraz wróci, to nie wyjdzie. W końcu to do Adama tu przyszedł, prawda?

— Nie masz nic przeciwko temu, że zaczekam parę minut?

— Absolutnie. Chcesz się czegoś napić?

— Kieliszek wina, z przyjemnością.

Po drodze z kuchni szybko zerkam do lustra w przedpokoju i wyciągam z mojego koka kilka niesfornych loczków. Nalewam wina do kieliszków.

— Próbowałeś u niego w domu? — pytam ciekawa, czy przypadkiem, zupełnie przypadkiem, nie przyszedł tu, by zobaczyć się ze mną. Może Adam to tylko wymówka.

— Nawet nie próbowałem. Powiedział mi, że się tu przenosi, więc wyszedłem z założenia, że go u ciebie zastanę. Miałem zamiar najpierw zadzwonić, ale właśnie byłem w pobliżu, więc postanowiłem zaryzykować.

Bierze łyk wina i sadowi się wygodnie, opierając się o poduchy. Przymyka oczy, rozkoszując się świeżym, chłodnym smakiem, po czym wzdycha głośno:

— Boże, co za dzień!

Pragnę go, pragnę, pragnę! Chcę, żeby się pochylił i mnie pocałował. Chcę, żeby zerwał ze mnie ten ręcznik i wziął mnie w ramiona. Chcę go rozebrać. Chcę, żeby tu mieszkał. Chcę się budzić co rano i być z nim. O Boże, co się ze mną dzieje?

Andrew otwiera oczy i patrzy na mnie. Moją twarz, moje ciało, nogi, a ja czuję, że oblewam się rumieńcem.

— Dziwię się — mówi, kierując wzrok z powrotem na moje oczy.

Marszczę czoło.

— Dziwię się, że wyglądasz tak, jak wyglądasz, nie mając nic na sobie.

— W jakim sensie?

— Dotąd zawsze widziałem cię doskonale zrobioną i sądziłem, że jesteś jedną z tych kobiet, które wyglądają wspaniale w ubraniu, ale rano czy prosto po wyjściu z wanny i bez makijażu zamieniają się w maszkary.

— I wyglądam jak maszkara? — uśmiecham się zalotnie.

— Nie. Chryste, wyglądasz cholernie ponętnie.

O to chodzi! O to chodzi!

— Słuchaj, chyba już sobie pójdę — oznajmia i potrząsa głową.

— Proszę, zostań. — W moim głosie słychać desperację.

— Teraz jesteś dziewczyną Adama. Nie mogę zostać. Nie mogę przebywać z tobą w jednym pokoju, kiedy wyglądasz tak jak teraz. To szaleństwo.

Moje serce wali, wali, wali jak oszalałe. Znów siedzę w szybkiej kolejce w lunaparku, jestem na haju. Szybuję wśród chmur w wirze namiętności.

— Przecież nie robimy niczego złego.

— Jeszcze nie — odpowiada, po czym patrzy na mnie leniwie, przysuwa się, ocenia moją reakcję i czeka, by sprawdzić, czy zwiększę dystans. Nie zwiększam. Siadam nieco bliżej.

Andrew bierze mnie za rękę i wciąga głośno powietrze.

— Tasha, Adam to mój przyjaciel. Nie mógłbym mu tego zrobić.

Znów kręci głową, jakby próbował przegonić tę myśl, pozbyć się jej; udać, że jej tam nie ma.

— Ale, Chryste, jesteś po prostu porażająco piękna.

Wydaje z siebie niskie westchnienie i nagle łapie mnie obiema dłońmi za głowę, po czym całuje wściekle, namiętnie. O mało nie umrę z podniecenia. Jęczę, gdy Andrew obraca językiem w moich ustach. Nagle odskakujemy od siebie jak oparzeni.

Słychać trzask zamykanych drzwi wejściowych. Ktoś zbiega po schodach. Słychać odgłos otwierania drzwi do samochodu i ryk silnika. Saab rusza z piskiem opon i znika w ciemnościach.

Andrew i ja spoglądamy na siebie ze strachem wymalowanym na jego i mojej twarzy.

— O Boże — szepczę. — Adam.

192

Rozdział dziewiętnasty

Nie osądzaj mnie. Proszę, nie osądzaj. Jeszcze nie. Pozwól mi coś wyjaśnić, spróbować usprawiedliwić to, co zrobiłam. Znaleźć okoliczności łagodzące.

Pamiętasz, jak niedawno mówiłam ci o kobietach, które są głupie? O tych, które nie potrafią poznać się na czymś dobrym, nawet gdy jest im to dane? O kobietach, które muszą wszystko spieprzyć?

Wróć też pamięcią do momentu, gdy mnie poznałaś. Powiedziałam ci wówczas, że są kobiety, które żyją w niszczących je związkach, bo ich zdaniem na nic lepszego nie zasługują. Te same kobiety, gdy trafi im się dobry związek, psują go, bo uznają, że nie są jego warte.

Czy ja jestem jedną z nich? O Boże, czy właśnie spieprzyłam coś, co mogło być najważniejszym związkiem mojego życia? Tylko, czy był najlepszy? A może przeciętny? Czy to możliwe, że był tylko przeciętny, dlatego, że przy Adamie nigdy nie czuję się tak, jak Andrew sprawił, że się poczułam w ciągu zaledwie jakichś dziesięciu minut?

Andrew wychodzi. Właściwie wypycham go za drzwi i oboje milczymy jak głaz. Przekraczając próg, odwraca się nagle i mówi cichutko:

— Przepraszam.

— Po prostu idź — odpowiadam i zamykam drzwi tuż przed jego idealnym nosem.

Cokolwiek wcześniej sobie myślałam, cokolwiek czułam, zniknęło, rozpłynęło się jak we mgle. Stoję oparta o ścianę w holu,
nadal trzymając jedną rękę na klamce.

Nogi powoli się pode mną uginają. Kucam w końcu na chwilę, po czym siadam i przyciągam kolana do klatki piersiowej.
Drżę. Jest mi zimno i dopada mnie poczucie straszliwego osamotnienia.

Siedzę tak niemal przez resztę nocy, pośród książek i pudeł,
które są wszystkim, co zostało mi wieczorem po Adamie. Za
każdym razem, gdy przejeżdża jakiś samochód, modlę się, by
to był on; modlę się, by dane mi było wyjaśnić.

Ale czy potrafię to zrobić? Czy powinnam wyjaśniać? Nie chcę,
żeby Adam odszedł, ale nie sądzę też, że chcę, by został. W pewnym momencie wstaję i spoglądam w lustro, z którego patrzy na
mnie jeden wielki emocjonalny bałagan. Czego ja, do cholery,
chcę? Czy mnie to obchodzi? Czy to kogokolwiek obchodzi?

Koło drugiej nad ranem zaczynam przyglądać się z ciekawością
kartonowym pudłom porozstawianym na podłodze. Tym częś-
ciom życia Adama, których nigdy wcześniej nie widziałam. Może
jeśli je otworzę, to on wróci? Może wyczuwając, że jest blisko,
będzie blisko fizycznie? Wkrótce. Tylko czy naprawdę tego chcę?

Wyciągam jego wielki, wełniany sweter. Obszerny, w duże
zygzakowate wzory — ten, którego nie cierpiałam. Podnoszę go
do twarzy i mocno wciągam powietrze wraz z zapachem siły
Adama, poczucia bezpieczeństwa i spokoju, które mi oferował.

Odkładam sweter na bok i otwieram kolejne pudło. Wyjmuję
z niego książki, gładzę dłonią ich grzbiety, otwieram i czytam
parę słów napisanych przez Nicka Hornby'ego, Irvine'a Welsha,
Andrew Davisa.

Czytam te słowa i przepisuję je w myślach. „Dokąd on odchodzi, gdy odchodzi? Komu możemy zaufać?" Odkładam książkę na miejsce. Nie ma go tu i nie może mi ufać? Sama sobie
nie mogę zaufać.

W następnym pudle są płyty kompaktowe. Billy Joel, Jackson
Browne, Crowded House. „To mój środek drogi", myślę i uśmiecham się smętnie, czując napływające do oczu łzy.

No i zdjęcia. Dziesiątki zdjęć. Na jednym Adam i Simon
gdzieś na wakacjach, wiele lat temu. Obejmują się, szczerząc
zęby w uśmiechu na opalonych twarzach.

A na tym Adam z rodzicami. Jedzą całą rodziną lunch w ogrodzie. Na stole puste talerze z obgryzionymi kostkami kurczaka, obok puste miski. Uśmiechnięci, szczęśliwi. Adam bez koszuli wygrzewa się w słońcu. Przesuwam palcem w dół po jego piersi, wzdłuż ramion. Ciało, które tak dobrze znam.

A potem biorę do ręki zdjęcie mnie samej — zdjęcie, które ledwo pamiętam i którego nie widziałam od lat. Poznaję swoje ubranie: jedwabne, beżowe spodnie, niebieską, dżinsową koszulę, brązowe mokasyny i wiem, że całe wieki nie miałam ich na sobie. Od czasu Simona.

Siedzę w dużym, przestronnym salonie, uśmiechając się, ze wzrokiem skierowanym w lewo — prawdopodobnie na kogoś, kogo na fotografii nie widać. Pamiętam ten wieczór. Wspólna kolacja trzy lata temu, kiedy byłam z Simonem. Rozmawiam z Adamem, a zdjęcie zrobił Simon. Teraz wszystko sobie przypominam. Ostatni raz widziałam tę fotografię u Simona. Skąd ma ją Adam?

A potem następne zdjęcie. Nawet nie wiedziałam, że takie istnieje. Adam musiał je zrobić ostatnio. Znowu ja. Pogrążona mocno we śnie, leżę na boku, jedną rękę mam pod poduszką, a drugą przyciągam kołdrę do brody. Nigdy mi o tym zdjęciu nie powiedział. Musiał je zrobić któregoś ranka i uchwycił mnie w momencie, gdy byłam najbardziej bezbronna.

Odwracam fotografię, na której rewersie Adama napisał: „Moja Tasha, 15 lipca 1996". Nie wiedziałam, że Adam mnie wtedy sfotografował, że uchwycił mnie na zdjęciu, kiedy wcale nie byłam tego świadoma, a potem trzymał je przez wszystkie te lata. Fotografia, która tęskni, pragnie, z westchnieniem prosi o dotyk.

O trzeciej zaczynam chodzić w tę i we w tę po domu. „Jest teraz u siebie", myślę. „Leży w łóżku. Muszę z nim porozmawiać. Muszę wyjaśnić".

Wiem, o czym myślisz: cienie Simona, nocnej jazdy do domu Adama w poszukiwaniu go. Ja też o tym myślę, jadąc tam, zatrzymując się na miejscu, parkując przy Southerland Avenue i siedząc ze wzrokiem wbitym przed siebie. Po prostu patrząc. Przez bardzo, bardzo długi czas.

Myślę o Simonie. O Adamie. O Andrew. O tym, że może tak właśnie miało być. Może nie powinnam być z Adamem.

Myślę o moim życiu. O tym, jak daleko zaszłam i co osiągnęłam. O tym, czy ma to dla mnie jakiekolwiek znaczenie, jeśli mam być sama.

Siedzę i patrzę, aż w końcu... W końcu podnoszę wzrok. U Adama jest ciemno. Wiem już, że nie mogę zadzwonić do jego drzwi. Nie mogę jeszcze stanąć z nim twarzą w twarz, bo nie wiem, jak mu to wszystko wyjaśnić. Nie wiem, co powiedzieć.

Tej nocy nie śpię zbyt dobrze. Leżę w łóżku na plecach i szeroko otwartymi oczami wpatruję się w sufit. Rozmyślam o moim związku z Adamem. Myślę o Andrew. O naszym pocałunku. I nadal nie wiem, co robić.

Rankiem wychodzę do pracy na autopilocie, lawirując wśród rzeczy Adama porozstawianych w holu i prowadząc samochód w godzinach szczytu. Dzisiaj nie mam żadnych napadów agresji na drodze. Jadę powoli, spokojnie, moje myśli zaprząta coś zupełnie innego.

— Nie możesz, kurwa, zrobić programu o „Duże jest piękne"! — mówi Jim, maszerując w moim kierunku z wściekłością wypisaną na twarzy. — My to robimy w poniedziałek.

Brak komunikacji w tej instytucji jest doprawdy zadziwiający. Ile razy dzwonimy do jakiegoś pisarza czy pisarki, znanej osobistości, gościa i zapraszamy go do programu, dowiadujemy się, że ktoś z Breakfast Break już z nim rozmawiał (ktoś, kto pracuje w inne dni) i rozpaczliwie próbował go namówić, by wystąpił w ich terminie, bo poniedziałek czy czwartek są „o wiele lepsze niż pozostałe dni".

Patrzę na Jima zmęczonym wzrokiem. Nie trzeba mi teraz tej awantury, nie teraz. Przez cały ranek próbowałam dodzwonić się do Mel, ale w pracy włączyła automatyczną sekretarkę, co oznacza, że ma sesję z pacjentem. „Przepraszam, ale nie mogę w tej chwili odebrać. Proszę podać swoje nazwisko oraz numer telefonu. Natychmiast oddzwonię. Dziękuję za telefon".

Ta przepychanka jest mi potrzebna jak dziura w moście. Nie chcę, żeby ktoś na mnie krzyczał. Jestem na krawędzi załamania, więc tylko rzucam Jimowi znużone spojrzenie i mówię:

— Jim, planowaliśmy to od dawna. Przykro mi, ale program pójdzie zgodnie z planem.

— Kogo wzięliście?

— Julię Douglas.

Czekam na jego reakcję. Julia Douglas jest swego rodzaju osobistością tak zwanej drugiej kategorii. Napisała dziesiątki książek na temat otyłości i jest dumna ze swojej. To wiodąca modelka w agencji „16 Plus VAT", a na rynku pojawiły się właśnie ciasteczka śmietankowe sygnowane jej nazwiskiem.

Jego reakcja jest zupełnie inna od tej, jakiej się spodziewałam:

— No cóż, kotku, lepiej ją już teraz odwołaj. My mamy Ginę Golden.

Cholera, cholera, cholera! Robiliśmy podejścia do Julii Douglas przez kilka tygodni. Słaliśmy faksy do jej agenta w Stanach, potem do wydawcy, ścigaliśmy ich, czekaliśmy, aż oddzwonią, czego nigdy nie zrobili. A wszystko po to, by w końcu się dowiedzieć, że bardzo im przykro, ale jej wizyta w Anglii będzie krótka i nie przewidują żadnych występów w telewizji.

Gina Golden to pierwszoligowa hollywoodzka gwiazda. Sławę zyskała, będąc dzieckiem, z blond loczkami i wielkimi zielonymi oczami. Była urocza aż do bólu i jej kariera rozwijała się błyskawicznie. Podobnie jak ostatnio wzrasta jej waga.

Teraz ma nieco ponad pięćdziesiątkę. Nadal jest piękna, ale te parę pozbawionych miłości małżeństw zostawiło na niej swój ślad i Gina Golden jest obecnie olbrzymia. Odziana w połyskujące kaftany nie dostała żadnej roli od lat.

Przerzuciła się więc na biznes. Wypuściła linię biżuterii — specjalnie zaprojektowaną serię błyskotek w stylu filmów kostiumowych, własną linię kosmetyków oraz produktów do pielęgnacji urody.

Ale ludzie nadal ją pamiętają jako największą filmową blond piękność od czasów Jean Harlow, która zmarła dawno temu. Przypominają sobie o niej przy każdej ceremonii wręczenia Oscarów i Nagród Emmy. Na żadnej z hollywoodzkich bib nie może zabraknąć obfitych kształtów Giny Golden.

— Jak ci się, do diabła, udało pozyskać Ginę Golden? — Jestem zazdrosna, ale ciekawa.

— Kontakty, kochanie. Najpierw absolutnie nie chciała w to wejść, ale mój znajomy z LA jest jej osobistym wizażystą i to on ją na to namówił.

Potrząsam głową z niedowierzaniem. Czy ta gejowska mafia nie zna żadnych granic?

— Wygrałeś. Odwołuję Julię Douglas.

Jim odchodzi i wtedy, Bóg raczy wiedzieć dlaczego, do oczu napływają mi łzy i zanim się obejrzę, przychodzi mi walczyć, by powstrzymać ciężkie, głośne łkanie.

Wiem, że ludzie patrzą, ale mam to gdzieś. Podpieram głowę rękoma i moje ciało dygocze raz po raz. Między palcami spływają mi czarne strumyczki tuszu do rzęs. Nagle czuję czyjąś dłoń na ramieniu.

— Przestań już, Tasha, wszystko będzie dobrze.

David odsuwa moje krzesło od biurka i wyprowadza mnie z biura do swojej garderoby, gdzie mnie obejmuje. Poddaję się temu uściskowi, opieram głowę o jego klatkę piersiową i rozmazuję mu makijaż na koszuli. Ale on trzyma mnie mocno, dopóki nie przestaję płakać.

Kiedy człowiek osiąga punkt krytyczny, to czasem potrzebuje, by ktoś go przytulił. Czasami pomaga chwila rozmowy. Co dziwne, zwykle rozmawiamy wtedy z najmniej prawdopodobnymi osobami — z obcymi ludźmi na ulicy. Dobre słowo czy pocieszająca dłoń na ramieniu sprawiają, że się otwieramy i cały nasz ból znajduje ujście.

Rozmawiamy z obcymi ludźmi albo z tymi, którzy nie należą do naszego najbliższego kręgu, bo nam nie zależy, a oni nie będą nas osądzać. Nie myślimy o konsekwencjach zwierzania się komuś, kogo zbyt dobrze nie znamy. Nie martwi nas to, że patrzą na nas w chwili, gdy jesteśmy najsłabsi, że mogliby to wykorzystać przeciwko nam. Nie. Czemu mieliby to robić?

David sadza mnie na krześle i znika na chwilę. Wraca z filiżanką herbaty. Trzymam ją później na kolanach. Jej zawartość przelewa się przez brzeg filiżanki i wylewa na spodek, gdy zaczynam mówić, co chwila biorąc gwałtowny, głęboki oddech. Ale powoli mi przechodzi.

Mówię Davidowi o tym, co się stało. Mówię o Adamie i mówię o sobie. Mówię o Simonie. Mówię o jeździe szybką kolejką w lunaparku, czyli o rollercoasterze. Mówię o Jennifer Mason.

A kiedy kończę i powoli ogarnia mnie uczucie zażenowania, że byłam aż tak szczera, zwierzając się prezenterowi mojego programu, David pochyla się i gładzi ręką moją twarz.

Czuję, jak ten czuły gest, gest dobroci, znów sprawia, że łzy napływają mi do oczu. Przeraża mnie fakt, że człowiek czuje się dobrze, dopóki ktoś nie zapyta cicho: „Wszystko w porządku?" i nagle nic już nie jest w porządku.

— Znajdziesz sobie kogoś innego — mówi David, zapewne w przekonaniu, że to właśnie należy powiedzieć. — Człowiekowi wydaje się, że to koniec świata, ale czas leczy rany.

„Zamknij się, do cholery", myślę. „Zachowaj te frazesy dla siebie. Tu nie chodzi o rany — chodzi o miłość, o namiętność, o szacunek i podziw. Chodzi o to, które dwa elementy są potrzebne, by poczuć miłość".

Posyłam mu jednak uśmiech wdzięczności, bo w końcu zachował się naprawdę wspaniale: tylko on wyciągnął do mnie pomocną dłoń.

— To jak z tym drinkiem po pracy? — pyta. — Nie powinnaś być dzisiaj wieczorem sama.

Typowy facet, prawda? Z radością mnie przytuli, pocieszy i wysłucha, ale pod warunkiem, że będzie coś z tego miał. Lecz nie tym razem. Ostatnią rzeczą, jakiej mi teraz trzeba, to jeszcze jeden mężczyzna i dodatkowa porcja kłopotów.

— Nie — odpowiadam.

— Jesteś pewna?

Jego twarz znów wyraża troskę. Patrząc na niego, nie mogę nie zadać sobie pytania: gdzie on się tego nauczył? Może widział to w jakimś filmie?

— Jestem pewna.

David wzrusza ramionami i mówi:

— Skoro jesteś przekonana, że poradzisz sama sobie... To może innym razem?

Tym razem zbywam pytanie milczeniem. Po prostu wychodzę z pokoju i z powrotem siadam przy moim biurku, starając się ignorować szepty i wbity we mnie wzrok. Podnoszę słuchawkę i wykręcam numer Mel, ale nadal odpowiada automatyczna sekretarka. Nie zostawiam żadnej wiadomości i wydzwaniam do niej przez cały dzień. Ale najwyraźniej jest bardzo zajęta, bo nie odbiera.

Późnym popołudniem telefonuję do Andy. Wiem: nie jest to być może osoba dysponująca najbogatszymi pokładami współczucia, ale zna mnie i Adama. Może ona potrafi mi powiedzieć, co mam zrobić?

— Jasna cholera! — stwierdza, kiedy mówię jej, co się stało. — Tym razem naprawdę spieprzyłaś sprawę.

— Wiem, Andy. Ale niekoniecznie chcę, by mi teraz o tym przypominano.

— No to co mam ci powiedzieć?

Wzdycham.

— Nie wiem. Po prostu sama nie wiem, czego chcę.

— Kochasz Adama?

— Wiesz, że tak.

— Ale lecisz na Andrew?

Pytanie jest retoryczne. Obie znamy odpowiedź.

— Ale się porobiło — mówi. — Porozmawiasz z Adamem?

— Jak tylko dojdę do tego, co mu powinnam powiedzieć.

— Słuchaj, a może wpadniesz do mnie później? Nie mam dzisiaj wieczorem nic do roboty. Zrobię coś do jedzenia. Możemy wtedy o tym pogadać i wymyślić jakieś rozwiązanie.

— Andy, przecież ty nie potrafisz gotować.

— Miałam na myśli: „wyskoczę i coś kupię".

— W porządku. Jeśli się w końcu dodzwonię do Mel, to mogę ją też zaprosić?

— Jasne. Mam przedzwonić do Emmy?

— Mmm... Nie jestem pewna. Myślę, że my trzy wystarczymy.

— Dobra. Emma pewnie i tak jest zajęta. Gotuje obiad dla Richarda albo organizuje jakąś małą, elegancką „kolacyjkę".

Śmieję się głośno.

— Do zobaczenia wieczorem. I dzięki, Andy!

— Od czego są przyjaciele? — odpowiada i odkłada słuchawkę.

Dzwonię do Mel i tym razem ją zastaję. Jej głos brzmi surowo. Nim jeszcze zdążyłam powiedzieć, co się stało, przerywa mi i mówi:

— Tasha, rano zatelefonował do mnie Adam. Powiedział mi, że zastał cię wczoraj półnagą i złączoną namiętnym pocałunkiem z Andrew. Muszę ci powiedzieć, że jest kompletnie załamany. Nie wiem, co twoim zdaniem wyprawiasz, ale wobec niego to nie w porządku. Adam jest za dobry, by traktować go w taki sposób.

Och, Mel, moja kochana Mel! Proszę, nie bądź na mnie zła. Spróbuj mnie zrozumieć.

— Nie wiem, jak to się stało, Mel. Czuję się podle. Co ci powiedział?

Do oczu znów napływają mi łzy i słowa więzną w gardle.

— Och, Tasha — mówi łagodniejszym tonem. — Naprawdę musimy pogadać.

— Wiem. Cały dzień do ciebie wydzwaniam. Możemy się spotkać wieczorem?

— Oczywiście, że tak. Mieliśmy iść do kina, ale przekręcę do Martina i powiem mu, że nie wracam po pracy do domu.

Mówię jej, żeby przyszła do Andy, i odkładam słuchawkę w odrobinę lepszym nastroju. Niewiele lepszym, ale Mel zawsze sprawia, że moje życie nabiera konkretnych kształtów. Mel powie mi, co mam robić.

— To znowu ta namiętność, prawda? — stwierdza Mel, a Andy pędzi z kuchni, by niczego nie stracić.

— Żyjesz w idiotycznym przekonaniu, że w twoim związku z Adamem coś jest nie tak, podczas gdy w rzeczywistości on uosabia wszystko, o czym zawsze marzyłaś.

Nigdy wcześniej nie widziałam Mel rozzłoszczonej, a nawet teraz stara się nad sobą panować. Ale widzę, że moje zachowanie ją rozwścieczyło. Współczuje Adamowi i nie widzi, że jestem bardzo zagubiona. Mówi dalej, ze zdenerwowania podnosząc głos:

— Wyobraź sobie, jak on się poczuł! Wszedł i zastał cię prawie gołą w ramionach swojego przyjaciela! Żeby było jeszcze gorzej, miało to miejsce tego samego dnia, kiedy się do ciebie wprowadzał. Wyobrażasz sobie, jakie to uczucie, Tasha?! Wyobraź sobie, przez co on teraz przechodzi!

Andy siada wygodniej, chłonąc każde słowo jak gąbka.

— Czy Adam będzie jeszcze chciał z nią być?

— Tak, będzie chciał. Nie zaufa jej, a przynajmniej nie tak szybko, ale chce z nią być, bo ją kocha. On naprawdę cię kocha — mówi, patrząc mi prosto w oczy. — Mówi, że poszedłby nawet na terapię dla par, jeśli to miałoby cię uszczęśliwić.

— Ale może ten związek z Adamem się nie sprawdza? — zastanawia się Andy.

— Andy! Jeśli nie sprawdza się z Adamem, to jak mógłby się sprawdzić z kimkolwiek innym?

Andy przechodzi do defensywy.

— Może to z Andrew jest naprawdę?

— Co takiego? — Mel wybucha śmiechem niedowierzania. — Z jakimś przystojniaczkiem, który zalicza jedną pannę za drugą? Z Andrew, którego Tasha ledwo zna i który niewątpliwie okaże się totalną świnią?

Następnie zwraca się do mnie:

— Tasha, przez całe życie fundowałaś sobie krótkie, namiętne przygody. Niektóre wyglądały jak prawdziwe związki, na przykład z Simonem, ale żaden z nich nie był naprawdę! Nigdy nie widziałam, żebyś czuła się w takim związku swobodnie, była sobą. Patrzyłam, jak próbowałaś zmieniać się w różne kobiety. Kobiety, którymi, jak sądziłaś, oni chcieliby, żebyś była. Widziałam cię w roli żony lekarza, dziewczyny gwiazdy rocka, muzy artysty. Widziałam, jak zmieniasz kolor włosów, ubranie, przyjaciół. Nie ma w tym nic złego, pod warunkiem jednak, że robisz to dla siebie. Ale ty zmieniałaś się, bo miałaś nadzieję, że dzięki temu będą cię bardziej kochać.

Nie rozumiesz, że to wcale nie była miłość? Że to nie było prawdziwie, w przeciwieństwie do twojego związku z Adamem, który taki właśnie jest przez ten prosty fakt, że czujesz się w nim normalnie i swojsko? Takie uczucie nazywają miłością.

Musisz dorosnąć, Tasha. Nastolatki się zakochują. Nastolatki są z jednym facetem po drugim i żyją „jak na szybkiej kolejce w lunaparku". Ale ty już nie jesteś nastolatką. Masz trzydzieści lat i szansę na szczęście z drugim człowiekiem; długotrwałe szczęście. Takie, które może ci towarzyszyć przez resztę twojego życia.

— ALE CO JA MOGĘ PORADZIĆ, ŻE CZUJĘ DO ANDREW TO, CO CZUJĘ?! — krzyczę, przerywając jej tyradę i sprawiając, że obie otwierają usta ze zdumienia. — A nawet jeśli nie Andrew — ciągnę dalej nieco spokojniejszym głosem — to będzie ktoś inny. Nie będę go specjalnie szukała, ale za parę lat, za kilka miesięcy albo kiedyś tam, pojawi się ktoś ekscytujący, kto mi wpadnie w oko. A ja znowu spojrzę na Adama i będę wiedziała, że popełniłam błąd.

— Zgadzam się z Tashą — mówi Andy. — Wiem, że to straszliwie smutne, ale ona ma rację. To, co miało miejsce wczoraj, zdarzy się ponownie, jeśli znowu będą ze sobą.

— A więc już podjęłaś decyzję? — pyta Mel z nieodgadnionym wyrazem twarzy i tonem głosu, z którego zupełnie nic nie można wyczytać, bo nic tam nie ma. W obu brak jakichkolwiek emocji.

— Tak — przytakuję. — Nie wiem, czy właściwą, ale na pewno dobrą dla mnie. Potrzeba mi więcej, Mel. Nic nie poradzę, czuję, że to przeznaczenie: moim zdaniem Andrew miał przyjść wczoraj wieczorem, bo Adam i ja nie powinniśmy być ze sobą.

Mel pociera dłonią oczy i siada wyprostowana na krześle.

— Tasha, wiesz, że cię kocham. Wiesz również, że jesteś moją najlepszą przyjaciółką i zawsze możesz na mnie liczyć. Ale jeżeli zwiążesz się z Andrew, to nie oczekuj, że on i ja też zostaniemy przyjaciółmi.

Jadę samochodem do domu z poczuciem winy, osamotnienia, ale i ulgi. Nic na to nie poradzę. Cierpię na myśl o tym, przez co w tej chwili przechodzi Adam, ale muszę zadbać o siebie. Nie wolno mi dopuścić do tego, by w przyszłości znów musiał tego doświadczać. Muszę już teraz skończyć z „nami".

Właśnie wtedy, dokładnie w chwili, gdy mam włożyć klucz do zamka, otwierają się drzwi do mojego mieszkania i w progu staje Adam, objuczony pudłami, których stos podtrzymuje brodą. Stoi i patrzy na mnie, milcząc. Po prostu wpatruje się we mnie otoczonymi czerwonymi obwódkami oczami, z których wyziera ból.

— Musimy porozmawiać — mówię cicho i delikatnie, wpychając go z powrotem do środka. Zamykam drzwi, odgradzając nas od świata zewnętrznego, idę do salonu i siadam.

Rozdział dwudziesty

Co należy powiedzieć, siedząc twarzą w twarz z mężczyzną, którego się kocha — w którym nie jest się zakochaną, ale którego się kocha — i czując jego ból tak, jakby był naszym własnym? Kiedy zrobiłabyś niemal wszystko, by przerwać jego cierpienie, lecz ta jedna rzecz, która na pewno by to sprawiła, jest tą jedyną, której nie możesz mu dać?

Patrzę na Adama i chcę go objąć. Chcę go przytulić i powiedzieć, że wszystko będzie dobrze, ale nie mogę tego zrobić. Muszę być okrutna, bo tylko w ten sposób mogę go uratować. Nie mogę dać mu czegoś, co by go tylko zwiodło — posmaku tego, czego w przyszłości nie zazna — bo wtedy się załamie. A jeśli on się załamie, to nie wiem, co będzie ze mną. Naprawdę nie wiem.

Siedzimy więc naprzeciw siebie w ciszy.

— Co ja takiego zrobiłem? — szepcze w końcu Adam. — Musiałem zrobić coś nie tak.

— O Boże! Ad, ty nic nie zrobiłeś. Przepraszam, to nie było to, na co wyglądało.

— Jak to „nie to, na co wyglądało"? Co to w takim razie miało być? Przyjacielski buziak? Wszystkich swoich przyjaciół tak całujesz? — Tu przerywa, zdawszy sobie sprawę z tego, co powiedział. Nie, nie wszystkich przyjaciół tak całuję. Tylko Adama.

— Adam, to się po prostu stało. Czasami tak jest.

— Takie rzeczy nie zdarzają się „tak po prostu", Tasha. Zdarzają się wtedy, kiedy człowiek nie jest szczęśliwy. Zdarzają się, gdy w związku coś jest nie tak. Przez całą noc siedziałem i myślałem nad tym, co to takiego może być. Wiesz, co jest w tym wszystkim najgorsze?

Potrząsam głową, ale on nawet na mnie nie patrzy.

— Najgorsze jest to, że nie przychodzi mi do głowy ani jedna pieprzona rzecz! Nie potrafię wskazać na nic, co chciałbym zmienić między nami. Muszę być naprawdę głupi, bo najwyraźniej coś jest mocno nie tak. Co, w takim razie? Czego nam brakuje?

Brakuje tego uczucia, które sprawia, że człowiekowi drży serce i na chwilę przestaje bić; uczucia zwanego namiętnością! Ale tego nie mogę mu powiedzieć. Nawet jeśli powiem, że go kocham, że szanuję, podziwiam, ufam mu i kocham, to tego jednego nie mogłabym mu powiedzieć.

Adam znów zaczyna mówić, ale tym razem głośniej. To już druga osoba w ciągu ostatnich dwóch dni, której puszczają nerwy; osoba, która, jak sądziłam, nigdy nie traci zimnej krwi. Ale z drugiej strony, wygląda na to, że ostatnio powoduję u ludzi dość gwałtowne reakcje.

Pewnie zdążyłaś mnie już znienawidzić. Wiem, że trzymasz stronę Adama i trudno ci się dziwić. Chryste, gdybym nie była sobą, też trzymałabym jego stronę. Ale nie widzisz, że to nie fair wobec niego? To nie w porządku, by być z nim, dopóki nie pojawi się nowy Andrew.

— Naprawdę staram się ciebie zrozumieć, Tasha. Byłem nie tylko twoim kochankiem, ale i przyjacielem, i naprawdę sądziłem, że cię znam... — rzuca z wściekłością w głosie. — Ale tym razem przesadziłaś. Zniszczyłaś najlepszy związek mojego życia. Jezu, twojego cholernego życia też! I nie mów mi, że tak nie jest, bo wiem, że mam rację. Chryste, było nam ze sobą tak dobrze, byliśmy tacy szczęśliwi! Jak możesz to tak rozpieprzać? Jak możesz mi to robić?

Te pytania zostają zadane nieco łagodniejszym tonem, jakby z niedowierzaniem, a ja nie wiem, co powiedzieć.

— Nie byłaś szczęśliwa?

— Byłam. Szczęśliwsza, niż kiedykolwiek sądziłam, że mogłabym być.

Podchodzę do Adama i siadam obok. Biorę go za rękę, a on spogląda na mnie z nadzieją w oczach.

— Ale coś we mnie nie pozwala mi przyjąć rzeczy takimi, jakie są. Kocham cię, naprawdę cię kocham. Ale wiedziałeś od samego początku, że nie jestem w tobie zakochana. Powiedziałam ci o tym już wtedy i mimo że boli mnie to, co teraz powiem, to musisz wiedzieć, że teraz też nie jestem. Adamie, tak bardzo się starałam.

Czuję, jak do oczu napływają mi łzy. Krokodyle łzy, możesz pomyśleć. Ale to nieprawda. To szczere łzy żalu, że nam nie wyszło, że nie potrafiłam się w nim zakochać.

— Próbowałam się w tobie zakochać i czasami chyba to czułam, ale na pewno nie przez większą część czasu.

— Ale skoro myślisz, że czasami to czułaś, to na pewno będzie tak coraz częściej. Umiem sprawić, byś się we mnie zakochała.

— Nie — potrząsam przecząco głową. — Nie umiesz, Adamie. Boże, gdybyś tylko wiedział, jak bym chciała, żebyś to potrafił! Ale tak nie będzie i wiem o tym już teraz.

— Niby jak?! Bo pocałowałaś gościa, który jest rzekomo moim przyjacielem? — Te ostatnie słowa wyrzuca z siebie jak obelgę.

— Nie, nie dlatego, że go pocałowałam. Dlatego, że nie jestem w stu procentach twoja. Bo nie mogę znieść myśli o tym, że nie mam wyboru. Ponieważ nadal rozglądam się za innymi mężczyznami.

— Ty dziwko — mówi cicho.

— Przykro mi. — Po mojej twarzy spływa powoli łza. — Ale nie mogę ci obiecać, że w przyszłości nie będzie kolejnego Andrew.

Adam krzywi się na sam dźwięk tego imienia. Spogląda na swoje ręce, po czym mówi:

— Nie dbam o to. Nie obchodzi mnie, co będzie w przyszłości. Po prostu chcę być teraz z tobą.

— Nie wiem, Adamie. Potrzebuję trochę czasu, trochę przestrzeni.

Boże, jak ja siebie nienawidzę za to, że to mówię; za te frazesy, które w obliczu katastrofy nie mają żadnego znaczenia.

— Muszę pobyć trochę sama i uważam, że obojgu nam się to przyda. Oboje potrzebujemy trochę czasu. Oboje musimy pomyśleć nad tym, czego tak naprawdę chcemy.

Adam wybucha gorzkim śmiechem.

— Ja doskonale wiem, czego chcę. To ty masz mętlik w głowie. Dlaczego niby miałbym zaczekać?

— Nie musisz. Masz wszelkie prawo powiedzieć mi, żebym się odpieprzyła, że nigdy więcej nie chcesz mnie widzieć. Zrozumiem. Zaboli mnie to bardziej, niż mógłbyś przypuszczać, ale to zrozumiem.

Adam wzdycha i podpiera głowę rękoma.

— Nie mogę tego zrobić. Wiesz, że nigdy bym tak nie postąpił. Za bardzo cię kocham.

Wtedy zaczyna płakać, a ja wybucham płaczem razem z nim. Siedzimy na sofie, tuląc się i pocieszając przez łzy, aż w końcu on szepcze z ustami przy moim ramieniu:

— Zaczekam.

Czuję się jak ostatnia zdzira.

Emma dzwoni do mnie nazajutrz wcześnie rano, i jest tak podekscytowana, że aż nie może złapać oddechu. Biegnę do salonu, żeby odebrać, i kiedy słyszę, że to ona, myślę, że dzwoni, by powiedzieć, jak bardzo jej przykro, i zapytać, czy mogłaby coś dla mnie zrobić.

Ale w ciągu kilku sekund staje się dla mnie jasne, że Emma nie ma pojęcia, co się wydarzyło. Słysząc podniecenie i zachwyt w jej głosie, nic jej nie mówię. A wierz mi: dziewczyna dosłownie aż kipi radością.

— Wychodzę za mąż!

— To fantastycznie! — (To mogłam być ja). — Kiedy to się stało?

Emmę rozpiera uczucie szczęścia i niemal ją widzę, jak siedzi uśmiechnięta od ucha do ucha z podkulonymi nogami na krześle, w swojej jedwabnej sukience koloru kości słoniowej marki Janet Reger.

— Wczoraj wieczorem! Richard zabrał mnie do Le Manoir i poprosił o rękę!

Jak można się nie cieszyć, gdy twoja przyjaciółka zdołała osiągnąć swój najważniejszy cel w życiu? A ja naprawdę się cieszę i na kilka chwil moje własne problemy całkowicie znikają.

— Zrobił coś równie obrzydliwie kiczowatego, jak wrzucenie pierścionka do kieliszka szampana? — Na momencik budzi się we mnie dawna Tasha. Przepraszam.

— Nie — śmieje się Emma. — Zrobił to w najlepszym, dawnym stylu. Poczekał, aż podadzą nam kawę, a potem powiedział, że chciałby mnie o coś zapytać. Tasha, przysięgam, nie mogłam oddychać z wrażenia. A potem wyciągnął małe aksamitne pudełeczko. Trzęsłam się tak mocno, że myślałam, że spadnę z krzesła. Pierścionek jest śliczny, dokładnie taki, jaki chciałam. Emma zawsze dostaje to, czego chce. Wyobrażam sobie, jak przechodzą z Richardem koło Tiffany'ego, a ona, jakby od niechcenia, wskazuje palcem na wielki brylant i mówi, że chciałaby właśnie coś takiego.

— To jak wygląda ten pierścionek?

— Od Tiffany'ego! — Wiedziałam, że od tego zacznie. — Diament w kształcie gruszki, z dwoma mniejszymi diamencikami po bokach. Jest prześliczny!

Wiem, że kiedy to mówi, trzyma przed sobą wyciągniętą dłoń z szeroko rozłożonymi palcami i podziwia swój kamyk.

— To kiedy ślub?

— Bóg jeden wie. Wczoraj wieczorem obdzwoniliśmy jego i moich rodziców. Mamusia jest zachwycona, więc idziemy dzisiaj na kolację, żeby wszystko omówić.

Wiesz, jak będzie wyglądał ślub Emmy, prawda? Trzy setki najbliższych znajomych jej rodziców z pracy — wesele dla rodziców, które z Emmą i Richardem nie ma nic wspólnego.

— Jednego jestem absolutnie pewna — mówi dalej, powoli tracąc dech. — Chcę, żeby wszystkie moje dziewczyny były moimi druhnami.

Kładę się z powrotem do łóżka z uśmiechem na twarzy. W takim razie dwie spośród nas mają to, czego chciały. Co z pozostałymi dwiema, zastanawiam się.

Leżę i rozmyślam o tym przez chwilę, a potem, powoli zasypiając, czuję, jak moje myśli płyną w jakimś innym kierunku (jak to często bywa, kiedy człowiek jest pogrążony w stanie pół snu, pół jawy). Pojawia się w nich Andrew. Ponieważ jesteśmy teraz ze sobą tak blisko, powiem ci, co mi chodzi po głowie.

Moja pierwsza myśl: A właściwie nie myśl, tylko wspomnienie. Leżę i naciskam przycisk „rewind". Wracam pamięcią do wieczoru, kiedy Andrew uczył mnie palić cygara. Zatrzymuję taśmę na chwilę, by przypomnieć sobie jego słowa i wyraz twarzy, kiedy powiedział mi, że chciałby pójść do łóżka i kochać się ze mną. Drżę na to wspomnienie.

Moja druga myśl: Wspomnienie. Adam był tam tego wieczoru i nie powiedział ani słowa. Był wtedy we mnie zakochany i czuł, że między Andrew i mną działa jakaś chemia. Co wtedy musiał czuć?

Moja trzecia myśl: Mam ochotę na gorący, namiętny, zwierzęcy seks. Seks bez żadnych zobowiązań. Muszę wyruszyć w poszukiwaniu namiętności.

Moja czwarta myśl: Andrew jest najodpowiedniejszym kandydatem, jeśli (duże „jeśli") nadal będzie zainteresowany. W końcu to przyjaciel Adama.

Moja piąta myśl: Adam. Wspomnienie. Adam mnie obejmuje. Adam mnie całuje. Adam we mnie. Nie. Precz. Nie będę o tym myślała.

Moja szósta myśl: Jeżeli nie Andrew, to kto?

Moja siódma myśl: David.

Moja ósma myśl: David jest idealny, przystojny i dobrze wygląda w telewizji. Wysoki, silny i atrakcyjny. David obejmuje mnie, gdy wypłakuję mu się na ramieniu w jego garderobie. David kupuje mi kawę w stołówce i flirtuje ze mną, zapraszając przy tym na drinka.

Moja dziewiąta myśl: Nie. Za blisko. Jak miałabym mu wytłumaczyć, że to tylko przelotna rzecz, poszukiwanie namiętności? A jeśli nie przyjmie tego do wiadomości? Co, jeżeli doprowadzi do tego, że „pozwoli mi odejść"?

Moja dziesiąta myśl: Andrew.

— Andy?
— Hmm? — Słyszę, że wyrwałam ją ze snu, że jest nadal w łóżku i zaspana sięgnęła po słuchawkę.

— Obudziłam cię?

— U-hmm...

— Przepraszam, tak mi przykro, naprawdę. Ale potrzebuję twojej pomocy.

— O co chodzi? — szepcze.

— To nie na telefon. Możemy zjeść razem śniadanie?

— Poczekaj chwilkę — szepcze. — Nie rozłączaj się.

Odkłada na chwilę słuchawkę i znowu ją podnosi.

— Przepraszam. Nie mogłam mówić, musiałam przejść do dużego pokoju, bo facet nadal śpi.

— Myślałam, że to z Chrisem nie wyszło.

— Jakim Chrisem? — śmieje się Andy. — Nie, to ktoś nowy. Gość, którego poznałam w zeszłym tygodniu. Rany, co za noc! Ledwo mogę chodzić.

— Słyszałaś o Emmie?

— Obudziła mnie jakieś pół godziny temu, żeby przekazać dobrą nowinę. Fantastycznie, nie? I nawet nie musiała stawiać mu ultimatum.

Wybucham śmiechem.

— A więc tak naprawdę już nie spałaś, kiedy zadzwoniłam? A to znaczy, że jesteś wystarczająco przebudzona, żeby spotkać się ze mną na śniadaniu?

— Mam jakieś rogaliki w lodówce — krzywi się. — Planowałam zjeść długie, romantyczne śniadanie w łóżku z Markiem.

— Jedyne, czego byłoby ci brak, to promienie słońca sączące się do środka przez okno — mówię, spoglądając przez okno na ciężkie, ciemne niebo, z którego lada chwila lunie deszcz.

— Proszę!

— No dobrze — zgadza się w końcu. — Jeśli to takie pilne.

— Ja stawiam — mówię ze śmiechem. — Zawsze możesz zostawić Marka w łóżku i przynieść gazety do domu. Pomyśl, jakie to byłoby romantyczne.

— Dobra — mówi Andy. — Zgoda. Widzimy się za kwadrans.

Wciągam dżinsy, wsuwam przez głowę bawełnianą bluzę i wskakuję do samochodu, by podjechać do naszej miejscowej kafejki. Kiedy tylko zdążyłam zamówić i przysiąść przy małym, okrągłym stoliczku ustawionym w rogu, nieco na boku, wchodzi Andy. Ma na sobie adidasy, czarny dres, wielkie złote kolczyki i swoje niezastąpione okulary przeciwsłoneczne w stylu Jackie

Onassis. Składa zamówienie przy barze i wtedy odwraca się w moją stronę. Kiedy tylko mnie dostrzega, zgina nogi w kolanach i podchodzi do stolika, jęcząc i zawodząc: „Co za ból! Co za ból!" Siada i wyszczerza zęby w uśmiechu.

— To mój nowy styl: hollywoodzka pani domu. Co myślisz?

— Bardzo w stylu hollywoodzkich pań domowych.

— Tak sądziłam. Stonowane, ale na miarę gwiazd — uśmiecha się zadowolona. — Co takiego ważnego masz mi do powiedzenia, że odrywasz mnie od porażająco przystojnego faceta, z którym mogłabym zjeść śniadanie?

— Potrzebuję twojej pomocy.

— Mów dalej.

— Rozpoczynam poszukiwania namiętności.

Andy robi wielkie oczy z wrażenia.

— Fenomenalnie! Jak masz zamiar to zrobić?

— Tu właśnie potrzebuję twojej pomocy. To musi być Andrew, muszę się z nim przespać. Muszę wiedzieć, czy to, co do niego czuję, jest prawdziwe. Ale jak mam to, do diabła, zrobić?

— Po prostu zadzwoń do niego i zaproś do siebie — mówi i patrzy na mnie jak na wariatkę.

— A jeśli się nie zgodzi? W końcu, na miłość boską, to przez niego Adam i ja ze sobą zerwaliśmy. Na pewno nie przybiegnie znów napalony.

— Rozumiem.

Siedzimy i obie wyjadamy czekoladę z kawy. Oblizuję wypukłą stronę łyżeczki i wpatruję się w swoje odwrócone odbicie. Wyglądam okropnie.

— Jesteś pewna, że chcesz to zrobić? — pyta Andy, patrząc na mnie przenikliwym wzrokiem.

— Andy! Jasne, że jestem. To ty zawsze powtarzałaś, żeby szukać namiętności i nie zgadzać się na mniej. Jak właśnie ty możesz pytać, czy jestem pewna?

— Nie chodzi mi o to, czy jesteś pewna, że chcesz się z nim przespać. Czy jesteś już na to gotowa?

Nie, wcale nie jestem gotowa. Nie wiem, czy powinnam już iść z kimkolwiek do łóżka, dotykać ciała, które nie należy do Adama. Ale to właśnie muszę zrobić. Muszę wiedzieć, czy postąpiłam słusznie, a pieprzenie się z facetem, który jest wprost do tego stworzony, to chyba najlepsza metoda, prawda?

— Nigdy nie byłam bardziej. — Wyszczerzam zęby w szerokim uśmiechu.

— Dobra — mówi Andy. — Czasami dziewczyna musi zrobić to, co zrobić trzeba.

— No więc? Jak powinnam się do tego zabrać?

— Zakładam, że nie chcesz tego zrobić u siebie w domu?

— Nie-e. To musi być na neutralnym gruncie.

— Chcesz pożyczyć mój wóz?

Obie wybuchamy śmiechem.

— To musi być w hotelu. W jakimś miejscu, które żadnemu z nas z niczym się nie kojarzy.

— Ale jak chcesz go zwabić do hotelu? — pyta i natychmiast na jej twarz wypływa wielki uśmiech. — Mam! — krzyczy i podskakuje, ściągając tym na nas uwagę wszystkich w lokalu. Andy siada z powrotem. — Mam, cholera!

Plan jest taki: mam zadzwonić do Andrew i powiedzieć, że muszę z nim porozmawiać. Zakładamy, że ma już tak wielkie poczucie winy, że nie będzie zadawał żadnych dodatkowych pytań, tylko pomyśli, że chodzi o Adama.

Powiem mu, że chcę się z nim spotkać gdzieś, gdzie nikogo nie znamy; gdzie nie ma prawdopodobieństwa spotkania kogoś znajomego.

Przez chwilę oboje będziemy się wymieniać komentarzami w stylu „umm" i „hmm", a potem ja powiem: „A może tak w hotelu X? Mają tam bar, a sam hotel leży na takim uboczu, że na pewno nikt nas tam nie zauważy".

Zapewnię go, że nie mam żadnych ukrytych zamiarów, że po prostu potrzebuję rozmowy, a ta cała tajemnica jest po to, by ktoś nas przypadkiem nie zobaczył, nie wyciągnął pochopnych wniosków i nie powiedział Adamowi.

On przyjdzie do baru i początkowo obojgu nam będzie trochę nieswojo. Powiem mu, że martwię się o Adama. Że mój związek z nim nie ma żadnej przyszłości. Że dużo lepiej mi w pojedynkę.

Być może przypomnę mu o naszych wcześniejszych spotkaniach, o naszych rozmowach i, kto wie, może przy odrobinie szczęścia Andrew wyciągnie cygaro z kieszeni marynarki?

Wypijemy kilka drinków, a on je zapali. Wezmę cygaro do ręki i powiem mu, że zapomniałam, jak należy je palić. Poproszę, by znów mnie nauczył. Może (a może nie) znowu to zademonstruje, ssąc moje palce? Ale to nieważne. Bo w tym momencie alkohol już spełni swoje zadanie, więc nie będę miała żadnych oporów, by wziąć jego palec do ust i zapytać: „Przyjemnie? Czy tak należy to robić?"

On będzie siedział sparaliżowany pożądaniem. Skrzyżuje nogi, by ukryć swoją potężną erekcję, i będzie się czuł totalnie winny.

Ale. Podobam mu się, a mężczyznami, jak wiemy (może z paroma wyjątkami), rządzi ich kutas, więc wystarczy odrobinka zachęty, by porwać go na górę. Do pokoju, który zarezerwowałam już wcześniej.

Może będzie miał jakieś opory, ale w windzie, w drodze do naszego gniazdka rozkoszy, rozepnę koszulę, pod którą będę kompletnie naga. To sprawi, że jego zahamowania znikną.

A kiedy znajdziemy się w pokoju i zamkniemy drzwi, zedrzemy z siebie ubrania i nie będziemy myśleli o konsekwencjach.

Proszę bardzo. Andy świetnie to wymyśliła. Idealne uwiedzenie. On dostarcza zwierzęce pożądanie, a ja prezerwatywy.

Czy ktoś kiedyś opracował plan uwiedzenia w drobniejszych szczegółach?

Rozdział dwudziesty pierwszy

Aż trudno uwierzyć, że ślub Emmy jest już za dziewięć miesięcy. A ja oczywiście pójdę i pomogę jej wybrać sukienkę ślubną. Tylko popatrzę, żadnych przymiarek. Nie teraz. Czy nadal myślę o zamążpójściu? Jasne! Pewnie, że myślę. Ale podejrzewam, że jestem nieco mniej zdesperowana niż dawniej. Przypuszczam, że mogłabym była wyjść za Adama... przepraszam: mogłabym wyjść za Adama, ale nie należę do tych kobiet, które są tak zrozpaczone, że biorą, co im dają.

Myślę, że od czasu do czasu, choć niezbyt często, myślałam o tym, będąc z Adamem. Nie tyle o życiu w małżeństwie, ile o samym dniu ślubu. Jeśli mam być szczera, to marzyłam o nim całymi latami. Wszystko zaplanowałam. Z tym że co kilka miesięcy, co kilku partnerów, zmieniałam trochę suknię, gości na przyjęciu weselnym i strój, w którym pojadę w podróż poślubną.

Jaki jest więc mój najnowszy pomysł? Raczej nie myślałam o tym przez ostatnie kilka tygodni, ale parę miesięcy temu wymyśliłam, jak ostatecznie chciałabym wyglądać.

Nie, bez względu na to, co sobie pomyślisz, nie mam zamiaru wychodzić za mąż w tak zwanej bieli. Moja suknia ślubna będzie stonowana i porażająco piękna w swojej prostocie.

Obecnie stawiam na biały szyfon. Odcinana pod biustem, gorset obszywany koralikami, a do tego jedna na drugiej warstwy szyfonu w kolorze kości słoniowej. Wianek z kwiatów. A może bez wianka? Może jedwabna opaska w kolorze szyfonu? Mogłabym też mieć na głowie tiarę. Nieee, to byłaby przesada. Kwiaty wystarczą.

Bukiet będzie zrobiony z lilii: masa kaskadowo ułożonych lilii. A moje druhny, to... No cóż, tutaj nie mam jeszcze żadnego konkretnego planu, ale ostatnim razem, kiedy omawiałyśmy z dziewczynami nasze wizje ślubne, Emma oświadczyła, że jeśli wciśniemy ją w coś z falbankami, w pastelowych barwach, lub uszytego z mieniącego się różnymi kolorami jedwabiu, to nigdy nam tego nie wybaczy.

Andy się z nią zgodziła, więc nasza czwórka zawarła pakt. Ta, która wyjdzie za mąż pierwsza, musi ubrać druhny w suknie od Armaniego. A jeśli nie będzie mogła sobie na to pozwolić, to w coś, co będzie wyglądało jak Armani.

Nawet Mel się zgodziła, choć nie rozpoznałaby stroju od Armaniego, nawet gdyby na niego nadepnęła. Ale wiedziała, że my wiemy, o czym mówimy, w związku z czym i ona przystała na tę propozycję.

Chciałabym mieć suknię zaprojektowaną przez Catherine Walker, ale Emma obstawiła ją pierwsza. Nalega jednak, by się trochę rozejrzeć i może coś ciekawego podpatrzeć.

Jest sobota rano i trzy spośród czterech z nas są na miejscu. Emma zaprosiła też Mel, ale ta nie mogła przyjść. Szczerze mówiąc, poczułam ulgę. Nadal mogę do niej dzwonić, nadal sobie ucinamy pogaduszki, nadal jest między nami OK, ale w naszych rozmowach pobrzmiewa jakiś ton, który każe mi myśleć, że coś jest jednak nie tak.

Nie sądzę, by Mel mogła mi wybaczyć. Przynajmniej jeszcze nie teraz. Rozumiem to. Rozumiem i akceptuję, ponieważ nasza przyjaźń jest wystarczająco silna, by wyjść z tego cało.

Chociaż, gdyby Mel wiedziała, że zamierzam uwieść Andrew, mogłoby się okazać, że przyjaźń to za mało. Tak więc w pewnym sensie lepiej, że dzisiaj nie przyszła. Jest mi łatwiej, bo nie muszę jej okłamywać lub ukrywać przed nią prawdy.

Pakujemy się do bmw Emmy i pędzimy do sklepu z sukniami ślubnymi: małego butiku jakiejś projektantki, którego Emma więcej nie odwiedzi, bo projektantka jest zbyt mało znana. Ale przyszła panna młoda z przyjemnością popełni plagiat. Kto by się zawahał?

Jednak ta projektantka robi ekskluzywne rzeczy. Od razu to widać (albo przynajmniej myśli, że robi), bo aby wejść do sklepu, należy najpierw zadzwonić do drzwi i poczekać, aż sprzedawca lub sprzedawczyni je otworzą. A tutaj trzeba się nawet wcześniej umówić!

Stoimy na progu, gdy do drzwi podchodzi kobieta o zmartwionym wyrazie twarzy i uchyla je odrobinę.

— Tak? — pyta niepewnym tonem, zastanawiając się niewątpliwie, co robią pod jej drzwiami te cztery kobiety. To przecież niemożliwe, żeby wszystkie wychodziły za mąż... a może?

Dobrze by było.

— Jestem Emma Morris. Byłam na dzisiaj umówiona?

Dlaczego zawsze mówimy to w taki sposób, jakbyśmy zadawały pytanie? Sama też tak robię: idę do fryzjera i mówię: „Ja do Keitha?", jakby były co do tego jakieś wątpliwości.

Inny mój nawyk, którego nie znoszę, to ciągłe przepraszanie. Stoję w supermarkecie i ktoś mi nadepnie na stopę, a ja powiem „Przepraszam!" Albo ktoś inny zajdzie mi drogę na ulicy, a ja znowu proszę o wybaczenie.

Czy naprawdę jestem aż tak żałosna? Powiedz, proszę, że nie tylko ja tak robię.

Emma zadaje więc swoje pytanie, a kobieta sprawdza nazwisko w książce wizyt. Nagle, jak pod wpływem czarów, otwiera drzwi i wpuszcza nas wszystkie do środka.

— No, no! — mówi, patrząc na naszą grupkę. — To ile z pań szykuje się do zamążpójścia?

Odwzajemniam jej uśmiech.

— Tylko Emma. Reszta ma nadzieję.

— Och, no cóż. Jestem pewna, że pani będzie następna — rzuca i omiata wzrokiem wszystkie pozostałe. Andy patrzy na mnie i przewraca oczami.

Drzwi zamykają się za nami i jakby mnie nagle poraziło. Czuję się jak w jaskini Aladyna: na wszystkich ścianach porozwieszane połyskujące białe jedwabie, małe perełki i obłoki tiulu.

W szklanej gablocie pośrodku wiszą welony: krótkie, długie, welony na grzebieniach; wianki, kryształowe tiary (Andy stuka mnie łokciem i mówi: „Mmm, eleganckie") i opaski na włosy z tkaniny jedwabnej.

— O Boże — woła Andy, biegnąc w stronę sukni, która wygląda tak, jakby kiedyś nosiła ją Scarlett O'Hara. — Chyba umarłam i jestem w niebie.

Nigdy wcześniej nie byłam w sklepie z sukniami ślubnymi i nie mogę uwierzyć, że mam ochotę wszystko przymierzyć. „Nie", mówię sobie, „nie mogę". W końcu, jaki miałoby to sens?

Siadam więc na sofie, podczas gdy Emma zanosi do przymierzalni całe naręcze sukien. Andy siada obok, ale po paru minutach wstaje z uśmiechem na twarzy.

— A co mi tam! — oświadcza, ściągając suknię Scarlett O'Hary z wieszaka. — Ponieważ i tak nie wygląda na to, bym kiedykolwiek miała wyjść za mąż, to mogę przynajmniej sprawdzić, jakie to uczucie. Idziesz?

— A co tam! — śmieję się szeroko i podchodzę do sukienki, która wpadła mi w oko (szyfon, odcinana pod biustem i szalenie podobna do tej, jaką stworzyłam sobie w wyobraźni; z małym dodatkiem w postaci maleńkich, różowych różyczek na gorsecie).

Andy i ja odsuwamy zasłonkę w przymierzalni i przed naszymi oczami ukazuje się Emma ubrana w coś, co wygląda na idealnie dobrany zestaw kremowej, jedwabnej bielizny. Emma wybucha śmiechem.

— Wiedziałam — mówi. — Wiedziałam, że nie zdołacie się oprzeć!

— Tylko żadnych komentarzy na temat mojej bielizny — ostrzega Andy. — Dzisiaj mam na sobie ulubione stare gatki i podejrzewam, że gdzieniegdzie są nawet dziurawe.

Zaczynam odpinać guziki. W chwili gdy mam wciągnąć na siebie wybraną sukienkę, odwracam się do Andy i pytam:

— Jesteś pewna, że przymierzanie sukienki ślubnej, nie będąc przyszłą panną młodą, nie przynosi pecha?

Andy przewraca w odpowiedzi oczami.

— Większego pecha i tak już mieć nie mogę, więc nie sądzę, by robiło to jakąś różnicę.

— Wiem, o co ci chodzi — mamroczę.

Emma walczy ze swoją sukienką, na którą składa się wiele warstw sztywnego, białego, sięgającego do ziemi tiulu (prawdziwa kreacja dla baletnicy) oraz prosty satynowy gorset, obszyty perełkami. Razem z Andy pomagamy jej wciągnąć to przez głowę, unosząc warstwy tiulu jedna po drugiej, dopóki nie natrafiamy na otwór na głowę.

Zapinam Emmie rząd guziczków na plecach. Odwraca się do nas przodem, a nam zapiera dech w piersi. Emma wygląda po prostu przepięknie: jak wróżka na choince.

Wychodzi z przymierzalni. Kiedy przechadza się po sklepie, podziwiając swoje odbicie w lustrze, sprzedawczyni wydaje pełne zachwytu odgłosy.

Teraz ja, teraz ja! Zakładam to szyfonowe cacko, a Andy zapina mi guziki na plecach.

— Poczekaj — mówi. — Jeśli już masz to zrobić, to zróbmy to jak należy.

Wychodzi z przymierzalni i nagle słyszę, jak szepcze coś do sprzedawczyni. Co ona wyprawia?

Parę minut później wraca z długim do ziemi welonem, jedwabną opaską i satynowymi pantofelkami na średnim obcasie.

— Nosisz szóstkę, prawda?

Potakuję i nakładam wszystko po kolei. Nie chcę widzieć siebie w czterech ścianach przymierzalni. To chwila, którą chcę się rozkoszować, chcę ją zapamiętać na zawsze. Na wszelki wypadek.

Wychodzę na zewnątrz i, co dziwne, nawet mój chód jest inny. Nie maszeruję, jak zwykle, długimi krokami, ale stawiam stopy powoli, z rozmysłem, tak, jak należy to robić w drodze do ołtarza. Tak, jak mam nadzieję kiedyś do niego pójdę.

Emma, kochana Emma, ociera łzę.

— Wyglądasz cudownie — szepcze z zachwytem. — Absolutnie cudownie.

Spoglądam w lustro i uśmiecham się od ucha do ucha. Naprawdę wyglądam cudownie. Nawet z normalnie ułożonymi włosami i w zwykłym, prostym makijażu wyglądam cudownie, pięknie, radośnie, tak, jak jeszcze nigdy nie wyglądałam.

— Boże — mówię szeptem. — Nie miałam pojęcia, że dobrze mi w białym.

Nie chcę ściągać tej sukienki. Nigdy. Chcę w niej przeżyć resztę mojego życia. Do diabła, nawet spać w niej będę! Nawet nie myślę o tym, że niedawno zmarnowałam swoją największą dotychczasową szansę na zamążpójście. Po prostu z zachwytem wpatruję się w swoje odbicie.

Andy wychodzi po mnie w swojej sukni w stylu Scarlett O'Hary i razem z Emmą dosłownie padamy ze śmiechu.

— Wyglądasz niesamowicie — mówię. — Tylko troszkę...

— Za bardzo — kończy Emma.

— Wiee-em — zaciąga Andy z południowym akcentem.

— Lecz, szczerze mówiąc, moje drogie, mam to gdzieś.

— Poczekajcie chwilkę! — rzuca. — Mam pomysł!

Ciągnie sprzedawczynię gdzieś na bok i szepcze jej coś do ucha. Ta rzuca jej niepewne spojrzenie, ale w końcu uśmiecha się i potakuje głową.

— Zaraz wracamy — mówi Andy, unosząc swoje falbany i wybiegając na zewnątrz.

Tuż za drzwiami zatrzymuje się na chwilkę, odwraca i oświadcza:

— Nawet nie ważcie się drgnąć. Ani jedna, ani druga!

Emma i ja spacerujemy dostojnie po sklepie, gdy wraca Andy i wyciąga coś z białej, papierowej torby.

— Ta-da! — mówi, prezentując mały aparat fotograficzny jednorazowego użytku. — Nie możemy pozwolić, by najważniejszy dzień waszego życia pozostał nieudokumentowany.

Nalega, byśmy razem z Emmą ustawiły się koło sofy, każda z dłonią w królewskim geście na oparciu. Potem, na wypadek gdyby światło wewnątrz było za słabe, każe nam wyjść na zewnątrz.

Sprzedawczyni nie zgłasza sprzeciwu, bo pewnie jeszcze nigdy tak dobrze się nie bawiła. Biega po sklepie, wyciągając buty i welony dla Emmy i Andy.

Kiedy wszystko już włożyłyśmy, wychodzimy całą trójką przed sklep. Andy udaje fotografa na ślubie: kuca i podskakuje wokół nas, pstrykając jedno zdjęcie za drugim. Śmiejemy się zakłopotane, gdy mówi nam, gdzie stanąć. Potem następuje zmiana ról i Emma, a potem ja, robimy fotki Andy, która posyła sprzedawczynię do sklepu, by sprawdziła, czy nie mają jakichś podwiązek.

Boże, co za cyrk urządzamy! Trzy panny młode w pełnym rynsztunku w samym środku West Endu. Ruch na ulicy spowalnia i z samochodów spoglądają na nas uśmiechnięte twarze.

— To kiedy ślub? — krzyczy jakiś gość w fordzie cortina.

— Ślubu nie będzie! — krzyczymy Andy i ja, patrząc, jak odrzuca głowę do tyłu i wybucha śmiechem.

— A powinien być, kochana. Żal coś takiego marnować!
Chichoczemy jak uczennice, zachwycone zainteresowaniem, jakie wywołujemy, pełnymi podziwu spojrzeniami, przypadkowymi komentarzami na temat tego, jak pięknie wyglądamy; potem maszerujemy całą grupką z powrotem do sklepu.

Dlaczego małżeństwo otacza tak wyjątkowa aura? Czemu jest ono nadal, nawet w epoce równouprawnienia, uważane za największe osiągnięcie w życiu kobiety? Jasne, że zgadzam się z tobą, że nie powinno tak być, ale nie wiedzieć czemu, dopóki jesteś panną, to czegoś ci brakuje; w jakimś sensie zawiodłaś.

Idziesz na imprezę albo rozmawiasz z jakimś obcym człowiekiem i pada pytanie: „Jesteś mężatką?", a kiedy potrząsasz głową, że nie, nie bardzo wie, co powiedzieć.

Ale zawsze można poudawać, i to właśnie robię. Kiedy zdejmuję z siebie sukienkę, ogarnia mnie uczucie silnego rozczarowania. Nie mogę jednak niczego dać po sobie poznać, bo Emma wychodzi za mąż naprawdę, a Andy...No cóż, dla Andy wszystko jest jednym wielkim żartem.

— No i? — pyta nagle Andy, odciągnąwszy mnie na bok, kiedy Emma przymierza jeszcze kilka innych sukienek.

— Co „no i"?

— Dzwoniłaś już do niego?

— Nie — mówię i krzywię twarz.

— Czemu nie?

— Zadzwonię, dobra? Muszę po prostu poczekać na odpowiedni moment.

— Teraz jest odpowiedni moment — mówi Andy, wyciągając swoją komórkę jak magiczną różdżkę.

— Wyjdź i zadzwoń do niego. Chcesz, żebym z tobą poszła?

— Nie, poradzę sobie.

Niechętnie biorę od niej telefon i staję przed sklepem. Wygrzebuję z torby notatnik z telefonami i wystukuję jego numer.

— Halo?

Cholera, nie wiem, co powiedzieć, więc naciskam guziczek z rysunkiem czerwonej słuchawki i rozłączam się.

— Szybko ci poszło — mówi Andy, kiedy oddaję jej telefon.

— Co powiedział?

— Halo.

— A potem?

— Rozłączyłam się.

— Tasha! — jęczy Andy. — Dzwoń do niego jeszcze raz.

— Nie mogę. Zadzwonię po powrocie do domu.

— Obiecujesz?

— Tak, cholera, obiecuję! A niech to szlag trafi! Właśnie coś sobie przypomniałam. W jakiej jesteś sieci?

— Sieci? Nie wiem. To nokia orange.

— Jasna cholera! To znaczy, że jeśli wystuka 1471, to zobaczy ten numer i wtedy może... — Zanim udaje mi się dokończyć, telefon zaczyna dzwonić.

— Co mam robić? — wpada w panikę Andy.

— Powiedz, że pomyliłaś numery i że przepraszasz za kłopot.

Andy robi, co należy, ale nawet te kilka niewinnych słów nabiera uwodzicielskiego charakteru, gdy uśmiecha się do słuchawki i zniża głos. „Tak mi przykro", mruczy i rozłącza się.

— Faktycznie ma seksowny głos — stwierdza.

Nie mówię ani słowa. Co niby miałabym jej odpowiedzieć? Andy to Andy.

Lecz po powrocie do domu, wziąwszy kilka głębszych oddechów, łapię za telefon i z biciem serca wykręcam jego numer.

— Andrew? Mówi Tasha.

— Cześć — odpowiada niepewnym tonem. — Co słychać?

— W porządku. Chociaż nie całkiem. Mam trochę mętlik w głowie.

— Słuchaj — mówi. — Wiem o tobie i Adamie i bardzo mi z tego powodu przykro. Okropnie się z tym czuję. Nie wiem, jak to było możliwe, i próbowałem mu wyjaśnić, że to nic nie znaczyło, ale Adam nawet nie chciał słuchać. Tak mi przykro.

— Głos mu się lekko łamie, a mnie szybciej zaczyna bić serce. Andrew, pożeracz kobiecych serc, mnie przeprasza! Może to jednak jest porządny facet? Może nie jest takim skurwielem? Może jest materiałem na związek?

NIE! Przestań, Tasha! Nie potrzebujesz żadnego związku, z nikim, a już z nim chyba najmniej. To skurwysyn. To tylko efekt twojego poszukiwania namiętności, nic więcej. Tylko tyle.

— Wiem, Andrew — mówię spokojnie. — To nie tylko twoja wina, ja naprawdę muszę z kimś o tym pogadać.

— Chcesz rozmawiać ze mną? — W jego głosie słychać, jak się należało spodziewać, zaskoczenie.

— Chodzi o to, że znasz Adama. Muszę porozmawiać z kimś, kto go zna.

— Ale ja jestem ostatnią osobą, z którą powinnaś teraz rozmawiać.

— Mylisz się. Jesteś najwłaściwszą osobą.

Andrew jest podejrzliwy i nie bez powodu. Jezu, czemu faceci są czasem tacy głupi?

— Słuchaj, to nie zajmie nam dużo czasu. Możesz się ze mną spotkać na kawie?

— Chyba tak — mówi niechętnie. Brzmi zupełnie jak nie ten sam Andrew, który chciał się ze mną kochać, który wziął w ręce moją twarz i pocałował mnie tak namiętnie. Ale brnę dalej. Coś sobie postanowiłam i zamierzam wypełnić to zobowiązanie.

Ustalamy gdzie i kiedy, więc proponuję wybrany wcześniej hotel, mówiąc, że tam nikt nas nie zauważy; że nie chciałabym, aby Adam się dowiedział i wyciągnął błędne wnioski. Gdy się żegnamy, modlę się, żeby nie zadzwonił później, by wszystko odwołać. By nie zaczął mieć wątpliwości.

Nie chcę mówić Louise, co zamierzam zrobić. Nawet teraz, mimo że w czasie terapii obowiązuje całkowita szczerość, nie chcę, żeby unosiła brwi ze zdziwienia, by kwestionowała moje zamiary; by kwestionowała powody, dla których zamierzam tak postąpić.

Nie chcę, żeby się dowiedziała, bo być może, gdzieś w głębi ducha wiem, że nie powinnam iść z Andrew do łóżka. Wiem, że to niczego nie rozwiąże, ale wiem też, że i tak to zrobię.

Jednak Louise wierzy, że Adam to moja szansa na szczęście, że namiętność nie jest ważna, że mój związek z nim jest — przepraszam — był związkiem, jakiego życzy w przyszłości wszystkim swoim pacjentom.

Nigdy tego, rzecz jasna, głośno nie powie, ale wystarczy jedno spojrzenie, skrzywiona twarz, zadane w odpowiednim momencie pytanie, by udało jej się mnie przekonać, że nie mam racji lub że to, co robię, nie jest, jak by to określić, właściwe.

Ale siedzenie w gabinecie Louise i przebywanie w kompletnej ciszy działa jak przechodzenie przez badanie wykrywaczem kłamstw. Mimo najszczerszych chęci nie potrafię jej okłamywać, bo to tak, jakbym okłamywała samą siebie. A szczerość to podstawa terapii. Może więc mogłabym nie mówić jej całej prawdy? Czy potrafię to zrobić? Czy powinnam?

— Jak się masz? — pyta, wiedząc z naszego ostatniego spotkania tydzień temu o moim rozstaniu z Adamem.

— OK — odpowiadam, bo stwierdzenie „znakomicie" byłoby nadużyciem, a „OK" wydaje się najwłaściwszą odpowiedzią, bo obejmuje różne możliwości.

— Jak ci minął ten tydzień?

— Raz lepiej, raz gorzej. Tęsknię za Adamem. — To nie kłamstwo, naprawdę za nim tęsknię. — Ale nie tak bardzo jak za moimi poprzednimi chłopakami. Nie zasypiam na poduszce mokrej od łez czy coś w tym stylu. Były momenty, że czułam się niewiarygodnie samotna, ale nie sądzę, żeby chodziło mi konkretnie o Adama. Nie chodzi o to, że nie chcę z nim być. Po prostu znowu muszę przywyknąć do życia w pojedynkę.

Louise wpatruje się przez chwilę w sufit, co oznacza, że rozmyśla. Rozmyśla nad właściwym pytaniem — takim, które dosięgnie moich najgłębiej skrywanych przemyśleń.

W końcu znów zwraca na mnie wzrok.

— A więc to rozstanie różni się od wszystkich poprzednich, hmm?

Potakuję.

— Jest inne, bo nie tak bolesne?

To nie pytanie, a raczej stwierdzenie, ale i tak potakuję.

— Skoro więc nie jest takie bolesne, to czy to znaczy, że ze związkiem było coś nie tak?

— Tak myślę. Kiedyś rozpaczałam tygodniami, wędrowałam po domu i czułam się tak samotna, że myślałam, że umrę. Lecz tym razem najbardziej brakuje mi jego przyjaźni.

— A jak ważna jest dla ciebie ta przyjaźń?

Boże, i tak w koło Macieju! Ale wiem, jak funkcjonuje umysł Louise: myśli, że jeżeli będzie kopała dalej, to się w końcu dokopie. Czasami to działa. Nigdy nie zdecydowałabym się być z Adamem, gdyby Louise nie gadała bez przerwy o wadze przyjaźni i o tym, że strona fizyczna nie ma znaczenia, bo coś takiego jak „mój typ" nie istnieje.

Ale to, że wtedy miała rację, nie oznacza, że zawsze ją ma. Prawda?

— Po moich przyjaciółkach przyjaźń Adama to dla mnie najważniejsza rzecz w życiu, ale przypuszczam, że na tym polega cały problem. Nie powinniśmy byli pójść dalej, powinniśmy byli pozostać przyjaciółmi.

— A jakie ma, twoim zdaniem, znaczenie przyjaźń w związku?

— Ogromne! Ale inne rzeczy też muszą w nim być.

— Na przykład takie jak namiętność? — pyta głosem, w którym pobrzmiewa sarkazm. Postanawiam to jednak zignorować.

— Tak, takie jak namiętność.

— A gdzie masz zamiar znaleźć taką mieszankę przyjaźni i namiętności?

Waham się przez chwilę. Powiedzieć jej czy nie? Powiedzieć jej teraz, że mam gdzieś przyjaźń, że mam przyjaźni po uszy, bo to, czego teraz chcę, to namiętność?

Tchórzę.

— Jestem pewna, że któregoś dnia ją znajdę, ale myślę, że teraz powinnam pobyć trochę sama.

— A co z Andrew?

Chryste, ta kobieta to wiedźma!

— Co z nim?

— No cóż, on mógłby dać ci namiętność.

Wzruszam ramionami, jakbym chciała powiedzieć: „No i co z tego?"

— Ale na przyjaźń z jego strony nie możesz liczyć.

Znowu wzruszam ramionami.

— Myślałaś o tym?

— Tak — przyznaję niechętnie. — Andrew to nie materiał na związek, wiem o tym.

— Ale Adam nim był.

Tak, Louise ma rację, Adam był materiałem na związek. Nie powiem jej o niczym. Jakżebym mogła? W przyszłym tygodniu, kiedy los się dopełni, a ziemia zadrży mi pod stopami, wtedy opowiem jej o tym, co się stało. Że tego nie planowałam — to Andrew mnie uwiódł.

Nie musi wiedzieć, że zrobiłam to z premedytacją. Nie musi wiedzieć o moim poszukiwaniu namiętności. Powinna wiedzieć tylko tyle, ile sama jej powiem.

— Przygoda z Andrew, lub z kimkolwiek w jego stylu, to żadna odpowiedź. Już to przeżyłaś — mówi, kiedy wbijam wzrok w podłogę z poczuciem winy wymalowanym na twarzy. — Może i czułaś się dobrze, gdy szłaś z nimi do łóżka, ale potem zawsze cierpiałaś. Przeszłaś już zbyt długą drogę, by znowu popełniać ten sam błąd. Życie nie jest zawsze czarne i białe. Czasami jesteśmy najszczęśliwsi, żyjąc wśród szarości.

Co ona mi próbuje powiedzieć? Czy Andrew to czarna strefa, a Adam szara? Nie wiem, naprawdę nie wiem. Potakuję więc tylko, udając, że rozumiem, o czym mówi, i spoglądam na zegar, modląc się o jak najszybszy koniec tej sesji.

Czy postępuję właściwie? Czy postępuję właściwie? Ta myśl nie daje mi spokoju, gdy powoli zapadam w sen. Potem leżę i myślę o oczach Andrew, o jego dłoniach, o dotyku jego ust, o ich smaku i myślę: „Tak, muszę to zrobić".

O Adamie też myślę. O tym, jak razem śmialiśmy się w łóżku, jak zaczęłam postrzegać seks jako zabawę, coś radosnego i śmiesznego. Oczywiście, były też chwile, kiedy był gwałtowny, ale tylko czasami.

Przypominam sobie, jak kupiłam jakiś magazyn dla kobiet, w którym była wkładka pod tytułem: „Pozycje, które zawsze chciałaś wypróbować, ale nigdy nie miałaś śmiałości". Wypadła z czasopisma, gdy czytałam w łóżku, i Adam natychmiast ją złapał. Zszokowany na głos przeczytał wszystkie opisy rodem z Kamasutry, pokazując mi przy tym każdą ilustrację i potrząsając z niedowierzaniem głową.

Uparł się, żebyśmy wypróbowali każdą z tych pozycji. Rozrysował nawet grafik: małe, patykowate figurki w absurdalnych układach, a pod każdym znaczkiem zapisany dzień tygodnia. W poniedziałek wypróbowaliśmy „Wielką pszczołę" — ja na nim, odwrócona do niego plecami.

We wtorek była kolej na „Drżące kolana", ale musieliśmy przerwać, bo oboje dostaliśmy napadu śmiechu, gdy Adam próbował mnie nosić, wszedłszy we mnie, podczas gdy ja siedziałam na nim i obejmowałam w pasie nogami. Cały czas tracił równowagę, potykał się o różne rzeczy w sypialni, a ja opadałam coraz niżej i niżej, aż w końcu oboje wylądowaliśmy na podłodze.

W środę spróbowaliśmy pozycji „Nakładanie skarpety", którą chętnie bym opisała, ale była nieco zbyt skomplikowana. Wystarczy, że powiem, że się nie udało.

W czwartek był „Uścisk mleka i miodu": ja siedziałam na Adamie, plecami do niego. Podobało mi się szalenie, ale on cały czas narzekał, że nie widzi mojej twarzy.

W piątek daliśmy sobie spokój i znów kochaliśmy się po naszemu, jęcząc przy tym z rozkoszy i wybuchając od czasu do czasu niezbyt głośnym śmiechem.

Nie. Nie mam zamiaru więcej o tym myśleć.

Rozdział dwudziesty drugi

Ostatnią rzeczą, jakiej mi teraz trzeba, naprawdę ostatnią — kiedy układam sobie suszarką włosy i mam mdłości ze zdenerwowania z powodu zbliżającej się nocy namiętności — jest Mel.

Ale oczywiście dzwoni telefon i w słuchawce słychać właśnie ją — Mel, którą kocham jak nikogo innego. Mel, której nie chcę zwodzić.

Nadal przechodzimy mały kryzys w naszej przyjaźni lub trudniejsze chwile, jeśli wolisz; czas, gdy nie jesteśmy w stanie być ze sobą całkowicie szczere, kiedy czujemy się bardziej jak znajome niż jak przyjaciółki.

Ale to minie. Wiem, że to minie, bo kiedyś już tak było. Zdarzało mi się kłócić z ludźmi i bardzo długo sądziłam, że oznacza to koniec przyjaźni. Ale życie i moja terapia razem wzięte nauczyły mnie, że kiedy naprawdę ci na kimś zależy, jeśli są to twoi przyjaciele lub partnerzy, to kłótnie są ważne, bo pozwalają na szczerość wobec siebie.

A Mel i ja tak naprawdę się nie pokłóciłyśmy. Ona po prostu nie pochwala tego, co robię. Dlatego, podobnie jak w przypadku Louise, Mel również nie pozna całej prawdy. Hej, w końcu, jeśli będę chciała się komuś zwierzyć, to zawsze mam Andy. I ciebie.

— Wpadniesz dzisiaj na kolację? — pyta Mel tonem, który brzmi jak u dawnej Mel. Może tylko troszkę mniej pewnym, trochę więcej w jej głosie wahania. Wpadłabym z największą przyjemnością, ale to dziś wieczór uwodzę Andrew. Dziś jest ten wieczór, na który czekałam z taką niecierpliwością i którego w równym stopniu się obawiam.

— Kurczę, chciałabym, ale nie mogę — mówię. Szybko, wymyśl coś, wymyśl coś! — Umówiłam się z paroma dziewczynami z pracy.

— Szkoda! Trudno. A poza tym jak się masz?

— OK. Raz lepiej, raz gorzej. Wiesz, jak to jest.

— Mmm. Rozmawiałaś... z nim?

— Z Adamem?

— Tak.

— Nie. Nadal mam mętlik w głowie. Uważam, że to koniec, ale nie do końca wiem, jak mu o tym powiedzieć.

— Może dlatego, że to nie koniec.

— Może — powtarzam, bo co innego mam powiedzieć. — Co słychać u Martina?

— Och, cudowny jak zawsze. Na dodatek, to on dzisiaj gotuje, co jest bardzo miłe.

— Przykro mi, że nie dam rady przyjść. Mogę zadzwonić do ciebie jutro?

— Jasne.

Rozmowa o niczym. Rozmowa o byle czym, o drobiazgach, która ma utrzymać naszą przyjaźń na właściwym kursie. Ale tylko ledwo ledwo.

Mówimy więc „Na razie!", a ja dłuższą chwilę przyglądam się sobie w lustrze, siedząc przy tym bez ruchu. Przysuwam twarz do jego tafli tak blisko, że moje odbicie ulega rozmyciu, jest nierozpoznawalne. To nie ja. To tylko jakieś rozpływające się kształty. Muszę energicznie potrząsnąć głową, by przypomnieć sobie, kim jestem.

— Jestem kobietą z misją — mówię do swojego odbicia, biorąc do ręki kredkę do ust. Powoli kreślę nią różowobrązowe kontury wokół warg, po czym wypełniam je dopasowaną kolorystycznie pomadką.

Mam wrażenie, jakby wszystko działo się w zwolnionym tempie. Jakby to nie dotyczyło mnie. Pochylając nisko głowę, przeczesując włosy palcami i ugniatając je mocno, by nadać im dziki i zmierzwiony wygląd, mówię sobie, że jestem postacią w filmie.

Jestem postacią w filmie z dobrze dopracowanym wątkiem dramatycznym. Teraz muszę tylko trzymać się scenariusza i odegrać swoją rolę. Słuchać reżyserki, siedzącej w mojej głowie.

Kiedy kończę robić makijaż, otwieram szufladę i wyciągam z niej moją nową bieliznę. Mój ultrakobiecy, delikatny, koronkowy komplecik, składający się ze staniczka i majteczek. Muszę ci coś wyznać: jak już powinnaś wiedzieć, nie popieram wydawania fortuny na bieliznę, ale w tym przypadku zrobiłam wyjątek.

Kupiłam to w sobotę, w małym butiku, do którego zaciągnęła mnie Andy, a który wielokrotnie wcześniej mijałam, lecz nigdy nie wpadłam na to, by do niego wejść.

— Czasami człowiek powinien trochę się wykosztować — namawiała moja przyjaciółka, wpychając mnie do środka. Chciała, żebym kupiła coś w La Perli, ale tutaj tupnęłam nogą. W końcu Andy sama przyznała, że komplet, który wybrałam, jest przepiękny, choć marki, o której żadna z nas nigdy wcześniej nie słyszała. Kosztował sto funtów, co stanowi idiotycznie wysoką cenę za takie skrawki materiału, ale Andy nalegała. „Pomyśl sobie, o czym on pomyśli, kiedy to zobaczy. A potem pomyśl, jak się sama dzięki temu poczujesz".

Kiedy przymierzyłam ten komplecik po powrocie do domu, rzeczywiście poczułam się seksy. Krój był tak dobrze dopasowany (figi wysoko wycięte na biodrach, staniczek ukazujący głęboki dekolt, a wszystko to uszyte z bledziutkiej brzoskwiniowej koronki), że musiałam się uśmiechnąć. Jezu, gdybym była facetem, też bym nie mogła się temu oprzeć. Pomyślałam o Andrew i ponownie rozciągnęłam usta w uśmiechu.

Ani razu nie pomyślałam o biednym Adamie, któremu nic a nic nie przeszkadzały moje kiedyś białe, a teraz poszarzałe, bawełniane majtki porozwieszane na kaloryferach w całym domu. Ani przez chwilę nie przeszło mi przez myśl, że Adamowi ta bielizna też by się spodobała, że zachwyciłby go jej czysty luksus. Jeśli mam być szczera, to ani przez chwilę nie pomyślałam o samym Adamie.

Inna rzecz, o jakiej nie pomyślałam, to koszt tego uwiedzenia. Sto funtów za bieliznę, sto pięćdziesiąt funtów za wynajęcie pokoju w hotelu. „Ale okaże się, że było warto", mówię sobie, lekko przy tym blednąc. Warto było wydać tyle pieniędzy za najlepsze pieprzenie w życiu, za najbardziej namiętną noc, jaką kiedykolwiek dotąd przeżyłam.

Otwieram szafę i wyciągam z niej swój kostium uwodzicielki. Nic zbyt oczywistego — nie może od razu się domyślić, co jest grane. Wkładam więc sukienkę: długą, powiewną i rozciętą z jednej strony niemal do samego biodra, a z przodu ozdobioną biegnącym z góry do dołu rzędem guziczków. Ta sukienka szepcze przy każdym moim ruchu. Miękko opływa moje ciało, lecz wszystko pozostawia wyobraźni.

Gdy w mojej torbie lądują: szczoteczka do zębów, para czystych majtek i szczotka do włosów, jestem gotowa. Kilka pełnych uznania spojrzeń w lustro i wychodzę. Biegnąc do samochodu, nie mogę do końca uwierzyć, że ten dzień, ta noc, nareszcie nadeszły.

Na dodatek los mi sprzyja i znajduję miejsce do zaparkowania przed samym wejściem do hotelu. Wchodzę dostojnym krokiem po schodach do chłodnego, ciemnego i stylowego wnętrza. Nie muszę się meldować już teraz. Mogę zrobić to, co robią w filmach: przeprosić Andrew na chwilę w kluczowym momencie i dyskretnie, tak by tego nie zauważył, zgłosić się w recepcji.

Spóźniona dziesięć minut przechodzę przez hotel, stukając obcasami o marmurową podłogę: tap, tap, tap. Po chwili wchodzę do hotelowego baru i moje kroki tłumi gruby dywan.

W kątach stoją dyskretnie ustawione duże, wygodne kanapy i małe, mahoniowe stoliczki. Prowadzone szeptem, intymne, spokojne rozmowy. Wtedy go zauważam i serce zaczyna mi szybciej bić. Dostrzega mnie znad filiżanki kawy i wstaje, by się przywitać.

Uśmiecham się nagle onieśmielona.

— Cześć — mówi, całując mnie w policzek. — Ślicznie wyglądasz.

Jestem już mniej napięta, bo to ten moment najbardziej mnie niepokoił: co powie i zrobi na powitanie? Czy będzie zakłopotany? A może ja będę?

Ale to oczywiście cały Andrew. Pewny siebie, elegancki, przystojny Andrew, który najprawdopodobniej nigdy w życiu nie czuł się zakłopotany, a już na pewno nie z powodu kobiety, z którą się ostatnio namiętnie całował.

Siadam, świadoma tego, że rozcięcie w mojej sukience ukazuje gładkie, opalone udo. Zmieniam nieco pozycję, by je trochę zakryć, ale dostrzegam, że Andrew ukradkiem na nie zerka. Jeszcze raz. I jeszcze raz.

Andrew rozsiada się w fotelu i spogląda na mnie, potrząsając głową. Wiem, o co mu chodzi. To znaczy, że nadal na niego działam, że wie, że nie powinien był tutaj przychodzić. Ten gest oznacza, że oboje wiemy, jak ten wieczór się zakończy.

Moja pewność siebie rośnie. Rola uwodzicielki zaczyna mnie nawet bawić. Jestem pewna, że potrafię to zrobić; że umiem sprawić, by sprawy potoczyły się wybranym przeze mnie torem.

— No cóż — mówi Andrew, nie spuszczając ze mnie wzroku, lecz unosząc brew. — Nie wyglądasz jak kobieta na skraju załamania nerwowego.

— A niby dlaczego miałabym wyglądać?

— Powiedziałaś, że masz mętlik w głowie i chciałabyś porozmawiać. Ale wcale nie wyglądasz na zagubioną.

— Doprawdy? A jak wyglądam? — pytam zalotnie, przejmując kontrolę.

— Nie — odpowiada spokojnie. — Nie przyszedłem tu z tobą flirtować.

Cholera, trudność numer jeden. Ale tak łatwo się nie poddam.

— Ja też nie, Andrew — mówię poważnym głosem. Wychodzę z roli uwodzicielki, by odegrać kobietę potrzebującą współczucia.

— Zależało mi na tym spotkaniu, bo powinieneś wiedzieć, że to nie twoja wina. Wiem, że to, co się zdarzyło między nami, nie powinno nigdy mieć miejsca, ale mój związek z Adamem nie był idealny. To, co się stało, zadziałało jedynie jak katalizator i nie chcę, byś miał poczucie winy.

Nic nie mówi. Patrzy na mnie i czeka na to, co jeszcze powiem. Ale niech mnie diabli, jeśli wiem, co takiego powiedzieć lub jak mu powiedzieć to, co czuję. Pozwól, że zaspokoję twoją ciekawość: tak, nadal to czuję.

Boże, musisz sobie myśleć, że jestem jakąś zdzirą bez serca, ale nawet kiedy łżę jak pies na temat mojego związku z Adamem, to myślę: pragnę cię, chcę cię zobaczyć bez ubrania, chcę czuć twój zapach, chcę się z tobą pieprzyć. Boże, nie masz pojęcia, jak bardzo tego chcę!

On potrząsa głową, jakby sam do siebie i wzdycha.

— O co chodzi? — pytam i pochylam się w jego stronę, by sprawdzić, czy wszystko w porządku, wiedząc, że jednocześnie przód mojej sukienki lekko opadnie. Jeśli Andrew zechce, będzie mógł zajrzeć mi w dekolt.

Zagląda.

— Nie powinno nas tu w ogóle być.

— Dlaczego nie? — pytam, jakbym nie wiedziała.

— Wiesz dlaczego.

— Nie, nie wiem. Dlaczego nie?

— Bo Adam to mój przyjaciel, a ja już wystarczająco dużo szkody wyrządziłem. Ponieważ wiesz, jak na mnie działasz. Ponieważ jeszcze zanim tu przyszedłem, wiedziałem, jaki będzie efekt tego spotkania.

— A jaki będzie jego efekt? Prowokatorka? Ja?

— A jak sądzisz?

— Sądzę, że trochę za dużo sobie wyobrażasz.

— Jestem innego zdania.

Unoszę jedną brew.

— Napijmy się. Na co masz ochotę?

Wstaję i idę do baru, wiedząc, że na mnie patrzy. Obserwuje, jak idąc zalotnym krokiem, kołyszę biodrami: plecy wyprostowane, brzuch wciągnięty, cycki do przodu. Kobieta, którą zaraz ktoś przeleci; kobieta, której nie sposób się oprzeć.

Wracając do stolika, patrzę prosto przed siebie i unikam jego oczu, bo nie wiem, jaki przybrać wyraz twarzy. Kiedy siadam, Andrew bierze ode mnie swojego drinka. W chwili gdy jego dłoń dotyka mojej, to, przysięgam na wszystkie świętości, jakby nas prąd poraził. Zaskoczona, szarpię ręką do tyłu. Jezu! O to właśnie chodziło. Tego mi brakowało.

— Przepraszam na chwilę — mówię. — Zaraz wracam.

Wychodzę z baru i idę, modląc się przy tym, by nie zauważył, że minęłam toalety, prosto do recepcji.

— Chciałabym się zameldować.

— Oczywiście, proszę pani — odpowiada recepcjonista usłużnym tonem. — Pani nazwisko?

Załatwiwszy sprawę, wracam do stolika. Po drodze wsuwam kartę magnetyczną do drzwi dyskretnie, by Andrew jej nie zauważył, do torebki. Szybki rzut oka do lustra upewnia mnie, że moje włosy nadal mają dobry dzień, a skóra wciąż jest matowa i nie trzeba wyciągać pudru.

Siedzimy przez dwie godziny i rozmawiamy o sobie, swoich uczuciach, naszych związkach. Dowiaduję się, że Andrew nigdy nie był z kimś na poważnie, a teraz, w wieku trzydziestu pięciu lat, chciałby się ustatkować. Muszę ciągle odpychać od siebie myśl, że mógłby to zrobić ze mną.

Dowiaduję się, że gustuje w blondynkach. Gdy próbuję się dowiedzieć, czy w naturalnych, czy farbowanych, on patrząc na mnie spokojnym wzrokiem i czytając mi w myślach, dodaje:

— Naturalnych i nie.

Dowiaduję się, że ma wiele wielbicielek, lecz, będąc jedną z nich, wcale nie jestem zaskoczona. Andrew uważa też, że ma zbyt wielkie oczekiwania, i to jest powód, dla którego dotąd nie znalazł właściwej kobiety.

A potem mówi mi o swoich fantazjach. Wierz mi, że tego nie było w planie, ale połączenie alkoholu (który wypijamy w nieprzyzwoitych ilościach) i pociągu seksualnego, który unosi się wokół nas jak gęsta mgła, sprawia, że wyjawiamy więcej niż, ja sama przynajmniej, planowałam.

Jego fantazje erotyczne to pójście do łóżka z dwiema kobietami, blondynką i brunetką, i patrzenie, jak robią to razem, a potem dołączenie do nich. Dowiaduję się, że kiedyś już uczestniczył w „trójkącie", ale to było z jedną kobietą i innym facetem. Ogólnie był rozczarowany. Dziewictwo stracił w wieku szesnastu lat z przyjaciółką swojej matki. Im dłużej o tym opowiada, tym bardziej czuję się podniecona. Cholera, jeszcze trochę tych opowieści, a przykleję się do fotela!

A co ja mówię mu o sobie? Na pewno nieprawdę. Opowiadam o tym, jak w wieku osiemnastu lat, na wakacjach, straciłam dziewictwo z przystojnym Francuzem, którego nigdy więcej nie spotkałam. Mówię mu, że lubię świntuszyć i że nic mnie bardziej nie podnieca. Mówię, że nigdy nie poszłam do łóżka z kobietą, ale czasami zastanawiam się, jak by to było. Mówię mu również, że ja też pieprzyłam się z dwoma facetami jednocześnie i że była to jedna z najbardziej odjazdowych nocy w moim życiu.

Kiedy tak rozmawiamy, ukryci w kąciku pokoju, przysuwamy się coraz bliżej i bliżej, aż w końcu oboje niemal dyszymy z pożądania, które tak usilnie próbujemy opanować.

Na to właśnie czekałam. To coś niewiarygodnego. To zwierzęca chuć. O to dokładnie chodzi. To tego było mi brak. Pragnę go. Pragnę go. Pragnę go! A teraz mogę go mieć. Prawie go mam.

Kładę mu dłoń na nodze i pochylając się w jego stronę, unoszę pośladki z siedzenia. Gdy kończę swoją opowieść o nocy spędzonej z dwoma mężczyznami, zaledwie centymetry dzielą moją twarz od jego. Wtedy Andrew szepcze mi do ucha:

— Gdy tak ciebie słuchałem, stanął mi jak nigdy dotąd.

Z uśmiechem patrzę mu prosto w oczy, a potem, mimo że to miejsce publiczne, przesuwam powoli dłoń w górę po jego udzie i dotykam przez spodnie jego sztywnego członka.

Andrew zamyka oczy i głośno wypuszcza powietrze, gdy masuję go delikatnie. Przestaję i przesuwam dłonią w dół po jego udzie. Szybko otwiera błyszczące od pożądania oczy i mówi chrapliwie:

— Wszyscy nas widzą.

— Wiem. Czy to cię nie podnieca? Ta świadomość, że patrzą na nas mężczyźni, którzy widzą moją rękę na twoim fiucie i wiele by dali, by być na twoim miejscu. Nie nakręca cię to?

Ponownie przymyka oczy i potakuje.

— Nie przerywaj — szepcze. — Powiedz, co jeszcze chciałabyś ze mną robić.

Mogłabym ci powiedzieć słowo w słowo, co mu wyszeptałam do ucha, lecz tego nie zrobię. Wiem, że wcześniej podawałam szczegóły, ale tym razem, nie wiem do końca dlaczego, było inaczej. Bardziej intymnie. Może dlatego, że nie znamy się zbyt dobrze, a może chodzi o to, że takiej gry wstępnej w swoim planie nie przewidziałam.

Powiem ci tylko, że siedziałam pochylona tak bardzo, że moja twarz znajdowała się niemal między jego nogami i szeptałam mu, co chciałabym z nim zrobić i co on mógłby robić ze mną. Nie ubierałam tego w erotyczne słowa, używałam najbardziej podstawowego, wulgarnego języka, jaki znałam. Teraz już wiesz. Zadowolona?

Bo Andrew jest. Z zamkniętymi oczami wsłuchuje się w mój szept, w mój głos, który staje się z żądzy chrapliwy, aż w końcu unosi powieki i mówi gardłowo:

— Muszę się z tobą pieprzyć.

Wstaję i rzucam szybko:

— Chodź ze mną.

Andrew też się podnosi i grzecznie podąża za mną do wyjścia z baru, zasłaniając swoją erekcję trzymanym z przodu płaszczem.

Jedziemy na czwarte piętro windą, w której stajemy za parą amerykańskich turystów. Andrew nie jest ani trochę zaskoczony, że zarezerwowałam tu pokój. Może jednak nie jestem tak przebiegła, jak mi się wydaje.

Przesuwam kartą magnetyczną przez czytnik przy drzwiach, za którymi znajduje się niewielka, ale elegancka sypialnia. Chciałabym móc powiedzieć, że naszym oczom ukazał się widok na urządzony z przepychem apartament — wiem, że to bardziej pasuje do tego typu opowieści — ale na apartament nie mogłam sobie pozwolić. Stać mnie było tylko na to. To wystarczy. Naturalnie.

Andrew zamyka drzwi, upuszcza płaszcz na podłogę i pchnięciem rzuca mnie na łóżko. Wpycha mi język do ust i mam wrażenie, że jego ręce są wszędzie. Zrywa mi ramiączka sukienki z ramion i całymi rękoma miętosi moje piersi, po czym pochyla się i ssie jeden sutek. Mocno. Ała! To boli!

— Zwolnij. Mamy całą noc.

Ale Andrew nie ma zamiaru zwolnić. Ściąga ze mnie sukienkę, zrywa z siebie koszulę i spodnie i klęka mi między nogami, całkiem nagi — w pełnej krasie, o której marzyłam od kilku tygodni. Miesięcy.

Tylko że ja nie czuję kompletnie nic. Nie jestem ani trochę podniecona. Nie odczuwam niczego, prócz niewielkiej satysfakcji, że mi się udało.

„Kiedyś już tak było", myślę. Już mnie to przedtem spotkało. Człowiek tworzy sobie w głowie jakąś fantazję. Bardzo szczegółowo rozbudowaną fantazję na temat mężczyzny marzeń.

Leżysz nocą w łóżku i wymyślasz sobie dokładnie, jak to będzie, kiedy się w końcu wydarzy. Próbujesz sobie wyobrazić jego ciało, głos, co powie, co każe ci zrobić.

Budujesz napięcie, podniecenie. A potem, po wielu godzinach dopracowywania szczegółów, nareszcie cię to spotyka i nagle, w chwili, gdy on cię całuje, czujesz, że to wcale nie jest takie podniecające.

Na pewno zaraz coś poczujesz, wmawiasz sobie. Przecież właśnie spełnia się moje marzenie. Uczucie pożądania się pojawi, myślisz, bo w przeszłości zawsze tak było. Zawsze, kiedy leżałaś sama w łóżku i planowałaś tę chwilę.

Jednak pożądania jak nie było, tak nie ma. A jeżeli je poczujesz, to będzie zaledwie mgnieniem. Za późno, by się wycofać, myślisz. Teraz już muszę brnąć dalej, bo weszłam w tę sytuację na własne życzenie i za późno, by zrezygnować.

Brniesz więc do końca i ziemia jakoś pod tobą nie zadrżała. Nawet nie drgnęła. Wykonujesz wszystkie niezbędne ruchy, ale nie czujesz nic prócz znudzenia.

A potem leżysz i mówisz sobie, że więcej tego nie zrobisz. Nie będziesz godzinami budowała sobie w głowie jakiejś fantazji na temat seksu z idealnym facetem, jeśli nie będziesz miała nawet cienia szansy, że takiego faceta zdobędziesz. Inaczej zawsze będziesz rozczarowana.

Ponieważ to dla mnie nie pierwszy raz, nagle uświadamiam sobie, jaki będzie efekt i że nie chcę znów przez to przechodzić.

Patrzę, jak Andrew podnosi się z łóżka i podchodzi do płaszcza po prezerwatywę (czy on wiedział, że tak będzie, czy zawsze nosi w kieszeni prezerwatywy „na wszelki wypadek"?) i wiem na pewno, że nie mogę tego zrobić.

Gdybyśmy to zrobili, to byłoby to wyłącznie bezsensowne pieprzenie. A ja nie mam więcej na coś takiego ochoty. Nie chcę pieprzyć się z kimś, kogo nie znam i na kim mi nie zależy. Chcę śmiechu, poczucia bezpieczeństwa, ciepła płynącego z kochania się z kimś. Chcę się kochać z Adamem.

Nie chcę ciebie, chcę Adama. Nie chcę twojego ciała. Ja nie znam twojego ciała, nie wiem, co z nim robić. A już na pewno ty nie masz pojęcia, co robić z moim.

Po raz pierwszy od mojego rozstania z Adamem tęsknię za nim. Naprawdę szczerze za nim tęsknię. Nachodzi mnie to znienacka, jak cios, i nagle uświadamiam sobie, co mam. Co miałam. Co znów mogłabym mieć, jeśli nie jest jeszcze za późno.

Cholera! Wraca Andrew. Jak ja mam się z tego wywinąć? Pieprzyć się z nim dla świętego spokoju czy powiedzieć mu już teraz? Jak mam to zrobić? Co mam powiedzieć?

— O Boże! — jęczę, gdy kładzie się na łóżku.

— O co chodzi?

Mój jęk całkiem wyraźnie nie był jękiem rozkoszy.

— Nie mogę. Przepraszam, ale nie mogę tego zrobić.

— Chyba żartujesz!

Ale wie, że to nie żaden żart. A przynajmniej jego erekcja to wie, bo w mgnieniu oka znika.

— Nie. Nie mogę. Nie jestem jeszcze gotowa.

— Nie wierzę własnym uszom — mówi lodowatym tonem.

— Ściągasz mnie tu pod jakimś żałosnym pozorem, że niby

chcesz porozmawiać, siedzisz w hotelowym barze i gadasz o seksie, wyraźnie mnie uwodząc, a teraz, za pięć dwunasta, uznajesz, że jednak nie możesz tego zrobić? O co ci, kurwa, chodzi?

Wstaje i bez słowa z powrotem wkłada ubranie. Leżę na łóżku, zwinięta w pozycji embrionalnej, na wpół przykryta kołdrą i przyciskam twarz do poduszki.

On nadal nie mówi ani słowa. Wychodzi, trzaskając drzwiami. Dzięki Bogu! Dzięki Bogu, że sobie poszedł. Chcę Adama. Kiwam się, leżąc w tym wielkim podwójnym łóżku: w przód, w tył, w przód, w tył, aż w końcu zaczynam płakać.

Łkam całą piersią. Ja chcę Adama. Tęsknię za Adamem. Kocham Adama. To dzisiaj to nie była żadna namiętność, to nic nie było. Nie zależy mi już na namiętności, zależy mi na Adamie.

Mówią, że człowiek nie wie, co tak naprawdę ma, dopóki tego nie straci. Zawsze sądziłam, że to głupie — stek cholernych bzdur. Nigdy nie przypuszczałam, że i mnie to spotka.

Ale teraz mnie spotyka. 0171 266 6431. Gdzie jesteś, Adamie? Nie wiem, co ci powiedzieć. Wiem tylko, że muszę to zrobić. Gdzie się podziewasz o północy, gdy cię potrzebuję?

O Boże, przecież on nie może być z inną! Błysk poczucia zagrożenia, paniki. Ale nie, on by nie potrafił. Przecież to Adam. Odbierz.

Telefon dzwoni trzy razy i w końcu odzywa się sekretarka.

— To ja, nie mogę odebrać, więc zrób, co należy, po sygnale.

Gdzie on jest? Wybiła północ, gdzie on się podziewa? Dlaczego nie ma go w domu, bym mogła mu powiedzieć, że go kocham? Nie mogę zostawić wiadomości, bo to zbyt bezosobowe. Odkładam więc słuchawkę i płaczę. Nie mogę przestać.

Jeżeli zastanawiasz się, co mi chodzi po głowie, to ci powiem. Chyba właśnie odkryłam, czym naprawdę jest miłość. Miłość może oznaczać namiętność, szacunek i podziw, lecz namiętność może przybrać różne kształty. Nie zawsze sprawia, że człowiek czuje się, jakby mu ktoś próbował wyrwać serce z piersi, jakby mu deptano po wnętrznościach. Namiętność to również zaufanie, przyjaźń i bliskość.

Lecz cokolwiek by to było, jestem absolutnie pewna, że znalazłam to w Adamie. Ale jego tu nie ma, a ja leżę sama, skulona w kłębek, i zalewam się łzami. To musi być najbardziej samotna noc w moim życiu.

Rozdział dwudziesty trzeci

Louise wręcza mi równiutko złożony na pół rachunek i mówi:
— Rzuć na to okiem, kiedy wyjdziesz.
Podchodzi do mnie i mocno przytula. To nasz pierwszy kontakt fizyczny i kiedy Louise rozluźnia uścisk, obie mamy łzy w oczach.
— Udało ci się — mówi z uśmiechem. — Udało.
A więc to już finisz. Nie mogę uwierzyć, że do niego dotarłam, że zdołałam ukończyć podróż, która zdawała się trwać tak długo. Chryste, nie było łatwo i nawet sama nie jestem pewna, czy chcę, by to był jej kres. To miejsce i ten czas tylko dla mnie, cały proces odkrywania siebie samej, przynoszą mi tak wielkie pokrzepienie.

Ale wiem, że to koniec. Nauczyłam się dokładnie tyle, ile miałam, i Louise też o tym wie. Zrozumiała to, gdy jej opowiedziałam o Andrew i o naszej namiętnej nocy, która nigdy tak naprawdę nie miała miejsca. Powiedziałam jej też o szczerości i sile moich uczuć do Adama.

Stojąc przy samochodzie, patrzę na rachunek. Moja pierwsza myśl, gdy czytam jej słowa, to: „Jezu, trochę to kiczowate, nie?"

„Powodzenia, Tasha, i dziękuję, że zechciałaś podzielić się ze mną swoim życiem, że tyle mnie nauczyłaś. Znajomość z tobą to prawdziwy przywilej. Będę za tobą tęskniła. Louise".

Lecz moja pierwsza myśl nie trwa zbyt długo. Moja druga myśl, a może uczucie, to duma. Siedzę w samochodzie, patrzę na te słowa i odczuwam niewiarygodną dumę z siebie, że mi się udało, że odbyłam tę podróż do samego końca.

Nigdy nie myślimy o tym, że my też możemy innych ludzi czegoś nauczyć. Zawsze widziałam siebie wyłącznie w roli uczennicy, próbowałam opanować sztukę wykorzystania własnego życia jak najpełniej, patrząc na innych i starając się ich naśladować. Postępować tak jak oni, mieć to, co oni.

Jedna Louise, ze swoimi dyplomami uniwersytetu, całą swoją wiedzą i mądrością, nauczyła się czegoś ode mnie. Bóg raczy wiedzieć czego, ale ja wierzę, że to prawda, że pomimo łączącego nas profesjonalnego układu, zdołałam jakoś wpłynąć na jej życie. Przecież nie okłamywałaby mnie, prawda? Po co miałaby to robić?

A jak ona wpłynęła na mój los! Zmieniła go. Dzięki niej zrozumiałam, dlaczego jestem taka, jaka jestem. Może to zabrzmi trywialnie, jeśli powiem, że kiedy spotkałam ją po raz pierwszy, byłam w połowie pusta, a teraz jestem pełna, ale tak właśnie czuję.

Jestem przekonana, że inni ludzie pojawiają się w naszym życiu nie bez powodu. Każdy człowiek, którego spotykamy i który pozostawia jakieś wrażenie, ma dla nas jakąś naukę. Wszystko, co nas spotyka, stanowi doświadczenie i z tego właśnie powodu nie może być złe. Doświadczenie może być wyłącznie dobre, bo spełnia rolę czynnika kształtującego nas jako osobę, sprawia, że stajemy się tym, kim się stajemy.

Wybaczam moim rodzicom, teraz już wiedząc, że nie mogę ich winić, tak jak to robiłam przez wiele lat, za to, że mnie skrzywili psychicznie i niszczyli moje związki. Nauczyłam się, że robili, co mogli, dysponując taką wiedzą, jaką wtedy posiadali, a to wystarczy.

Wybaczam Simonowi, mimo że złamał mi serce. Bo gdyby nie on, nie sypiałabym z kim popadnie, nie nauczyłabym się, że to niczego nie rozwiązuje, i co najważniejsze, nie spotkałabym Adama.

Nawet tobie wybaczam, droga czytelniczko, to, co sobie na mój temat myślałaś, kiedy się poznałyśmy. Nie sądź, że nie wiem, co wtedy czułaś, że nie zdaję sobie sprawy z twojej niechęci, która czasami przeradzała się w nienawiść. Mam nadzieję, że dla ciebie to też była dobra lekcja: że dostrzegłaś we mnie jakąś część siebie samej i że wiesz, że robiłam, co mogłam, dysponując taką wiedzą, jaką wtedy posiadałam.

Chryste, każ mi przestać, zanim się kompletnie rozkleję. To zupełnie nie w moim stylu. Chociaż, może jednak to jest mój styl, może to ta nowa ja. Nie-eee. Chyba nie.

Siedem wiadomości na mojej automatycznej sekretarce. Serce zaczyna mi szybciej bić. Może jedna z nich jest od Adama? Zadzwoniłam do niego następnego ranka po tej nocy, ale nie było go w domu, a ja nie zostawiłam wiadomości.

Dzwoniłam też nazajutrz wieczorem, ale nadal był nieobecny, a ja znów niczego nie przekazałam. Wydzwaniałam do niego przez trzy dni i w końcu skorzystałam z możliwości oferowanych mi przez jego sekretarkę. Powiedziałam, że muszę się z nim zobaczyć i porozmawiać. Niech do mnie zadzwoni, jak tylko wróci do domu. Nieważne, o której godzinie.

Nie zadzwonił.

Wiadomości są od dziewczyn. Cztery od Andy. „Gdzie ty się podziewasz? Zadzwoń". Jedna od Mel, jedna od Emmy i w końcu... w końcu jedna od Adama.

„Przepraszam, pracowałem na wyjeździe. Jestem w domu, więc zadzwoń, jak wrócisz".

Boże, jak dziwnie brzmi jego głos. Nie dlatego, że minęło tak dużo czasu, ale ten głos jest jakiś inny. Znajomy, lecz inny. Brakuje w nim czułości, którą zastąpiła chłodna uprzejmość. Odsłuchuję jego wiadomość sześć razy. Zdecydowanie uprzejma, ale chłodna. Ale, czy mogę mieć do niego pretensje?

Oddzwaniam natychmiast, a on tym razem odbiera.

— Cześć, nieznajomy!

— Cześć — odpowiada, po czym zmienia ton na nieco bardziej zdystansowany. — Co słychać?

— Wszystko w porządku, Adamie. A co u ciebie?

— Dużo roboty.

— Ad, muszę z tobą porozmawiać.

Cisza.

— Ad?

— Nie wiem, Tasha. Miałem tyle czasu, by to wszystko przemyśleć, i nie jestem pewien, czy jest jeszcze o czym rozmawiać.

O Boże! To nie tak miało być. Powiedział, że zaczeka. Powinien być zachwycony, powinien chcieć mnie odzyskać. „Proszę!", modlę się w duchu. „Proszę, Boże, niech zechce mnie odzyskać".

— Wiem, jak musisz się czuć — zaczynam powoli, niezbyt pewna, jak wyrazić to, co chcę mu powiedzieć, ale pewna, że nie chcę powiedzieć zbyt dużo przez telefon; pewna, że wszystko będzie dobrze, kiedy mnie zobaczy i przypomni sobie, jak bardzo mnie kocha. — Ale ja też dużo myślałam i tyle się wydarzyło, tyle zaszło zmian. Za dużo tego na telefon. Musimy się spotkać.

Znowu cisza.

— Proszę.

— Dobra — mówi w końcu. — Kiedy?

— Dzisiaj wieczorem?

— Niestety. Dzisiaj wieczorem nie mogę. Może jutro?

Dzisiaj nie może? Co to ma być? Powinien za mną tęsknić tak bardzo, że nie może się doczekać naszego spotkania. Cholera, więc to jest moja pokuta? To tym mi odpłaca za to, że postąpiłam wobec niego jak ostatnia zdzira?

— Jutro brzmi świetnie. Chcesz wpaść do mnie? Mogłabym zrobić coś do jedzenia.

— Nie — odpowiada zdecydowanym tonem. — Wolałbym gdzie indziej.

W porządku, znam tę grę. Rozumiem, że chodzi o neutralne terytorium, i rozumiem, że nie chce mi dawać przewagi. Umawiamy się więc w kafejce w Maida Vale. Żadnej kolacji, to zbyt formalne. Tylko kawa. Spotkanie na kawę, które może potrwać pół godziny albo trzy, w zależności od tego, co mam mu do powiedzenia.

Odkładam słuchawkę i czuję, że dygoczę. Dzwonię więc do Mel — Mel, która unika mnie od czasu, kiedy miała miejsce ta katastrofa. Mel, z którą tak bardzo chciałam porozmawiać, ale nie wiedziałam, jak ona to przyjmie, jak mnie oceni.

Ale teraz jej potrzebuję. Muszę jej wszystko wyjaśnić; powiedzieć, że miała rację.

— Mel? To ja. Wiem, że wszystkie spotykamy się na lunchu, ale czy mogłabyś przyjść trochę wcześniej? Muszę z tobą pogadać.

Kiedy wchodzę, ona już siedzi przy naszym stoliku. Sama. Wygląda bezpiecznie, znajomo i ślicznie. Kiedy mnie dostrzega, posyła mi charakterystyczny, uroczy uśmiech i od razu widzę, że mi wybaczyła, i wiem, że teraz już wszystko będzie dobrze. Gdy do niej podchodzę, wstaje i mocno mnie przytula.

— Chciałabyś mi o czymś powiedzieć, prawda? — mówi z uśmiechem, odsuwając się i siadając z powrotem.

— Och, Mel! — wzdycham i potrząsam głową. — Miałaś rację. Czemu ja ciebie nie posłuchałam? Ja go kocham, Mel. Kocham Adama. Musiałam przez to wszystko przejść. Gdyby nie Andrew, nigdy bym tego nie zrozumiała. Ale Bóg mi świadkiem, Adam jest najważniejszą częścią mojego życia i oczywiście łączy nas namiętność. Tylko że ja tego nie widziałam. Powiem ci coś, tylko obiecaj, że nie będziesz na mnie zła.

— Obiecuję.

Opowiadam jej więc o moim poszukiwaniu namiętności, o pieprzeniu, które nigdy nie miało miejsca, o uczuciu euforii i przerażenia, gdy zrozumiałam, czym jest miłość. Mel nie mówi ani słowa. Słucha uważnie, gdy wylewam z siebie potok słów, a kiedy kończę, patrzy na mnie z pełną powagą i ostrzega:

— Nigdy, pod żadnym pozorem, nie mów mu o tym.

Potakuję, bo wiem, że ma rację. Wiem, że gdyby dowiedział się, co zrobiłam, to w żaden sposób nie zdołałabym tego naprawić.

— Myślisz, że mnie znowu zechce? — pytam, bo chociaż wiem, że ona też nie zna odpowiedzi, chcę, by ktoś zapewnił mnie, że tak.

— On cię kocha — mówi Mel. — Ale musisz zrozumieć, że w tej chwili niekoniecznie ci ufa. Musisz mu udowodnić, że na to zasługujesz, a to może potrwać. Ale tak... myślę, że cię znowu zechce.

Zjawia się reszta: najpierw Emma, potem Andy. Kilka minut później wrzeszczymy głośno przy stoliku, chichoczemy jak nastolatki i przekrzykujemy się, bo każda chce pierwsza opowiedzieć swoją historię.

Emma sięga do swojej torby marki Gucci i wyciąga kilka czasopism dla przyszłych panien młodych.

— Większość z nich jest dosyć obleśna — chichocze. — Ale znalazłam w nich parę dobrych pomysłów i chciałam usłyszeć, co wy na to.

Rozkłada magazyny na stole, a my, jak to dziewczyny, zachwycamy się niektórymi zdjęciami i piszczymy z przerażenia na widok innych.

— Taką sukienkę chcę mieć — mówi nagle Andy, pokazując palcem na suknię, która jest tak obcisła, że wygląda bardziej jak kondom niż strój weselny.

— Wychodzisz za mąż? Coś mi się wydaje, że nie — mówię.

— Nigdy nie wiadomo. — Na twarz Andy wypływa lekki rumieniec. — Nigdy nie wiadomo, kiedy trafi się na mężczyznę swoich marzeń.

— Andy, ty co tydzień spotykasz mężczyznę swoich marzeń.

— No cóż — mówi jedynie, a my spoglądamy na siebie nawzajem.

— Andy?

— Tak?

— Kto to jest tym razem?

— Ja wiem — krzyczę. — Ma na imię Mark.

— Tasha — syczy na mnie Andy, po czym mówi skromniutko.

— Ma na imię Mark, czterdzieści lat i jest księgowym.

— Księgowym? — Patrzymy na nią wszystkie zszokowane.

— Ty? Z księgowym?

— A co w tym złego? — pyta i wygląda na poważnie wkurzoną.

— Nic — rzucam szybko. — Tylko że to... zupełnie nie w twoim stylu.

— No cóż, może i nie, ale on wydaje się naprawdę miły. A już na pewno jest miły w stosunku do mnie, więc niczego nie przyspieszam i zobaczymy, co z tego będzie. Za wcześnie myśleć o przyszłości.

Mowę mi odebrało, naprawdę zaniemówiłam z wrażenia. A sądząc po głuchej ciszy, która nagle zapadła, reszta czuła to samo.

Andy, która zawsze przysięgała nigdy nie umawiać się z prawnikami i księgowymi. „Błagam was", mawiała. „Co za nuda!" Andy nigdy nie powiedziała o nikim „naprawdę miły". Mężczyźni byli zawsze: „rewelacyjni", „boscy" albo „powalająco przystojni". Andy nigdy, przenigdy, nie dbała o „nieprzyspieszanie spraw" ani nie stwierdziła, że „za wcześnie myśleć o przyszłości".

„Może ona wie", myślę. Może to prawda, co mówią moi szczęśliwie żonaci i zamężni znajomi: że człowiek nie wie, po czym to poznać, dopóki jego, lub jej, nie spotka, bo wtedy wie od razu.

Może w przypadku jednych natychmiast tak jest i może właśnie dlatego Andy ujawnia tak niewiele, co jest zupełnie do niej niepodobne.

Nie kontynuujemy wątku Marka, bo Andy najwyraźniej nie ma ochoty dłużej na ten temat rozmawiać. Mówimy więc o innych rzeczach. O mężczyznach, oczywiście, o pracy, uczuciach, ludziach i o życiu.

Kiedy kończymy jeść lunch i rozsiadamy się wygodnie na krzesłach, trzymając się za brzuchy i jak zwykle jęcząc, że za dużo zjadłyśmy, rozmawiamy o namiętności.

— Dużo o tym ostatnio myślałam — stwierdza Andy, patrząc najpierw na mnie, potem na Mel. — Myślę, że obie macie rację, a ja się chyba myliłam. Nadal nie wierzę, że można bez niej żyć, nadal też twierdzę, że podziw i szacunek to za mało, ale teraz wiem też, że namiętność może w człowieku urosnąć. Czasami pojawia się w nas w najmniej oczekiwanym momencie i warunkach. A kiedy przychodzi w taki sposób, to i trwa dużo dłużej.

Spogląda na mnie i jej twarz rozjaśnia uśmiech. Odwzajemniam go. Jeszcze przez długi czas obie nie odwracamy wzroku.

Jak na kogoś, kto zwykle szykuje się godzinami, aż trudno uwierzyć, że jestem ubrana, umalowana i gotowa do wyjścia z zapasem trzydziestu minut. Muszę skupić uwagę na czymś innym, nie myśleć o wieczorze z Adamem. Co ja będę przez te pół godziny robiła?

Telewizja. Siadam i przerzucam kanały, bo chociaż nie mogę skoncentrować się na jednej rzeczy, to mogę przynajmniej popatrzeć na obrazki. Lepsze to, niż rozmyślać nad tym, co powinnam powiedzieć Adamowi.

Jestem bardzo podenerwowana, ale jednocześnie podekscytowana. Spotykam się z mężczyzną, którego kocham, i powiem mu o tym, a wtedy wszystko będzie dobrze. Lepiej niż dobrze. Wspaniale. A potem żyli długo i szczęśliwie.

Pora wychodzić. Jadę do kafejki samochodem i prowadzę jak otępiała. Wchodzę do środka, a jego jeszcze nie ma. Przyszłam trochę za wcześnie, więc zamawiam cappuccino i siadam przy stoliku z przodu. Nie chcę, by mnie nie zauważył, chcę być pierwszą osobą, którą dostrzeże po wejściu. Mój Adam, moja miłość.

Boże, czy mnie wysłuchasz? Nie mogę uwierzyć w to, że przybieram takie płaczliwe tony; brzmię tak rozpaczliwie, tak bardzo jak nie ja. Co się dzieje? Jasne, z Simonem też taka byłam, ale nigdy nie sądziłam, że mogę się tak czuć przy Adamie.

W końcu to on zawsze mi mówił, że mnie kocha. Ja nie mówiłam nic prócz „Wiem" od czasu do czasu. Kwitłam dzięki jego uwielbieniu, ale nigdy nie sądziłam, że powinnam mu się jakoś odwzajemnić.

Sądziłam, że w naszym związku jedno zawsze kocha, a drugie jest kochane. Role cały czas mogą się zmieniać, ale nigdy nie będzie tak, żeby dwoje kochało lub było kochanych naraz. W przeszłości to zawsze ja byłam tą kochającą. Zawsze i bez wyjątku. Dopóki nie spotkałam Adama. Wtedy byłam kochana. Również zawsze i bez wyjątku.

A teraz role znów się odwróciły i to ja jestem tą, która kocha. Ale nie ma już we mnie niepewności, skłonności do uzależniania się od drugiej strony i zazdrości, które towarzyszyły mi w poprzednich związkach. Teraz to ja kocham, ale jestem silna, stabilna i daję poczucie bezpieczeństwa. Rozpiera mnie duma z siebie i pragnę pokazać, jak mocno potrafię kochać, jak wiele potrafię.

Na miłość boską, Adamie, gdzie ty się podziewasz?

W tym momencie widzę, jak parkuje samochód. Wysiada, patrzy w prawo i w lewo, po czym przechodzi przez ulicę i wchodzi do środka, a moją twarz rozjaśnia uśmiech. Oczekuję, że on zrobi to samo, i mogłabym przysiąc, że widziałam ten błysk w oku, kiedy mnie zauważył, lecz po chwili wszystko znika i Adam podchodzi do mnie chłodny, opanowany i pełen rezerwy. W niczym nie przypomina Adama, którego znam. Adama, którego sądziłam, że znam.

Muszę się kontrolować, bo nie tak to sobie planowałam. Myślałam, że on wejdzie, zobaczy mnie i rzucimy się sobie w ramiona jak w filmach. Nadal liczę na ten romans w hollywoodzkim stylu, ale nic z tego. To nie tak. Nie tak miało być, więc nagle tracę grunt pod nogami.

Słowa, które miałam wypowiedzieć (coś w stylu: „Kocham cię, tęsknię za tobą, chcę spędzić z tobą resztę życia"), podczas gdy jego twarz miała przybrać wyraz radości, wydają się teraz kompletnie nie na miejscu. Jeśli mam być szczera, nie mam pojęcia, co dalej.

— Cześć — mówi. — Dobrze wyglądasz.

— Dzięki, ty też.

Na miłość boską! On nie ma mi mówić, że dobrze wyglądam! Ma mówić, że wyglądam fantastycznie, cudownie, rewelacyjnie.

— No więc — rzuca radosnym tonem; ani cienia Adama, którego widziałam ostatnim razem, cierpiącego Adama, który płakał na moim ramieniu i mówił, że zaczeka.

— No więc — odpowiadam, nie mając pojęcia, co teraz. — Jak w pracy?

— Och, w porządku, w porządku. Miałem ostatnio masę roboty, ale idzie świetnie.

Znów ten niedbały ton. Nie mogę się powstrzymać i mówię jękliwie:

— Gdzie ty byłeś? Wydzwaniałam do ciebie bez przerwy, a ciebie nie było.

— Och, tu i tam. Wiesz, jak to jest.

Nie, nie wiem. Znam cię, ale nie wiem, o co tu chodzi. Skąd ten ton głosu? Od kiedy masz takie lekkie podejście do spraw? Od kiedy ci nie zależy? Czy przestało ci zależeć?

— A jak tam Andrew? — pyta w końcu, kiedy oboje mieszamy kawę i zastanawiamy się, co teraz powiedzieć, jak mamy, do diabła, przełamać te lody?

— Nie widziałam się z nim, Adamie. Nie chcę go więcej widzieć.

— Doprawdy? — mówi głosem ociekającym sarkazmem. — Kiedy was ostatnio razem widziałem, odniosłem zupełnie inne wrażenie.

— Jezu, Adamie, co to ma być?! Kiedy ja ciebie ostatnio widziałam, powiedziałeś, że na mnie zaczekasz, że dasz mi trochę czasu. Od tamtej pory myślałam wyłącznie o tobie i przyszłam tu dzisiaj, by ci o tym powiedzieć, a czuję się, jakbym rozmawiała z obcym człowiekiem! Postępujesz jak skończony skurwiel!

O cholera, o cholera! Teraz będą łzy. Nie. Dosyć! Nie chcę, by płynęły mi po policzkach. Nie chcę, by on to widział. Dzięki Bogu. Przestały, ale Adam zdążył zauważyć, kiedy mi falą napłynęły do oczu.

Jego twarz łagodnieje. Głos też.

— Przepraszam. Nie chciałem, żeby tak to wypadło, ale kiedy cię ostatnio widziałem, bolało mnie tak bardzo. A potem poczułem gniew. Byłem na ciebie wściekły za to, jak mnie potraktowałaś. Nadal jestem zły. Wciąż nie mogę uwierzyć w to, co zrobiłaś.

Odzyskuję głos.

— Chodzi ci o to, że już na mnie nie czekasz? Że to koniec?

Adam nic nie mówi i podczas gdy siedzi tak, wzdychając, ja czuję, jak robi mi się fizycznie niedobrze. Kładę rękę na brzuchu, by powstrzymać to uczucie.

— Sam już nie wiem — odpowiada i ponownie wzdycha.

— Sporo się w ciągu tych ostatnich trzech tygodni wydarzyło. Kiedy przenosiłem swoje rzeczy od ciebie, kiedy rozmawialiśmy, naprawdę myślałem, że zaczekam. Myślałem, że jesteś warta czekania. Ale teraz...

Urywa nagle i wzrusza ramionami.

Mam mu powiedzieć, co czuję? Czy to coś zmieni? Czy będzie to dla niego miało jakieś znaczenie?

— Ad — mówię cicho, z nadzieją, że to znajome imię przypomni mu, jak to było, kiedy byliśmy razem. — Zachowałam się w stosunku do ciebie jak skończona zdzira. Postąpiłam obrzydliwie, ale w jakiś chory sposób było mi to potrzebne, bym mogła zrozumieć, jak bardzo cię kocham.

Przerywam i układam sobie dalszy ciąg w głowie, wypróbowując go na języku, zanim wyleci z moich ust.

— Jak bardzo jestem w tobie zakochana.

Adam patrzy na mnie i widzę, że jest zaskoczony. Tak, usłyszał te słowa po raz pierwszy, ale nie jestem pewna, czy robi mu to teraz jakąś różnicę. Czy ma to jakiekolwiek znaczenie.

— Nigdy w życiu nie byłam tak szczęśliwa jak z tobą — ciągnę dalej. — Ale żywiłam to idiotyczne przekonanie, że czegoś tu brakuje. Jednak od czasu, gdy się rozstaliśmy, wiem, że nie brakowało niczego. Że to, co nas łączy, to wszystko, czego w życiu chciałam. Boże, Adamie, tak mi trudno.

— Nie wiesz, co masz, dopóki tego nie stracisz — mówi szeptem, jakby tylko do siebie.

— Tak, właśnie tak. Ja nie wiedziałam, a teraz wiem i po prostu chcę, byśmy byli razem.

— To nie takie proste — wzdycha znowu i przeczesuje włosy palcami.

Nagle uderza mnie pewna myśl, zupełnie znienacka — myśl tak okropna, że prawie nie mogę w nią uwierzyć. Ale już to pomyślałam i nim mam szansę się nad tym zastanowić, mówię głośno:

— Poznałeś kogoś.

Wypowiadam te słowa szeptem, a Adam robi najgorszą z możliwych rzeczy. Nie odpowiada. Czuję, że cały mój świat wali się wokół mnie.

— Poznałeś kogoś — powtarzam, bo nie mogę w to do końca uwierzyć.

— Nie całkiem — odpowiada i przerywa. — Ale coś w tym rodzaju.

— Kto to jest? — pytam, choć tak naprawdę wcale nie chcę wiedzieć, ale muszę

— Ktoś z pracy.

— Co do niej czujesz?

— To nie tak.

O co mu chodzi? O czym on mówi?

— A jak w takim razie? Powiedz.

— To Cathy.

Cathy? Myślę intensywnie. Kto to jest Cathy?

Nagle sobie przypominam. To asystentka w dziale projektów; asystentka, o której Adam rzadko mówił, chyba że po to, by powiedzieć, że dziewczyna się w nim podkochuje i że to takie słodkie.

A ja ignorowałam zagrożenie, bo to nie było żadne zagrożenie. Przecież jest młodziutka. Ile ona ma? Dwadzieścia dwa lata? Dwadzieścia trzy? A Adam był za bardzo we mnie zakochany, by choćby spojrzeć na inną. A przynajmniej tak sądziłam.

— Mała Cathy? — pytam i patrzę na niego w szoku.

Przytakuje.

— Ale ty nigdy się nią nie interesowałeś. Jest dla ciebie dużo za młoda.

— Nie jest aż taka młoda. Ma dwadzieścia cztery lata.

— I co? Chodzisz z nią? Sypiasz z nią? Co dokładnie was łączy?!

— Poszliśmy tydzień temu na drinka. Pracowaliśmy do późna nad nowym projektem i potem strasznie się upiliśmy, a ona powiedziała mi, że ma na mnie chrapkę.

— To nie jest znowu aż tak młoda, skoro stać ją na taką bezpośredniość.

Dziwka!

— Nie, nie jest aż tak młoda. Nie jestem pewien, co się dalej działo, ale następnego dnia rano obudziła się u mnie...

Boże, nie chcę tego słuchać! Nie chcę usłyszeć, że Adam kochał się z inną. Proszę, powiedz, że tego nie zrobiłeś! Powiedz, proszę, że zmieniłeś zdanie; że nie mogłeś tego zrobić. Skłam, jeśli musisz, ale nie mów mi, że z nią spałeś.

— ...w tym samym łóżku.

Patrzy na mnie z poczuciem winy wymalowanym na twarzy, spodziewając się zapewne ataku. Ale co mam mu powiedzieć. Adam przespał się z inną. Ja przynajmniej miałam na tyle przyzwoitości, by przerwać to w ostatniej chwili, a on nie. Nie mam nic do powiedzenia i cisza rozciąga się między nami coraz szerzej i szerzej.

— Następnego ranka miałem straszliwe poczucie winy — mówi dalej, jakby mnie to miało jakoś pocieszyć i w malutkim, bo malutkim stopniu, ale pociesza. — Nie chciałem jej obecności, nie chciałem jej w moim łóżku.

— Ale podejrzewam, że i tak przeleciałeś ją jeszcze raz, skoro już tam była?

Adam czerwieni się.

— Tak myślałam. I co dalej?

— Tylko tyle. Nic więcej, ale ona cały czas mnie pyta, kiedy znów się spotkamy, a ja naprawdę nie wiem, co do niej czuję. Jest słodziutka, ale nie jestem pewien, czy jestem już gotowy na nowy związek.

A jesteś gotowy na związek ze mną? Mimo że naprawdę mam mdłości, nadal cię pragnę, Adamie. Wybaczam ci.

Adam musi to zrobić. Musi oczyścić się z winy, zrzucając ten ciężar. Jestem silniejsza niż on, a ponieważ ja nie pieprzyłam się z Andrew, nigdy nie pozwoliłam, by wszedł w moje ciało, niech to nadal będzie mój sekret — sekret, którym się z nim nie podzielę, bo nie uważam, by zasługiwał na większe cierpienie.

Myślę, że to ja na nie zasługuję.

— Jeśli to skończone, Adamie, a ty nadal mnie kochasz, to możemy o tym zapomnieć. Nie chciałam tego usłyszeć, ale ty czułeś potrzebę, by mi powiedzieć. A teraz, kiedy już to zrobiłeś, mogę się z tym pogodzić i żyć dalej. Możemy oboje żyć dalej. Razem, jeśli ty też tego chcesz.

— Nie wiem, czego chcę, Tasha. Tak. Nadal cię kocham, ale drugi raz bym tego nie zniósł, a nie wiem, czy mogę ci zaufać.

Dzięki, Mel! Dzięki, że mnie ostrzegłaś i teraz wiem, co powiedzieć.

— Adamie, rozumiem to i nie mogę zrobić nic, co sprawiłoby, że znów mi zaufasz. Ale jeśli dasz mi trochę czasu, to ci tego dowiodę.

— Czas — mówi i kiwa powoli głową. — Jeśli mamy jeszcze jakieś szanse, a nie mówię, że na pewno mamy... Ale jeżeli mamy, to ja muszę iść do przodu bardzo powoli. Nie możemy tak po prostu zacząć w tym samym miejscu, w którym przerwaliśmy.

— Rozumiem. W porządku. Tego właśnie chcę.

Oddycham z ulgą. Dzięki ci, Boże, że dałeś mi tę szansę.

— To jak teraz będzie?

Chciałabym, by powiedział, że zobaczymy się później, że do mnie wpadnie, zostanie na noc. Nagle chciałabym zerwać z niego ubranie, przytulić, całować całe jego ciało. Chciałabym powalić go swoją namiętnością. Swoją miłością.

Adam wstaje i wyjmuje pieniądze za kawę z kieszeni. Po czym patrzy na mnie, pochyla się, całuje mnie na wpół w usta, na wpół w ich kącik.

— Zadzwonię — mówi i wychodzi.

Rozdział dwudziesty czwarty

Minęły cztery dni, a on nie zadzwonił. Za każdym razem, gdy słychać dzwonek telefonu, rzucam się na niego jak jastrząb, ale jak dotąd ani razu nie był to Adam. Dziewczyny wiedzą o tym i przepraszają, że to tylko one i to przez nie w moim głosie brak entuzjazmu.

Wracam do domu po pracy i pierwsze, co robię, jeszcze zanim przytulę koty, nim upuszczę torby na podłogę i pobiegnę na górę do ubikacji, wykręcam 1471, gdyby przypadkiem zadzwonił, lecz nie pozostawił żadnej wiadomości. Ale ostatni numer, spod którego odebrano połączenie, nigdy nie jest numerem Adama.

Codziennie wieczorem, siedząc w domu (bo nigdzie nie wychodzę na wypadek, gdyby postanowił zadzwonić właśnie tego dnia), co godzinę, punktualnie o pełnej godzinie, podnoszę słuchawkę i upewniam się, że aparat działa.

W pracy siedzę przy biurku w otoczeniu papierów oraz stosów kaset wideo i gapię się przed siebie pustym wzrokiem. Nie potrafię skupić na niczym uwagi dłużej niż trzy minuty, bo co chwila spoglądam na telefon, rozkazując mu, by zadzwonił i aby był to Adam.

„Ktoś dzwonił?", pytam w kółko Jilly, nawet jeśli odeszłam od biurka zaledwie na moment. Ta patrzy na mnie jak na wariatkę, bo wie, jak nie znoszę telefonu. Odpowiedź za każdym razem brzmi: „tak", ale nigdy nie chodzi o Adama.

Ludzie zawsze chcą mieć to, czego mieć nie mogą, a ja stanowię tego żywy dowód. Będąc na diecie, zawsze miałam ochotę na jedzenie, którego nie wolno mi było jeść: czekoladę, chleb i ciasteczka. A teraz mam straszliwy apetyt na Adama.

Myślę o nim bez przerwy i wszędzie. Myślę o jego uśmiechu, o sposobie, w jaki się śmieje, i jego wielkich, silnych ramionach. Od czasu do czasu myślę o Cathy w tychże ramionach, ale mówię sobie: co było, to było, i ucinam te myśli, zanim jeszcze zaczną mi sprawiać zbyt silny ból. I czekam.

Kiedy człowiek jest niecierpliwy, to czekanie nawet pięć minut na coś, o czym marzył przez całe życie, wydaje się nie mieć końca. Pojęcia nie mam, jakim cudem jestem w stanie to znieść.

Pewnego popołudnia wracam z przerwy na lunch i znajduję przyczepioną jednym końcem do słuchawki na biurku żółtą karteczkę z nabazgroloną prawie nieczytelnym pismem wiadomością: „Zadzwoń do Jennifer Mason". Pod spodem zanotowano numer telefonu, którego nie znam.

Wiem, że skądś znam to imię i nazwisko. Tylko nie pamiętam skąd. Rzucam więc karteczkę z wiadomością gdzieś na bok i znów zabieram się za swój scenariusz. Ale przez całe popołudnie zerkam na jej nazwisko, świadoma tego, że już je gdzieś wcześniej słyszałam. W końcu wykręcam podany numer i w chwili, kiedy odbiera, poznaję jej głos.

— Pamiętasz mnie? „Namiętnoholiczkę"?

— Oczywiście, że pamiętam. Jak mogłabym zapomnieć? To ty jesteś kobietą, która odmieniła moje życie.

— Dlatego właśnie zadzwoniłam. Nigdy mi nie powiedziałaś, co ci się przydarzyło tego dnia, kiedy rozmawiałyśmy przez telefon. Ale przez cały ten czas wyobrażałam sobie, że byłaś w podobnej sytuacji jak ja. Parę dni temu oglądałam wasz program i zauważyłam twoje nazwisko na liście końcowej. Zaczęłam o tobie myśleć i byłam ciekawa. Dlatego zadzwoniłam.

Co za miły gest! Co za przemiła kobieta.

— Ja też mam Adama — mówię i obydwie wybuchamy śmiechem. — Był moim najlepszym przyjacielem, a potem się we mnie zakochał, ale ja miałam wątpliwości. Po naszej rozmowie tamtego dnia nadal nie byłam pewna, ale postanowiłam zaryzykować. A potem wszystko spieprzyłam. Myślałam, że w naszym związku czegoś brakuje, że nie ma w nim namiętności.

Odeszłam więc od niego i próbowałam znaleźć ją gdzie indziej. Tylko że to, co ja brałam za namiętność, wcale nią nie było.

— A teraz? — dopytuje się delikatnie Jennifer.

— A teraz powiedziałam mojemu Adamowi, co do niego czuję i że znów chcę z nim być, a on się nad tym zastanawia. Ale wiesz, co jest w tym wszystkim najdziwniejsze? Dopóki nie spotkałam Adama, tak samo jak ty byłam skończoną „namiętnoholiczką". A potem zrobiło się nieprawdopodobnie swojsko. Ale teraz, czekając na jego powrót, znowu mam uczucie, jakbym siedziała na cholernym rollercoasterze.

— Znam to — potwierdza ona. — Pamiętam, że mnie spotkało to samo, kiedy zakochałam się w moim Adamie, ale z czasem to wszystko powoli się uspokaja. Jeżeli w związku najważniejsza jest przyjaźń, to rollercoaster jedzie po coraz mniej stromych pagórkach, aż w końcu wyjeżdża na prostą. Zaufaj mi.

— Zawsze chciałam ci podziękować, wiesz? — mówię, nagle uświadamiając sobie, że to prawda. — Cały czas o tobie myślałam, kiedy zdecydowałam się być z Adamem. Chciałam być taka jak ty.

— Naprawdę miło coś takiego usłyszeć! A teraz już jesteś — odpowiada i słyszę uśmiech w jej głosie.

— Jeszcze nie, nie całkiem. Ale mam nadzieję dojść do tego punktu.

— A jak czujesz się teraz?

— Jakbym siedziała w piekle!

Obie wybuchamy śmiechem. Dziękuję jej za telefon i zanim zdążyłam odłożyć słuchawkę, usłyszałam, jak powiedziała na koniec:

— I nie zapomnij zaprosić mnie na wesele.

Po raz pierwszy od czterech dni odczuwam spokój i wiem, że wszystko będzie dobrze.

No i oczywiście zawsze jest tak samo: w chwili, gdy przestajesz się o coś martwić i przestajesz o tym myśleć, to właśnie wtedy coś musi się zdarzyć. Kiedy jesteś na to najmniej przygotowana.

Dzisiaj wieczorem znów siedzę w domu i znowu zadzwoniłam pod 1471, ale tym razem telefon nie wygląda już tak groźnie, nie wywołuje we mnie takiego niepokoju. Jest w nim trochę więcej z przyjaciela.

Podnoszę słuchawkę, by wykręcić numer baru z chińszczyzną na wynos (nic tak nie łagodzi bólu samotności jak żeberka z grilla, kurczak w sosie cytrynowym i ryż smażony z jajkiem), i kiedy składam zamówienie, a potem podaję im swój adres, słyszę charakterystyczne „bip bip bip", oznaczające nowe połączenie oczekujące na linii.

Kończę zamawiać czy odbieram drugi telefon?

— Proszę chwilkę zaczekać — mówię do Chińczyka na przeciwnym końcu linii, wciskam dwójkę, modląc się, by to zadziałało i bym nie skończyła jak zwykle: witając się z kimś, z kim właśnie przed chwilą rozmawiałam.

— Halo?

— Halo — mówi głos, który nie należy do Chińczyka. To głos Adama. Dzięki Bogu, to nareszcie Adam!

— Co porabiasz? — pyta jak gdyby nigdy nic, jakbym była starym dobrym kumplem.

Cokolwiek by to było, Adamie, dla ciebie zmienię plany. Pójdę wszędzie, gdzie tylko chcesz.

— Nic specjalnego. Czemu?

— Tak pytam. Słuchaj, jesteś wolna jutro wieczorem?

Jutro wieczorem, dzisiaj wieczorem, każdego wieczoru. Jestem wolna.

— Może chciałabyś zjeść ze mną kolację?

— Z przyjemnością.

— Dobra. Mogę wpaść po ciebie o wpół do dziewiątej?

— Świetnie. W takim razie do zobaczenia.

— Super. Aha! Tasha?

— Tak?

— Włóż coś wieczorowego.

Odkładam słuchawkę i telefon natychmiast znów dzwoni. To Chińczyk, który cierpliwie czekał, aż znów się do niego odezwę. Ale wiesz co? Nie jestem już ani trochę głodna.

Wychodziliśmy już razem z Adamem, spałam z Adamem i śmiałam się z Adamem. Znam wszystkie jego tajemnice, a on zna moje. A mimo to jestem tak zdenerwowana, że nie potrafię rozsądnie myśleć.

„Włóż coś wieczorowego", powiedział. Włóż coś wieczorowego? Chodzi mu o coś długiego i szyfonowego czy czarną

254

marynarkę i czarną mini do tego? W czym wyglądam lepiej? Co bardziej mu się podoba? Dzięki czemu zdołam go odzyskać? Aha! Marynarka ze spodniami w kolorze miodowego beżu. Eleganckie, szykowne, seksowne, ale w niezbyt oczywisty sposób. Leciutko wycięty dekolt i spodnie, które delikatnie szeleszczą, kiedy idę. Białe buty z elementami miodowego beżu, dokładnie w tym samym odcieniu co mój komplet, a do tego maleńkie perełki w uszach. Wieszam ubranie na drzwiach od szafy i robię krok do tyłu, by je ocenić. Idealnie.

Mocząc się w wannie, nawet kiedy znikam na chwilę pod wodą, by spłukać włosy, nie mogę przestać się uśmiechać. Nakładając makijaż i układając włosy, uśmiecham się dalej.

Wczesnym wieczorem dzwoni Mel.

— Cześć, słonko! Dzwonię tylko, żeby życzyć ci powodzenia.

— Och, Mel! Jestem taka podekscytowana, że aż mi niedobrze. A co jeśli umówił się ze mną tylko po to, żeby mi powiedzieć, że to koniec?

— Nie sądzę, żeby tak było — uśmiecha się Mel. — Nie ma powodu, żebyś tak to przeżywała. To tylko Adam.

— To dlaczego czuję się jak nastolatka? Jakbym szła na pierwszą randkę w życiu?

— Bo to jest twoja pierwsza randka. Ty i Adam zaczynacie od nowa.

Mel jak zawsze ma rację. Chodzę nerwowo w kółko po mieszkaniu, kiedy rozlega się dźwięk dzwonka do drzwi. Jest punktualnie wpół do dziewiątej.

„Spokojnie, spokojnie, spokojnie...", powtarzam sobie, sprawdzając, jak wyglądam w lusterku, i zmierzając długim, powolnym, regularnym krokiem wzdłuż korytarza, a potem stając przed drzwiami wejściowymi. Z jedną ręką na klamce biorę kilka głębokich oddechów. Rozciągam usta w powitalnym uśmiechu — uśmiechu oczekiwania i nadziei.

Otwieram drzwi i stajemy z Adamem twarzą w twarz, oboje szczerząc do siebie zęby i nie mówiąc ani słowa. W jednej ręce Adam trzyma wielki bukiet białych róż, moich ulubionych kwiatów. Wciąż się uśmiechając, wręcza mi je i wchodzi do środka.

— Dziękuję! Dziękuję! — wołam i biegnę do kuchni, by przyciąć łodygi i wstawić je do wody. — Naprawdę nie musiałeś! Na dodatek to moje ulubione kwiaty.

Zamknij się, Tasha! Nie reaguj jak nadmiernie podekscytowana uczennica. Ale ja jestem nadmiernie podekscytowana! Nic na to nie poradzę. Adam wrócił, jest w moim domu.

Odwracam się i widzę, jak Adam przestępuje na progu z nogi na nogę. Wygląda na to, że jest trochę podenerwowany. Przypominam sobie, jak to było, gdy tu mieszkał. Jak siadywał w kuchni, z nogami na stole i czytywał gazety. O tym, że zawsze wyglądał na zadomowionego.

Ale teraz nie czuje się jak u siebie, a ja przez ułamek sekundy, dosłownie ułamek, nie jestem już taka pewna, czy wszystko będzie dobrze.

— Idziemy? — pyta cicho, kiedy kwiaty zostały już idealnie ułożone, a wazon ustawiony na stoliku w korytarzu. Nadal gadam jak nakręcona o niczym, chcąc rozpaczliwie wypełnić wszelką ciszę, która mogłaby między nami zapaść.

Wychodzimy. Kiedy przechodzimy przez ulicę, Adam otacza mnie ramieniem, tak leciutko, że prawie nie poczułam. Jedynie, by mną pokierować, upewnić się, że jestem bezpieczna; że nic nie może mi się stać.

Kiedy podchodzimy do jego samochodu, on otwiera mi drzwi, abym wsiadła, a ja spoglądam na niego i widzę, jak się uśmiecha. Wiem, że teraz już wszystko będzie dobrze.